新潮文庫

項羽と劉邦

上巻

司馬遼太郎著

新潮社版

3260

目次

項羽と劉邦

上巻

始《し》皇帝《こうてい》の帰還

秦《しん》の始皇帝、名は政《せい》、かれが六国《りっこく》を征服して中国大陸をその絶対政権のもとに置いたのは、紀元前二二一年である。それまでこの大陸は、諸方に王国が割拠《かっきょ》し、つまりは分裂している状態こそ常態であるとされてきた。統一の方が異常であったといっていい。

「――あんなやつが」

皇帝か――と、その在世中、巡幸の途次かれを路傍で見た多くの者がおもったのは、かれによってほろぼされた国々の遺民としての感情もあったであろう。しかし一方、かれが中国を統一するというばかげた、いわば絵空事のようなことを現実にしてしまったことが、ひとびとにかえっていかがわしさを感じさせる結果になった。第一、皇帝ということばそのものが新語であり、かれ自身が創作した。言葉がまだ新しくて熟していないのに、実体である皇帝に対する尊敬心の習慣が根づいているはずがなかった。

かれ以前、地上に君臨する者として、国々に王というものがいた。貴族もいた。ところが、かれはそれらの王制や貴族制を一挙に廃してしまった。以前は、人民はうまれながらに人民であり、さらには、うまれながらの王や貴族を氏神に似たものとして尊敬し、その天賦《てんぷ》の地位を人民は窺《うかが》おうとはしなかった。それでもって、なんとか大地は治まっていた。ただ大飢饉《だいききん》があると人民どもは群れをなし、食をもとめて流浪《るろう》し、王や貴族をかえりみなかった。それだけのことであった。

始皇帝は、なんとなく統治し統治されているという過去のあいまいな制度のすべてを一掃した。それにかわるに、中央集権というふしぎな機構をもちこみ、大網のように大陸にひろげ、精密な官僚組織の網の目でもってすべての人民をつつみこもうとした。包みこみの原理は、法であった。法をもって刑罰や徴収、労役などすべてが運営され、強制されるなどは、いままでこの大陸の人間たちが経験しなかったものだった。もっとも、かつて辺境にあったかれの秦王国の人民だけはそれを経験してきた。要するに征服国である秦のやり方が、この大陸のすみずみに及ぼされた。

「王たちの時代はおわり、すべてが秦になった」

ということの煩瑣《はんさ》さは、未経験の中原《ちゅうげん》の人民どもには耐えがたい。法のうるささだけでなく、官僚的権力者をどう尊敬していいのか、過去に伝統がないだけにみなとまどった。

皇帝だけが、この地上におけるただ一人の権力者だということだけはひとびとに理解できた。皇帝一人が官僚組織をにぎり、それを手足のようにつかい、すべてを皇帝自身が裁決しているということである。権力を世襲するのも皇帝家だけしか認められない。貴族というあいまいな中間階級が消滅した以上、皇帝一人が、じかに人民という海のようなものに対しているに似ていた。言いかえれば、一本の釘《くぎ》に皇帝がぶらさがっているだけで、あとはすべて人民のみという風景になってしまっている。

（つまりは、皇帝を倒せば、倒した者が皇帝になれるということではないか）

という奇抜な、しかしあたりまえの、ともかくも前時代にはなかったふしぎな政治認識を多くの人民に植えつけてしまったことは、当のこの制度の創始者自身は気づかなかったにちがいない。

この皇帝制度の創始者は、ひどく土木事業を好んだ。人民という人民がかれの宮殿の普請《ふしん》か、かれの生前墓の建設工事か、または辺境の匈奴《きょうど》をふせぐための長城の工事か、あるいは首都咸陽《かんよう》から八方に通じている皇帝専用道路の工事かにかりだされていたが、そういう土工のなかに陳勝《ちんしょう》という者もいた。のちかれが仲間の土工たちをあおって皇帝をたおすべく反乱に立ちあがったとき、おびえる人民どもを叱咤《しった》して、「王になるのも侯になるのもみな思いのままの世の中ではないか」（王侯将相寧《いずく》ンゾ種《しゅ》アランヤ）という有名な文句を吐いたが、これは厳密にはかれだけの独創ではない。加害側の始皇帝も加わっている。始皇帝がつくりあげた前例のない政治空間がなければ、陳勝がむちをあげ、大地をたたき、この名文句を吐いても、土工たちはどよめかなかったであろう。

皇帝一個が、中間勢力なしに宇内《うだい》のすべての人間——中国の人口は五千万と想像される——に対しているというのは、自信家の始皇帝にとっても多少の不安と肌寒さがあった。ただかれは組織でうずめようとせず、装飾でうずめようとした。自分一個の存在を厳重に装飾し、いやがうえにも絶対であることを見せようとした。かれは皇帝という称号もつくったが、かれのみが用いる一人称も制定した。自分のことを、

「朕《ちん》」

とよんだ。一人称を専有したのである。

さらには、皇帝が中国のすみずみに行くために専用道路をつくったのも、ただ一人の存在としての装飾のために重要であった。かれがとほうもない道路網をつくったのは、ほぼ同時代に遠いローマ世界で軍用道路が完成されていることと無縁でないかもしれない。東西のあいだに正規の交通はなかったが、あるいはうわさがつたわってかれの発想が成立したのかとも思える。その舗装はローマ道路ほどの重厚さをもっていないにしても、礫《いしころ》を敷きつめ、その一つずつを路面にたたきこむという入念な工事だった。礫の一つ一つは、人夫が地面にしゃがみこんで小さな槌《つち》で一つずつ打ちこんでゆくというものであり、その労苦とこの道路網の長大さとを思いあわせると、そこに動員された人夫の数がどれほどぼう大なものであったかが想像される。

「ただ一人が、億兆の人間を所有している」

というかれの権力思想は、具体的には無数の人間をそれらの郷村から追い出して土工にしてしまうということでもあった。そのほか、ごくささいな理由で多数の人民を虐殺《ぎゃくさつ》してみせるということにおいても示された。たとえば、あるとき隕石《いんせき》が落ちた。

その隕石に始皇帝にとって不吉な文字が書かれていたために、かれは犯人をしらべさせた。が、ついにわからず、このためかれはその隕石が落ちた付近の人間をことごとく殺してしまった。

「殺せ」

と、勅命をくだすだけで、その役人たちは殺す。べつにかれにとって暴虐という意識はない。

「皇帝というのは、こういうことができる存在なのだ」

と、かれはおもっていた。かつての斉《せい》王や燕《えん》王、楚《そ》王といったふるぼけた貴族権力とはまったくちがっている、ということを、かれは事実をもって示さねばならず、言いかえればただ一人でもって億兆の人間どもに対《むか》っているにはこういう権力の示威の仕方しかないと肚《はら》に据《す》えてかかっているようでもあった。

これらの虐殺は、かれの他の統一事業と、基本の思想として一つのものであった。それまで文字が地域によって異同があったが、かれはそれらの多くを捨て、整理し、漢《かん》民族の使う文字を一種類にした。度量衡《どりようこう》も地域によってまちまちであったのを、一つのものにした。まことに皇帝は多忙であった。

かつての秦王である政は、皇帝になってから十年そこそこしか生きなかった。このみじかいあいだに、かれはさまざまのことをしなければならなかった。そのもっとも重要な事業の一つは、天下を巡幸して彼自身の顔を人民どもに見せてまわるということであった。この点、かれは、歴史的経験をへた後世の皇帝たちよりも、皇帝として不馴《ふな》れであったということがいえるであろう。たとえば後世の皇帝なら帝都の宮殿を荘厳《そうごん》にし、百官百姓を礼をもって縛り、皇帝がいかに尊貴なものであるかを示すだけでよかった。そのために礼教の学である儒教が作動した。しかし始皇帝は最初の皇帝であるために、自分を居ながらに荘厳にしてくれる儒教の使いみちを知らず、逆に儒教を禁止し、儒書を焼きすてさせたほか、儒者四百六十余人を生きながらに坑《あな》に埋めた。

ともかくも、かれは皇帝がいかに偉大であるかを示すのに、自分自身で普天のもと、率土《そつど》のはてまで巡幸して見せてまわらねばならなかった。

この巡幸は、しばしばおこなわれた。巡幸することがかれにとって最大の政治事業のようであった。ついには巡幸の途上で病死してしまうほどに熱心だった。巡幸には、華麗に武装した何十万という軍隊が、秦帝国の皇帝色である黒の旌旗《せいき》を無数になびかせ、無数の金属製の兵器を陽《ひ》にきらめかせ、この世のおそろしさとこの世のおごそかさを最大限に演出してみせた。奥地ははるか西方の隴西《ろうせい》へ行った。東のほうは黄河《こうが》流域につらなる主要都市をへめぐって山東半島の之罘山《しふざん》（いまの芝罘《チーフ》）まで行ってそこからはじめて海を見、あるいは琅邪台《ろうやだい》をゆき、内陸の彭城《ほうじょう》（いまの徐州《じょしゅう》）を通り、さらに、はるかに南下して揚子江《ようすこう》のほとりに出て要衝《ようしょう》をめぐりあるくというものであった。かれの政権そのものが動いてゆくために、扈従《こじゅう》する文官の数もおびただしかった。

かれ自身は、つねに車輛《しゃりょう》に乗っていた。車輛は小さな宮殿のように装飾がほどこされていたが、どういう技術者が設計したものか、多くの窓を自然に開閉することによって車室の中の寒暑を調節することができた。この車は、特別な名でよばれた。

「轀輬車《おんりょうしゃ》」

という。轀も輬も、この車のために文字がつくられたのではあるまいか。

巡幸の行列が都邑《とゆう》に入ると、群衆が両わきに殺到した。群衆は、後世のように礼教で飼いならされていないために皇帝を拝跪《はいき》するということをせず、ただ物見高くむらがるだけであった。こういう場合、始皇帝はかれらに顔を見せてやるために、わずかに轀輬車の窓をあけさせたりした。

「この地上で、はじめて大地を代表する皇帝というものがあらわれ出た。顔をありがたく拝んでおくがよい」

と、この男は、顔をみせてまわった。

「あの男が、皇帝を称する政《せい》か」

と、無頼の者などは、対等の意識でかれの横顔を見た。かれは自分の顔を情熱的に見せてまわったために、のちにかれの政権をたおして皇帝の地位につくべく起《た》ちあがった連中のたいていは、それぞれの郷土やそれぞれの作業現場においてかれの顔を識《し》っていた。かれこそいい面《つら》の皮であった。その顔を識られたとき、識ったたれもが、

「この男さえたおせばおれがこの男になれる」とおもった。皇帝という存在が貴族制度や礼教思想でもって鎧《よろ》われていなかったために、そういうあんちょくな思いを野望家たちにもたせた。後世の皇帝制からみれば信じがたいほどの心理的事情であったが、しかし「皇帝」の発明者である嬴政《えいせい》(始皇帝の姓と名)にとって、後世のかれの同業者のように豊富な歴史的経験をもつことができない。創始者としてのうかつさはやむを得なかった。


たとえばのちの反乱者たちのなかで、沛《はい》の劉邦《りゅうほう》の場合は、咸陽の都の街路でこの皇帝を目撃した。このとき劉邦は始皇帝の土木事業の労役に従事していた。ある日、た

またま地上最大の権力が道路上をしずしずと移動してゆくのを見、その壮観に打たれた。感動したのではなかった。劉邦は大きく息を吐いてから、大丈夫、当《まさ》ニ此《かく》ノ如《ごと》クナルベキナリ——男はこうなきゃだめだ——とつぶやいたのである。劉邦は皇帝に対して無用に戦闘的な抵抗心はもたず、ただむやみにくびをふってうらやましがった。このあたりは、いかにも劉邦らしい。

一方、項羽《こうう》は、華南《かなん》の会稽《かいけい》で始皇帝の巡幸に出遭《であ》った。かれは群衆とともに見物した。華麗な轀輬車が近づくや、

「彼取《かれと》ツテ代ルベキナリ」

と、大声で叫び、同行していた叔父の項梁《こうりょう》を狼狽《ろうばい》させた。かれのこのさけびは『史記』に出ている。由来、トッテカワルというのは、日本語にまでなった。項羽にとって本音であった。項羽の強烈な自負心からいえば、皇帝の車に乗って皇帝の衣服を着ている嬴政というしわ深い男になんの力も価値も感じなかった。始皇帝はたまたま秦の王家にうまれ、王になった。劉邦のような土民ではなく、項羽のような浪人同然の境涯でもない。秦は中国大陸の西北角にあり、半農半牧の非漢民族が雑居している。

これらを統御するには法律と刑罰と鞭《むち》による統制主義による以外になく、秦は早くからその方式を採用し、法家《ほうか》の国とされた。秦は中原に熟成しつつあったような人文には乏しかったが、そのかわり、西方の遠い道からつたわってきている鉄や銅、あるいは真鍮《しんちゅう》の冶金《やきん》が上手で、地をふかくうがつ農具も、するどい兵器も他の六国《りっこく》（楚《そ》、斉《せい》、燕《えん》、韓《かん》、魏《ぎ》、趙《ちょう》）にくらべてはるかに豊富であった。

右のように、秦がもつ統制主義と生産力と兵器の優越が、この国をして他の六国を凌《しの》がせ、秦王政《せい》にいたり、やがて六国をほろぼして、奇跡としか言いようのない大陸の統一を遂げさせた。政は運がよかっただけだ、という見方を、土工として江湖《こうこ》に流浪している六国の遺民たちに植えつけた。元来、旧六国の遺民たちは秦を野蛮国と見、漢民族の血液が薄いと見て軽侮していた。軽侮されてきた国の王が皇帝になったところで、劉邦や項羽ならずとも神聖視しなかった。

始皇帝にも、そのことがわかっている。だからこそ人民どもの肝《きも》をとりひしぐような巨大な建造物を各地で造営し、また行列をつらねて、皇帝としての自分の顔を見せてまわる必要があった。しかし顔を見せてまわることは、かえって効果が逆になった。劉邦や項羽のような手合いの野望を刺激し、挑発してまわるという奇妙なはめになった。

巡幸には、始皇帝のべつな願望もその目的に組み入れられていた。

人間を宿命づけている老と死という自然の変化からまぬがれたいということだった。万能の皇帝ならばそのことは可能だとかれは考えていた。かれは人文の稀薄《きはく》な西北の辺疆《へんきょう》の人だけに瑣末《さまつ》な文化意識にわずらわされることがなく、かえって合理主義的な思考法をとることができたし、おなじ理由で、一種の科学主義者でもあった。この気分のなかで、かれは方術を信じた。方術はこの当時にあっては科学というにひとしく、またその体得者である方士が、のちの科学を語るようにして神仙を語った。始皇帝はかれらに不老不死の霊薬をさがすことを命じ、これがために万金を散じた。散じつづけた。

「よい薬をつくれ」

と、方士たちをせきたてた。

かれらが調製するものをさかんに服用した。どうやら水銀のようなものまで服《の》んでいた形跡があった。おそらく内臓がぼろぼろになるまでその影響が溜《た》まりに溜まっていたにちがいない。

方士のなかでは、とくに盧《ろ》生《せい》という者を信じていた。盧生は、「天上で神仙とつきあっている」という評判があった。

「盧生、にせ方士の多いなかで、そのほうだけを信じている。神仙をつれて来い」

と、かれはつねに言い、かつ一方で、盧生が怠《なま》けているのではないかと思い、叱《しか》りもした。

「神仙はかならず陛下のもとに参ります」

と、そのつど盧生はたのもしく返答した。

そのときこそ神仙が陛下に不死の薬を献ずるでありましょう、ともしばしば盧生は約束した。しかし一向に神仙が始皇帝の部屋に舞いこんでこなかった。盧生は窮してしまい、それは陛下の生活のありかたがよくないからでございます、とひらき直った。神仙は余人を嫌う。陛下の部屋に舞い降りようにもたえず家来どもがいて舞い降りられないのでございます、という意味の理屈を整然たる理論と実証をもって述べた。合理主義者である始皇帝はもっともであると思った。

以後、余人を身辺に近づけなくなった。咸陽《かんよう》の宮殿には殿舎が二百七十棟《むね》もある。その宏大《こうだい》な宮廷のどこにかれがいるかも、余人に知らせないようにした。ただ宦官《かんがん》の趙高《ちょうこう》だけは例外であった。例外を設けておかねば皇帝としての仕事ができなかった。

趙高が府中から政治に関する書類を宮中のかれのもとに運んでくる。決裁を乞《こ》うためであった。決裁が済むとそれらの書類を政府である府中まで運んだ。府中を主宰するのは丞相《じようしよう》である。高名な李斯《りし》がその職にある。始皇帝が大陸を統一しえたのは李斯によるところが大きかった。秦帝国が成立してから、この最大の功臣は、その息子たちがすべて始皇帝のむすめたちを嫁として貰《もら》い、李斯のむすめたちがすべて皇族に縁づくというほどの寵遇《ちようぐう》をうけた。始皇帝の大土木事業、文字や度量衡《どりようこう》の統一、あるいは辺境への外征事業も、すべてこの李斯によって立案され、実施された。そのような老宰相でさえ、自分の君主が宮殿のどこにいるかを教えてもらえなかった。それほど始皇帝の雲隠れ生活は徹底していた。そうすることがかれらしい科学的態度であったといっていい。

趙高だけが例外とされたのは、

「宦官は、人ではない」

という理由に拠《よ》るものであった。宦官はいうまでもなく男根を切りとられている。歴朝の宮廷が、宮廷の奥における王者のいかなる私生活の秘密も宦官という男たちの耳目《じもく》に曝《さら》してきたというのは、かれらが人ではないという理由によった。秦の宮廷は史上最大のものだけにむろん何千の宮女がおり、その世話をする何百の宦官がいた。そのうち趙高が履歴もふるく、とびぬけて利口で機転がきくために、始皇帝はこれを寵用していた。

――趙高は、影のようだ。

と、宮廷のなかのひとびとから言われた。趙高はひそひそと歩く。とくべつな呼吸術でも心得ているのか、始皇帝の身辺で身のまわりのことをしていても、人間がそこにいるというわずらわしさを始皇帝に感じさせず、また床《ゆか》に敷きつめられた黒い磚《せん》の上を趙高が歩いていても足音もしなかった。気配すら立てなかった。

皇帝は、毎夜、閨《ねや》に女を必要とした。夜ごと、趙高が皇帝を女たちの部屋へ案内してゆく。皇帝は毎夜のように幸《こう》する女を変えた。趙高のしごとは、それにかかわるすべてだった。皇帝が幸する女が匕首《あいくち》や毒薬などを持っていないかということを裸にしてしらべ、また皇帝が女を幸している最中ににわかに弑《しい》するようなことがないように監視した。このため皇帝が女の部屋にいる間じゅう、趙高もまたその部屋に影のように侍《はべ》っていた。こういうこともあって、

（趙高は影であって、人ではない）

と始皇帝は思うようになっていたし、当然、神仙もまたこの影を人とは認めないは

ずであり、舞いおりてくるのになんのさわりもあるまいと思った。

しかし始皇帝の認識では趙高は影であっても、趙高自身にとっては自分自身が人間であることに変わりがない。

（わしは、人間なのだ）

と、趙高はずっしりとおもっている。

（わしほどえらい者はこの世にいないのではないか）

ともおもっていた。

単なる人間にしては趙高はものを知りすぎていたし、それもこの地上で知るべからざることばかりをかれは知っていた。余人にとって、歴史上最初に出現した皇帝というのは新奇でかつ地上絶対の権力であっても、皇帝の私生活の面倒を見るこの宦官にとってはただの初老の男にすぎなかった。それもなみはずれた荒淫《こういん》の人であり、その荒淫をつづけたいために衰えを怖《おそ》れ、自分だけが死をまぬがれたいと妄想《もうそう》している滑《こっ》稽《けい》な男にすぎず、またそれ以外の皇帝を想像する必要は宦官という職務からいってすこしもなかった。

趙高は、始皇帝とともに、宮廷の中を日夜転々とした。始皇帝の用便の世話をし、

夕刻になるとその体を湯で拭《ぬぐ》い、食事を献じ、寝床をととのえ、そのそばで自分もまどろむうちに、

(この男のいのちは、自分だけが握っている)

……ちょうど掌の中に黄色くやわらかいひな鳥のいのちでも握っているような感覚で、そう思うようになった。強く握りしめさえすれば、ひなは死んでしまう。殺そうと思えばいつでも殺せる、というえたいの知れぬたかぶりが趙高の身のうちで成長しはじめた。ただし殺せば趙高は職と命をうしなうだけで何の利益もない。とはいえ皇帝のいのちの生殺与奪の機微を自分ひとりがひそかに握っているという実感は、一種奇妙な権力意識をかれの中で育てた。

趙高の中のその意識がばけもののように巨大になってゆくのに、時間はかからなかった。

始皇帝と丞相の李斯のあいだをかれは書類を持って往復している。始皇帝の言葉も、趙高が代弁した。李斯にとって始皇帝が見えざる君主になってしまった以上、老いて脂肪がひざもとまで垂れさがっている宦官の趙高の口から出てくることばが、始皇帝の勅諚《ちよくじよう》であるとして信ずるしかなかった。趙高は、始皇帝の意志を李斯につたえるときは、

「勅諚でござる」

といって変に威厳を示し、李斯に対して畏《かしこ》まることを暗に要求した。

この芝居は李斯にとってはやりきれないことだったが、しかし趙高の機嫌を損じたりすると、趙高が始皇帝のもとに行ってどういう告げ口をするかわからなかった。絶対権力は始皇帝のみにある。法家《ほうか》主義とはいえ始皇帝だけは法から超越する存在であり、そのことば自体が法であった。始皇帝が讒言《ざんげん》を信ずれば李斯の首などはその日のうちに飛んでしまうのである。

李斯は、ついには趙高の前で、そこに始皇帝がいるかのように激しく畏怖《いふ》し、恐懼《きょうく》の体《てい》を示すようになった。

（李斯さえ自分を怖れている）

と、趙高はおもった。事実、李斯は趙高のなかに何を仕出かすかわからない殆《あやう》さを感ずるようになっていたし、趙高の機嫌をとっておかねば自分の命があぶないと思うようになっていた。

ただし趙高の李斯への言葉づかいは、従前どおり慇懃《いんぎん》であった。宦官は本来奴隷《どれい》身分であったために、秦の宮廷でも身分としては犬か猫のようにいやしい。李斯のような秦帝国の官僚の総帥《そうすい》に対しては鄭重《ていちょう》たらざるをえなかったのだが、言動のはしばしには凄味《すごみ》を利《き》かせるようになった。趙高は李斯に対している場合、ときに自分自身が皇帝であると錯覚する瞬間さえ持った。李斯の場合、このみにくい去勢者に対しているときはかたときも油断できないために、趙高を擬似《ぎじ》皇帝として謁《えつ》している気分を持ちつづけた。

始皇帝《しこうてい》が最後の巡幸に出たのは、陰暦十月の寒い日である。

首都の咸陽《かんよう》は人夫で雑踏していた。かれは阿房宮《あぼうきゅう》という仮称のついたとほうもない大宮殿を渭水《いすい》の南（咸陽の南東）に建造中であった。前殿の一棟だけで東西八百メートル、南北百五十メートル、その屋根の下に一万人を収容するに足るというもので、この大陸に人間が棲《す》みついて以来の最大の建造物というだけでなく、その壮麗さにおいても過去の建築という概念ではとらえがたいほどのものであった。人夫たちはその造営のために大陸のすみずみからかり出されてきた農民であったが、この時期、かれらとは別個の大集団が咸陽の東方の驪山《りざん》のふもとで工事に従事していた。不老不死をめざしているはずのかれにとっては矛盾したことであったが、その巨大好みのままに陵墓がつくられつつあり、その工事はすでに八分どおりまですすんでいた。かれの大旅行は、それらのわずらわしさからのがれたいということもあったのであろう。

まず水の美しい会稽《かいけい》へ行ったあと、北上して揚子江《ようすこう》をわたり、そのあとめずらしく海岸ぞいに北へと進んだ。山東半島の海浜である琅邪《ろうや》へゆき、平原津《へいげんしん》まできたとき、病《やま》いを得た。いそぎ咸陽へ帰るべきだったが、かれはまだこの病いが死によって終了するとは思っていなかった。強気にもさらに北中国に入った。済水《せいすい》を渉《わた》り、漯水《れいすい》を渉り、沙丘《さきゅう》(河北省平郷)という土地に入ったときに、病いが篤《あつ》くなった。すでに旅行中に越年し、春もすぎ、七月の暑いさかりになっている。

(わしがかねて思っていたとおりになってきた)

と、ひそかに緊張したのは、随行してきている趙高であった。

このころは趙高は単なる宦官ではなかった。始皇帝が詔勅を発するときに必要な印《いん》璽《じ》まであずかるという職を持っていた。かれはこの巡幸中、始皇帝の轀輬車《おんりょうしゃ》に陪乗《ばいじょう》し、その病状はつぶさに見ていた。

(ひょっとすると、皇帝はこの沙丘で死ぬな)

と、おもったのである。死は、政変につながる。

死を予感することのきらいな始皇帝は、あとを譲るべき皇太子をきめていなかった。かれには二十余人の男子がいた。

長男は、扶蘇《ふそ》という。人柄が温厚で学問もあり、物事をよく考えておよそ平衡《へいこう》をうしなうということのない性格で、悪評の高い父親と異なり、宮廷の評判もよく、その評判は江湖にまでひろまっていた。扶蘇の代になれば、秦《しん》帝国も安定するだろうといわれていたが、しかし趙高にとっては扶蘇が二世皇帝になることはおよそのぞましくなかった。

名将の蒙恬《もうてん》が、扶蘇を支持している。擁しているといってもいい。

蒙恬は、成りあがりの将軍ではない。蒙家は秦がまだ王国にすぎなかったころから代々将軍を出す家で、祖父の蒙驁《もうごう》将軍はとくに有名であったし、兄の蒙毅《もうき》も力量のある男だった。蒙恬は秦帝国の樹立のために百戦し、帝国の成立後は三十万の大軍をひきいてオルドスまで北上し、漢民族にとって歴史的な脅威である匈奴《きょうど》を撃破し、その南下をふせぐために万里《ばんり》の長城を築いた。長城の造営のためにかれは辺境に近い上郡《じょうぐん》(陝西《せんせい》省綏徳《すいとく》県東)に駐屯《ちゅうとん》し、ここに幕営を置き、秦をして外患から安泰ならしめている。

かつて妖言《ようげん》する者があり、「秦ヲ滅《ほろぼ》スモノハ胡《こ》ナリ」といった。このことは始皇帝の耳に入った。胡とはいうまでもなく草原の異民族のことで、匈奴もその総称のうちにふくまれる。こういうこともあって、現実に胡の害をふせぎつつある蒙恬への始皇帝の信頼が篤かったばかりでなく、辺境の農民たちのうち秦に心服しない者でも蒙恬の武徳には心から感謝している者が多かったし、この意味では秦の威信はむしろ蒙恬によって重いという面があった。

その蒙恬のもとに、公子扶蘇がいる。

このことには、事情があった。

始皇帝が有名な坑儒《こうじゅ》をおこなったのは、かれが咸陽を出発する前年である。坑(阬)とは生きながらに人を埋めるという処刑法で、中国における大量処刑ではしばしば用いられてきた。かれはいまの西安の東のほうに大きな穴をうがち、儒者四百六十余を坑(阬)してしまったのだが、このときばかりは公子扶蘇が父皇帝をつよくいさめた。扶蘇はどちらかといえば父や李斯のような苛烈《かれつ》な法家主義の思想よりも儒家のおだやかさのほうが好きであった。始皇帝は扶蘇からいさめられて甚《はなは》だしく自尊心をそこなった。というより、扶蘇の思想が秦帝国の立国思想とあわないことを危険におもい、

「しばらく蒙恬のところへ行って、軍隊の監督をして来い」

と、咸陽の宮殿から辺境へ追い出してしまった。ひとびとは扶蘇が皇太子になる見込みはこれでなくなったと見た。しかし始皇帝にすればそこまで考えたわけではなく、帝国を維持することがいかに苛烈なものであるかということを辺境の軍隊の中に追い

やることによって扶蘇に教えようとしたにちがいない。扶蘇は蒙恬の勇敢さやその優しさが好きであった。なかばよろこんで辺境へ去った。

始皇帝の他のこどもたちは、さほどの者がいない。

末子の胡亥《こがい》が、二十歳になる。始皇帝はどういうわけかこの色白の才子肌の末子を溺愛《できあい》していた。もし始皇帝が胡亥を愛していなかったとすれば――以下は戯《たわむ》れの想像だが――「秦ヲ滅スモノハ胡ナリ」という「胡」を胡亥のことではないかとほんの一瞬でも疑ったかもしれない。ともかくも長子の扶蘇が辺境へゆき、末子の胡亥が咸陽に残った。

趙高は、胡亥の家庭教師をもつとめてきた。趙高は宦官《かんがん》でありながら文字にあかるく、とくに秦の法律について詳《くわ》しかった。かれは胡亥にそれを教授し、その仲は緊密であった。趙高にすれば胡亥が二世皇帝になってくれれば秦帝国は自分の意のままだと思うようになった。そのことを含みつつ趙高は始皇帝に胡亥がいかに人柄がよく利発であるかということをつねに耳に入れ、このたびの天下への巡狩《じゅんしゅう》についても胡亥をつれてゆくことを始皇帝に献言し、その許可を得た。この暑中の沙丘においても、胡亥が行旅のなかにいる。

かった。

（勿怪《もっけ》の幸いというべきことだ）

趙高《ちょうこう》はおもった。扶蘇は遠い。胡亥は父皇帝のそばにいる。諸事、策謀を用いやすかった。

（李斯にとっても幸いではないか）

趙高はおもうのである。もし扶蘇がつぎの皇帝になれば、蒙恬が李斯の位置にかわってこれを輔佐《ほさ》するようになる。李斯は遠ざけられざるをえないのだが、とくに扶蘇が儒教好きであるとすれば、危険はさらに大きい。熱狂的な法家である李斯はいままで儒家を弾圧すること甚だしく、その罪をもって新帝から処罰されるというあやうさを孕《はら》んでいる。

（李斯を誘いこむのに、わけはない）

趙高はおもった。

ある朝、暗いうちに始皇帝が轀輬車《おんりょうしゃ》の寝台の上で息をひきとってしまった。趙高はその瞬間まで介抱《かいほう》をし、やがて息が絶えたとき、かれのあらたな仕事のために鋭く背後をふりかえった。そこに下僚の宦官が三人いる。寝台の背後で雑用をしていた。

「聞け」

趙高は、おそろしい顔をしていった。

「陛下は、亡《な》くなられたのではない。この轀輬車のなかで生きておられる。咸陽へ還幸されるまでは、生きておられるのだ」

もしそうでない事実を口外すれば、不忠の者として殺す、九族まで殺す、よいか、といった。三人の宦官はいっせいに跪《ひざまず》いた。かれらはもともと趙高の子分であるため、念を押されるまでもない。

あとは、李斯《りし》であった。

趙高は、宦官二人を使いにして、胡亥《こがい》と李斯をよびにやった。やがて胡亥がやってきて、沈黙してしまっている始皇帝におごそかに謁《えつ》した。つづいて李斯も車に登った。李斯は皇帝の死という現実の前に体をふるわせ、立っているのがやっとというほどに動転した。

「存じあげなかった。丞相《じょうしょう》の職にありながら、陛下の御病《おんいたつき》がここまでのものであったとは、存じあげなかった」

と、床《ゆか》の上にひたいを擦《す》りつけて泣いた。できれば、始皇帝の病状を自分にしらせなかった趙高への怒りとうらみがこもっていた。できれば、趙高をなんらかの法に照らして処刑してしまいたかった。刑名家《けいめいか》の李斯にすれば趙高の首をはねるための法操作などは、ごく簡単なことであった。

が、趙高はあらたな砦《とりで》のかげにいた。胡亥に対しにわかに皇帝であるかのようにして恭《うやうや》しくし、李斯の様子をそのかげからじっと見ている。

やがて趙高は、他の宦官たちを車外に去らせた。

残ったのは、三人だけである。

趙高は手をあげて灯《あか》りをつよくし、棚《たな》の上から帛《きぬ》に書かれたものをしずかにおろしてきてひろげて見せた。李斯が見あげると、始皇帝の詔勅であった。胡亥も李斯も拝《はい》跪《き》した。趙高が説明した。始皇帝が息をひきとる前、さすがに死のまぬがれぬことを察し、趙高をかたわらによび、詔勅を口述筆記させたというのである。詔勅は、後継者についてであった。辺境にいる長子扶蘇《ふそ》にあてられている。

——軍事は蒙恬《もうてん》にまかせ、いそぎ咸陽にもどって朕《ちん》の葬儀に参加せよ。

とある。扶蘇に即位せよとは明示されていないが、指名と同一効果のものといっていい。指名より始末にわるいのは、この詔勅どおりなら蒙恬が辺境の国軍をひきい、扶蘇を守って咸陽へ帰ってくるかも知れないということである。当然、首都は蒙恬の強大な軍隊の管制下におかれる。

このことは、趙高にとってまずい。

「この詔勅を蒙恬将軍の駐営地へ送り奉《たてまつ》りますのは、しばらく差しひかえます」

趙高が宣告するようにいった。李斯は老いた顔をあげて、ことさら不審の表情をしてみせた。

趙高は胡亥のそばを離れ、李斯に顔を近づけ、「お聞きあれ」といった。もし陛下の崩御《ほうぎょ》がひとびとに知れ渡ったならば秦帝国はこの沙丘においてほろびます、前途に土匪《どひ》が蜂起《ほうき》してこの鹵簿《ろぼ》をはばむばかりか、自軍さえ冷静でいるかどうか、測りがたい。「丞相よ」と趙高は声をはげまして言った。この詔勅を辺境に送るとなれば天下に崩御があきらかになってしまいます、それによって秦帝国が滅ぶことに加担されるか、それとも崩御を秘し、陛下がなお世に在《あ》られますように擬装し、咸陽に至ってはじめて大喪《たいそう》を発し、それによって秦帝国の崩壊をふせぐことに力を尽されるか、と問うた。

李斯はながい沈黙をつづけた。やがて決心したように一点頭して、趙高どののご意見に従いましょう、といった。

やがて、始皇帝の死体は沙丘を出発した。

死体の巡幸ということは、以前にも以後にもない。黒色の旌旗《せいき》が地平をどよもすようにして動き、百官が轀輬車に前後して、その壮観さは従前どおりであった。たれも始皇帝が死体になってしまっているということを知らなかった。

轀輬車には、柩《ひつぎ》の中におさまった始皇帝とともに趙高が乗っている。

朝の供御《くご》、夕べの供御も、柩の前面にすわっている趙高が受けるのである。この巡幸中、始皇帝は毎朝、李斯以下の百官を謁した。百官が車の前にきて堵列《とれつ》するのだが、皇帝の姿はすだれの内側にあるためにそとからは見えない。この日から趙高がすだれの内側でかれらを謁した。趙高は文字どおり擬似皇帝になった。

(なんというばかばかしさだ)

最初の朝、李斯は、自分の肉を毟《むし》りとって投げつけたいような衝動にかられた。

その最初の朝が過ぎると、始皇帝である趙高が胡亥をよびつけた。他の者からみれば始皇帝はもはや雲がくれすることをやめたのかと思った。胡亥は階《きざはし》をのぼって車の内部に入ると、なかは薄い採光のために朱色の柱がおもおもしく沈んでいる。すでに屍臭《ししゅう》がこもっていた。むらむらと立ちこめる屍臭の中で、趙高がすわっている。

「詔勅によって、長子の扶蘇様が、帝位につかれます」

趙高は揺れながら、小声でいった。四つの車輪が土を噛《か》んで轣轆《れきろく》とした音をたてている。扶蘇が帝位につけば、無数の先例が示すように、他の有資格者だった皇子たちは殺される、とくに始皇帝から愛されて一時は帝位の継承者だという下馬評のあった胡亥はただでは済まない。反乱を予備的にふせぐという目的で、多くの事例が示すように殺されてしまう、それでもあなたはいいか、という意味のことを趙高はいった。

若い胡亥は、趙高がなにを言いだすのか見当もつかず、

「やむをえまい。先帝がそのように決められたのだ」

というと、趙高は決められたわけではありませぬ、と棚の上の詔勅を指さした。あの詔勅については胡亥様と李斯どのと私以外には天地のたれもが知りませぬ、ここで胡亥様のご決断こそ必要でありましょう、もし胡亥様さえそのおつもりになれば咸陽にもどったあかつき、帝位にお即《つ》きになることも夢ではございませぬ、といった。

胡亥は、慄《ふる》えあがった。詔勅を偽作しようというのである。が、趙高は胡亥にあいまいさを許さず、これを追いつめて返事を迫った。胡亥はついにうなだれ、力なく

「諾」といった。

(胡亥さまが、承知した)

趙高は、拠《よ》りどころを得た。つぎは宰相の李斯である。李斯を車の中によび、二人きりになった。

李斯は秘計をうちあけられて、驚き、かつ慍《いか》った。が、いかりを懸命におさえ、

「趙高よ、あなたの考えはまちがっている。人臣として取るべき道でないばかりか、国の亡《ほろ》びにつながる」

と、いった。李斯は、すぐれた政治家ではあったが、諸悪を政治という場で平然と許容できるたちの男ではなく、かれの学問にも施策にもかれなりのつよい正義の念がつらぬいていて、趙高の仲間になれるような男ではなかった。

さらにかれの法意識が、それをゆるさない。臣というのは自由なものではない。臣とは、元来、奴隷《どれい》というべきもので、自分にめしを与えてくれる主人の命令をきくのがその道である。主人が生きているときにはそれに順《したが》い、主人が死ねばその遺言さえふみにじるというのは、法の道理を真《ま》っ向《こう》から外《はず》している。

「そういう考えに与《くみ》することはできない」

と、李斯はいった。

趙高は、おどしにかかった。

「秦においては、丞相《じょうしょう》は君主一代のものです」

決して先代に使われた丞相がつぎの代にも使われることがない、扶蘇様が皇帝になれば蒙恬が丞相になり、あなたなどは悲惨な目に遭うことになるでしょう、代々の丞

相はそれらが仕えていた主人が死んだ場合、例外なく罪目をかぞえられ、九族まで誅《ちゅう》殺《さつ》されました、ご自分だけその例外をつくれる自信がありますか、といった。

「例外をつくれる」

と、李斯は言いたかった。秦王の政《せい》に六国《りっこく》を討滅する策をあたえつづけたのは自分であり、また政がこの大陸のあるじになったとき、これを統御する政策のすべてを立案したのも自分である、という自負があった。

が、李斯は本来政治家というよりも立案者であるという面がつよい。始皇帝のような強烈な自我を持った独裁者に仕えてこそその案は採用され、李斯も光るのだが、単独の政治家として生きてゆくには、迫力に不足していた。

趙高もそれをよく知っている。

「蒙恬は武功の人で、あなたのように文功の人ではありませんが、それは置かれた場所によるもので、蒙恬が丞相になってもあなたぐらいのことはやれるでしょう。しかしあなたが三軍を率いて蒙恬のような武功を樹《た》てられるということは考えられません。たとえば軍略でもって遠い未来を見通す力においてあなたは蒙恬よりまさっておりますか。また天下人民の信望においてどちらが優《まさ》っているとお思いです。さらに重要なことは、扶蘇様が皇帝になられた場合、どちらがご縁が濃いとお思いですか」

李斯はかぶりをふり、すべて蒙恬がすぐれている、と言い、

「しかしなぜそういうことをきくのか」

と、不快そうに反問した。

「丞相が、ご自分をどう評価しておられるのか知りたかったのです。蒙恬のほうがすぐれているということは、次代の丞相は蒙恬であるということでしょう。つまりは丞相は誅殺されてしまうことであり、それをみずからお認めになったも同然です。しかしのがれる道はあります」

胡亥を皇帝にすることだ、趙高はいった。さいわい先帝の御遺書はここにある、先帝の印璽《いんじ》も私があずかっている、胡亥を帝位につけるという詔勅はいまでもこれを作成することができる。……

「もっとも丞相であるあなたさえ承知すればのことですが」

幸い、この秘密は三人以外、天神地祇《てんじんちぎ》もこれを知らない、胡亥はもう承知している、あなたさえその気におなりになればいいのです、としつこくせまった。李斯は、もだえるように趙高の誘いに抗した。趙高は多弁で、あらゆる論理をつかい、蜘蛛《くも》が糸で小虫をからめるようにして李斯にせまった。李斯はついに承知した。しかしこのあと、天を仰いで歎《なげ》き、つまらぬ世にうまれ、つまらぬ男にかかわりあい、恥ずべき仲間に

入れられてしまった、と地に伏し、髪をかきむしるようにしてうめいた。

趙高はこの謀議の座長格になった。

始皇帝の骸《むくろ》がよこたわっている轀輬車《おんりょうしゃ》の車内が、謀議の場所である。趙高はまず胡亥をもって皇太子とするという始皇帝の遺詔を偽作し、胡亥と李斯にみせた。両人はここまで乗った以上は、それについてどうこう言う理由がない。両人ともだまってうなずき、承諾した。

次いで、扶蘇と蒙恬を殺してしまわねばならない。

「えっ」

胡亥は、肝をつぶしたような顔をした。

「兄上と蒙恬を殺すのか」

「当然でございます。皇帝になるべき第一公子と、秦朝第一等の名将とを殺してしまわねば、あなたさまが帝位におつきになっても、扶蘇様が非を鳴らし、その声望をもって天下の人心をおさめ、また蒙恬が大軍をひきいて咸陽《かんよう》をかこんで、せっかくのこの苦心の企《くわだ》ても水の泡《あわ》になってしまいます」

「どうしても兄上を殺さねばならぬものか」

「遺詔を偽作するということをあなた様も李斯様も承知なさいました。承知なさったときに、すでに扶蘇様も蒙恬も殺すということは、当然、織りこみずみでございます」

「そういうものなのか」

胡亥は、まだ煮えきらない。趙高は声を励まし、自分たちは権力を相手から奪いとろうとしているのでございます、ここは切所《せつしょ》でござる、尋常の手段では参りませぬ、といった。

このようにして、辺境の扶蘇と蒙恬へつかわす詔勅ができあがった。

「蒙恬とともに自害せよ」

という言葉が、末尾に書かれた。まず、「朕《ちん》は」と始皇帝はいう。巡幸の途中にある、名山をたずね、諸神をまつり、長寿を祈っている。そのほうは蒙恬とともに大軍をひきい、匈奴《きょうど》と戦っているが、いまなおすこしの功績もない。それのみか朕の政治の批判ばかりをしている。その不孝の罪をつぐなうため、この剣をもって将軍蒙恬ともども自害せよ、というものであった。

「いかがなものでござる」

趙高は草稿を李斯にみせた。

「結構です」

李斯も、やむなく承知した。

辺境の幕営のなかで勅命に接した扶蘇は、いさぎよくその剣でのどを突き、自害してしまった。

その前に、蒙恬が制止した。どうも唐突な命令で理解できない、なにか陰謀でもたくらまれているのではないか、と言い、一度、助命を歎願《たんがん》してみましょう、そうすれば事情もわかってくると思います、といったが、扶蘇は、それでは父の命に対して疑うことになり、二重の不孝になる、といってきかず、死を急いだ。

蒙恬は、自害をこばんだ。このため使者団がかれをとらえ、咸陽へ護送して獄につないだ。数カ月後に蒙恬も獄中で毒を仰いで死ぬことになる。

轀輬車は、暑気の中を咸陽にむかっている。

暑いために、始皇帝の死体の腐敗は早かった。屍臭が車のなかに満ちた。地上のただ一人の絶対者も死ねば屍臭を発するだけというのが、なにか滑稽《こっけい》なようでもあり、哀れでもあった。かれは趙高にとっては死体でありつづけねばならなかった。

（もうすこしの我慢だ）

車の中で、趙高はおもった。始皇帝の死体に言いきかせているのではなく、趙高が趙高自身に言いきかせている。擬似皇帝である趙高は気をうしないそうなほどのにおいの中で、呼吸していた。かれは夜だけは趙高にもどって宿舎にとまることにした。車から降りると、まわりから新鮮な空気が殺到した。生きかえる思いであった。夜間は、腹心の宦官《かんがん》に交代させて車内で臥《ふ》せさせた。この臭気のなかではとても眠ることができず、一夜で宦官は死体寸前の衰えをみせて車から降りてきた。昼は、趙高が車内にいる。欲に取り憑《つ》かれでもしていないかぎり、こういう我慢ができるものではなかった。

ただおそれるのは、外部にこの臭気が洩《も》れることであった。このため、趙高は数日目から馬車を併行《へいこう》させて走らせている。秦の始皇帝が開通させた軍用道路の路幅《みちはば》はすべて二車線で、二車線であることが、始皇帝の生前よりも死んで役に立ったことになる。併行して走らせている馬車には、鮑魚《ほうぎょ》を一石（三〇キロ）も積ませていた。鮑魚というのは干物にした魚のことで、臭気がはなはだしい。「陛下がそうせよとおおせられた」と供奉《ぐぶ》の連中にはふれておいたが、供奉の者からみれば、始皇帝がなぜそんな物好きなことをするのかわからない。そのことについては趙高は説明しなかった。

このためたれもが不審に感じ、なにごとかがおこっているという疑念をもった者がすくなからずいたにちがいない。

辺境から使者が帰ってきて、扶蘇が自殺し、蒙恬がとらえられて咸陽へ檻送《かんそう》された旨《むね》、かれらに報告した。

「安堵《あんど》した」

胡亥は、さすがに事の成否が気がかりだったらしく、はしゃぐようにして言った。

李斯も、自分を害するであろう勢力がこの世から消滅したことをよろこんだ。

巡幸の列は、速度をはやめて西へ西へとすすんだ。陝西《せんせい》の北部に入ると、咸陽へまっすぐに南下している新道路ができている。蒙恬が開鑿《かいさく》したもので、匈奴が出没するオルドス地帯から南下し、上郡を経て咸陽に達するものであった。北辺に異変がおきるとすぐさま九軍を咸陽から送れるようにしたもので、この当時「直道」とよばれた。もっとも直道が開通してから、蒙恬の武威《ぶい》もあって匈奴が息をひそめ、まだ軍隊輸送を必要とするような事態がおこってはいない。この直道は、死体の始皇帝を咸陽へ急がしている趙高のために役に立った。悪事というのは積みかさねられると、どこか空《くう》疎《そ》で滑稽な色をおびてくる。

が、悪事は仕上げられるという極みがない。胡亥が第二世皇帝に即位したあと、趙高は新帝に対し、

「陛下は安堵なさってはなりませぬ」

と、耳打ちした。

例の秘事は漏《も》れている、と趙高の嗅覚《きゆうかく》は察していた。公子や皇族や重臣たちのあいだで新帝即位の秘密がささやかれている、という。あるいは趙高の不安がつくりあげた幻覚であったかもしれないが、しかし趙高にとって事実そのものよりも不安のほうが重大であった。不安はとりのぞかねばならず、不安というのは主観的なものながら、そのたねは相手にある。相手とは皇族や重臣たちの存在そのものであった。かれらを殺し尽せば不安は解消するであろう。

この時期、趙高は郎中令《ろうちゆうれい》という内大臣のような職にのぼっていた。宮中という皇帝の私生活の面は趙高があますところなく壟断《ろうだん》していた。宮中に対する行政上の機構は、府中である。府中は丞相《じようしよう》の李斯が主宰しているものの、若い皇帝が趙高の言いなりになって諸事専断しているために李斯の権勢はほとんど消滅した。

法にあかるい趙高は、ひとりひとりについて罪状をつくりあげ、法に照らして処断した。十二人の公子、十人の公女が処刑された。公子、公女につながって数千の家族、

使用人がいる。それらも咸陽郊外にひきだされて首を刎《は》ねられた。重臣たちも同様の目に遭った。かれら個々が死ぬだけならともかく、家族、使用人という大規模な人間のつながりがことごとく命を断たれるのである。咸陽という帝都の人口はほぼこういう人々によって構成されていた。このさかんな粛清《しゅくせい》は、人間の命を断つことがおびただしいために政情不安というよりも、社会不安のもとになり、その不安は諸地方にひろがった。

この不安は、官営土木事業にかりあつめられている農民たちや、辺境へ兵士要員として送られつつある連中を動揺させた。のちに、王侯将相寧《いずく》んぞ種《しゅ》あらんやと揚言《ようげん》した陳勝《ちんしょう》は、友人の呉広《ごこう》とともに兵士要員として辺境の漁陽《ぎょよう》という地へ送られつつあった。この一団が大沢郷《だいたくきょう》という土地まできたとき、大雨に会い、道路が不通になった。かれらは幾日も大沢郷で逗留《とうりゅう》した。秦の法律では、いったん徴発されてしまった兵や土工が所定の期日までに目的地に着かない場合、全員が死刑ということになっている。この様子ではとうてい期日に間にあいそうでなく、陳勝と呉広は「逃げるも行くも死刑」ということをもって仲間の連中に説いた。この上は反乱に立ちあがるしかなく、武器をとって法のもとである秦そのものを亡ぼすのだ、と言い、かれらの賛同を得、秦の監督官を殺して反乱の烽火《ほうか》をあげた。

やがてはこの反乱の気分が全大陸に波及するのだが、陳勝・呉広らの蜂起《ほうき》は、胡亥が第二世皇帝に即位したその翌年のできごとである。秦帝国というのは、そとから見た感覚風景では始皇帝ひとりの重量で維持されているという構造だったために、始皇帝が死ねば土崩《どほう》するとたれもが感じ、その感覚にはげしくあおられて陳勝・呉広たちが立ちあがったのであろう。

ただし、陳勝・呉広が反旗をひるがえしたとき、始皇帝の死と時間が接近しているためにその死を知っていたかどうかは疑わしい。が、そのあとつぎつぎに誘爆してゆくようにして各地で蜂起した反乱集団にあっては、すでに始皇帝の死を知っていた。この稿でふれた沛《はい》の劉邦《りゅうほう》も、呉中の項羽《こうう》もそうであった。かれらは陳勝・呉広の蜂起のあと、そのことによって突き飛ばされたようにして起《た》ちあがっている。

しかし、宮廷の中の趙高は野《や》にみちている反乱の火にはつよい関心を示さず、宮廷という密室内で自分の権力をひろげることに熱中していた。

かれは胡亥が皇帝に即位した翌年、皇帝に讒言《ざんげん》して李斯を逮捕させている。趙高は勝手に李斯の罪状をつくりあげ、拷問《ごうもん》によって自白させた。李斯はその家族とともに咸陽の市場にひき出され、群衆の前で首を刎ねられた。李斯は刑場へ曳《ひ》かれてゆくとき、ともに曳かれてゆく息子をかえり見、

「黄色い犬を覚えているか」

と、いった。狩猟好きのかれが飼っている猟犬のうちの一頭であった。息子がうなずくと、李斯は、

「もう一度、お前と一緒に故郷の町に帰り、あの犬をつれて町の東門を出て兎狩《うさぎが》りをしてみたかった」

と言って、泣いた。

秦帝国が事実上自壊するのは、咸陽の市場の乾いた土の上に李斯の首がころがったときであったといっていい。群衆が、どよめいた。刑吏が処刑の前、李斯の罪状を読みあげたりしていたが、たれもそれが真実であるとはおもわなかった。

反乱は燎原《りょうげん》の火のようにひろがっている。李斯の死を見た群衆のあとの関心といえば、数多くの反乱者のうちのたれがこの咸陽を陥《お》とし、秦帝国のあとを継ぐかということだけだった。

江南《こうなん》の反乱

この大陸については、よくわからないことが多い。

「江南」と、のちによばれる揚子江《ようすこう》以南の地は、この時代（紀元前二〇〇年代）、北方の中原《ちゅうげん》（黄河《こうが》流域）のひとびとからは、異国めいた地域としてみられ、そこにいるひとびと（呉《ご》とか越《えつ》、あるいは楚《そ》）は、異民族とみられていたにおいがある。

むろんこのあたりのひとびとも、北方で発明され、発達した漢字を導入し、意思伝達につかいはじめている。その文字によって、民族詩集もできた。北方の漢民族の『詩経』に対し、『楚辞《そじ》』である。楚とは、江南の一地域をさす。他の文化も、うけ入れた。たとえば都市を城廓《じょうかく》でかこむという中原の方式である。

しかし中原とは異なる点のほうが多い。中原の人は騎馬民族との混血のせいもあるだろうが、長身の者が多い。顔は長い。この南方のひとびとは圧倒的に矮人《ちび》が多く、顔はまるく、二重まぶたで、土俗は――漢民族には考えられないことだが――文身《いれずみ》をした体をもっている。

古代、中原では、江南の連中のことを蛮族とし、

「荊蛮《けいばん》」

とよんでいた。荊一字だけでも、その地域をあらわす。

その土俗は、上層の者は北方の漢民族の風《ふう》にならっているが、よりつよく古代性を残す土民たちは、文身（多くは竜を彫っている）だけでなく、断髪している。この断髪一つでも、漢民族と決定的にちがう。まわりを異民族にかこまれた中原の漢民族は、俗《ぞく》（髪かたちと服装）をもって文明の基礎としている。さらにいえば俗の基礎は、服装よりもさらに髪かたちのほうが重い。たとえば漢民族圏のまわりの草原で馬を飛ばし、群羊を追っている騎馬民族たちは、その仲間によって多少の剃《そ》り方の差はあるが、辮《べん》髪《ぱつ》であった。漢民族は髪をながくし、頭上でこぢんまりと束《たば》ねている。いわゆる結髪である。

江南の蛮族たちの断髪というのは、剃ると言うにちかい。ついでながら十三世紀という後世のことになるが、モンゴル人が漢民族を征服して元《げん》帝国を建てたとき、揚子

江以南の住民のことを、「蛮子《マンツ》」とよんだ。元来、漢民族から野蛮の極なるものとされていたモンゴル人から蛮子とよばれては、この南方のひとたちも立つ瀬のない思いだったであろう。この十三世紀のころには、江南はゆたかに漢民族化されている。しかし、異民族であるモンゴル人が漢民族地帯に入ったとき、揚子江以南の土俗がすこしちがうと思い、その異《い》である部分において蛮子とよんだのにちがいない。十三世紀において「異」であるとすれば、紀元前のこの時代においては、はるかに濃厚に蛮子であった。

第一、言語が、はなはだしく北と異なっている。北から漢字を導入しても、一字々々の音《おん》が江南的で、このことは二十世紀になってもかわらない。近世になっても、北部中国人はおそらくみずからを正当の漢民族であると思い、この地方を南越とか百《ひやく》粤《えつ》とかとよび、この地方（たとえば広東省《カントン》）に移住すると、自分のことを唐人《タンレン》と称した。

古代、この地方は北と風俗を異にするだけでなく、多くは湖畔や海岸に住み、水に潜って魚を採《と》った、とある。北部の漢民族の特徴は、ごく近世にいたるまで水を怖《おそ》れ、水泳ぎができず、まして江南人の民族的得意芸ともいうべき潜水ができず、逆にそういう所業を野蛮とした。古代、稲を持ってはるかに東海に泛《うか》び、倭《わ》の島々にきたのは、この南の呉越のひとだったろうと想像されたりしている。もっとも、潮流のながれで一部は朝鮮半島の南部にも達し、そこから玄海灘《げんかいなだ》をこえて倭の島に達したという経路もふくめてのことである。有名な『魏志《ぎし》』倭人伝における倭人の風俗については、「男子ハ大小トナク皆面ヲ黥《げい》（いれずみ）シ、身ニ文《ぶん》（いれずみ）ス。……断髪、文身シ、以《もっ》テ蛟竜《こうりょう》ノ害ヲ避ク。今、倭ノ水人、好《よ》ク沈（沉）没シテ魚蛤《ぎょこう》ヲ捕フルニ文身スルハ、亦《また》以テ大魚水禽《すいきん》ヲ厭《えん》スルナリ」とある。右の倭の風俗と、揚子江以南の荊蛮のそれと瓜《うり》二つのように似ている。もし関係あるとすれば、この地の風俗は、はるかに海を越えて日本にきたといっていい。

さらにこの大陸における北方の中原と揚子江以南とは、主食を異にしている。北方の黄河流域は稲の適地でなく、従って米食をしない。江南――揚子江・銭塘江《せんとうこう》の流域――は気候が温暖多雨で、この大陸では、豊沃《ほうよく》そのものの水田の適地である。ここへ稲を持ちこんできた荊蛮たちの人口が、北を圧するばかりに殖《ふ》えて行ったのも当然であろう。

この大陸の歴史では、殷《いん》や周という古代国家の時代は、人口もすくなく、その集中も黄河流域にかぎられた。しだいに人口がふえ、各地が開拓され、「中国」がはじめて大きな領域を占めるにいたるのは、いわゆる春秋戦国時代（紀元前七七〇～同二二一）からである。多くの国がならび立ち、たがいにあらそった。この時代になると、すでに、米食民族が、揚子江以南の地域ごとに割拠し、それぞれ国家を形成し、中国人として他国と戦いはじめた。この江南の勢力は三カ国あった。楚、呉、それに越である。三国にはわかれていても北の漢民族からは似たような一ツ地帯とみられ、においの異なる連中としてあつかわれた。

楚、呉、それに越は、ほぼ同民族とみていい。

中原の漢民族からみたこの南方蛮族は、ごく一般にみて漢民族とは性格もちがっていた。『楚辞』にみられるように感情が豊かで、激情家が多い。水田のほとりで踊ったり歌ったりすることもすきなうえに、男女の愛のかたちも北にくらべすべて華やかであり、ときに野放図であった。

この江南三国の風《ふう》の特徴として、

「楚の艶麗《えんれい》な舞踏。呉と越の歌謡」

などと古来いわれた。

戦いの風俗も北とはおのずからちがっていた。江南の連中は蛮性を残しているがために勢いづけば火を噴くように剽悍《ひょうかん》に戦うが、戦術に計画性が乏しく、戦勢が困難になると士気沮喪《そそう》してくずれやすい。偶然、この習性は、江南人の血液的遺伝が濃厚かとも思われる倭の島々のながい合戦の歴史からみた特性にも通じている。

それでも人口の多さでもって、春秋戦国のころには、江南の楚は北方の国々と大いに張り合った。さらには同じ江南の呉や越も、弱小ではなかった。ときに北方諸国との戦いは、南北争闘の形態をとったりした。しかし西方に秦《しん》が強大になるに従って各国がつぎつぎにたおされ、楚もまた紀元前二二三年にほろぼされ、その二年後に秦帝国が出現した。

とりわけ楚の滅ぼされかたは、悲惨であった。

最後の王である懐《かい》王はお人よしのだまされやすい男で、秦の謀略工作に乗りに乗って手だまにとられた。そのあげくに秦にとらえられ、秦都に監禁されたりした。馬鹿《ばか》がなぶられているようなかっこうであった。懐王はその後、身ひとつで脱走し、ふたたびつかまるということがあったりして、ついに秦都で死んだ。秦は遺骸《いがい》になった懐王を楚に送りかえした。楚人みななげき、いきどおり、秦に対する復讐《ふくしゅう》を誓った。

——楚をそこまでなぶるのか。

という感情は、楚人であればこそであったろう。

三戸といえども、秦を滅ぼすものは必ず楚ならん。

という言葉が、当時はやった。

項羽《こうう》は、その楚人である。

「項」

というのは、地名（河南省項域）でもある。

項氏はもともと楚の貴族で、古い時代、項という土地に封《ほう》ぜられてその領主になり、大いに同族の人口がふえた。この一族が地名をとって姓としたのが、項氏である。

秦が強盛になって、楚をふくめた六国《りっこく》が衰え、とくに楚がうける圧迫がはなはだしくなった末期、楚軍を指揮して国運をかろうじてささえたのが、項氏から出た項燕《こうえん》という将軍だった。名将項燕の名は秦を憎むひとびとのあいだに喧伝《けんでん》され、ときに護符のような印象をさえあたえた。戦って強かっただけでなく、部下を可愛《かわい》がったということも、その名声の肉付けを厚くした。項燕が死んでもなお、秦を憎む楚人のあいだでは、

――項燕将軍は死んではおられぬ。草莽《そうもう》のあいだに雌伏《しふく》し、秦をほろぼす機会をうかがっておられるのだ、という伝説が流れつづけていた。

楚には、水景が多い。長江が支流をうみ、湖をつくり、山には緑が多く、春など、朝に夕にもやがたちこめる。

――楚の山河には秦へのうらみがわきあがっている。

と、いわれた。

ちなみに、秦に対する最初の反乱にたちあがった陳勝《ちんしょう》・呉広《ごこう》という農民もまた楚の遺民であった。

いうまでもなくこの時期には楚という国家はすでに存在せず、地域名になっている。始皇帝は六国《りっこく》をほろぼしたあと、封建制を廃し、郡県制をとり、中国大陸という漢民族の広大な居住地を行政区分して、三十六郡とした。郡の下には、県を置いた。いうまでもなく、郡が大単位であり、県は小単位である。かつての楚国の地は、南陽郡、南郡など三つばかりの郡名のもとに覆《おお》われた。楚の遺民は、始皇帝の人民になった。帝国の名のもとに役使《えきし》され、長期の労働や軍役に駆り出された。陳勝・呉広も仲間の百姓たちとともに辺疆《へんきょう》の兵士として使われるべく歩きつづけているうちに仲間を煽《あお》っ

て反乱に立ちあがったのだが、このとき陳勝は天下によびかけるにあたって、

「おれたちは無名の百姓にすぎぬ。この名では天下はふるい立つまい」

と、同志の呉広に相談し、陳勝自身は「扶蘇《ふそ》」と称することにした。扶蘇はいうまでもなく始皇帝の長子である。ただし宦官《かんがん》の趙高《ちょうこう》の謀略で自殺させられてしまっているが、天下の人々はそこまでは知らない。扶蘇は父の始皇帝のように暴戻《ぼうれい》でなく、つねづね父の皇帝を批判していたというわさを、陳勝は利用した。さらに、かれは相棒の呉広に対し、

「お前は、楚の項燕将軍だということにしよう」

といった。亡楚の項燕将軍はすでに故人ではあったが、その名がこういう場合に利用できるということからみても、この将軍の名声がいかに大きかったかがわかる。

この時期、揚子江に近い町で、

「おれは、大きな声ではいえぬが、項燕将軍の子だ」

と、ひそかに仲間たちに素姓を明かしていた五十男がいる。

項羽の叔父の項梁《こうりょう》である。自然、項羽は故将軍の孫ということになる。本当にそうであるのかどうか、誰もたしかめることはできない。中国は古代にあっても大家族制

であり、楚の名将の項燕将軍ともなれば三百人、五百人という家族をかかえていたであろう。項梁という五十男がその家族の一員だったことはほぼまちがいなく、ともかくも貴族出身らしい典雅な容貌《ようぼう》と身ごなしと、北方的な文字の教養を持っていた。

楚の末期には、宮廷が多くの貴族やその大家族群とともに、諸方を流浪《るろう》した。項梁も流浪した。

「故郷は、下相《かしょう》である」

と、項梁は言っている。いまの江蘇《こうそ》省宿遷《しゅくせん》県の西方にある小さな町で、相水《しょうすい》という川が灌漑《かんがい》する地帯であり、町はその下流にある。相水の下流ということで、下相という。楚ぜんたいの旧版図《はんと》からいえば東南角にかたよっている。戦国末期の乱世の中で、この下相が項一族のうちの一派の落ち着き場所だったことはたしかで、項羽もまたこの下相でうまれた。楚がほろんだとき、項羽はわずかに十歳であった。父は、幼いころに亡《な》くなった。

叔父の項梁にひきとられたために、項梁が父親代わりであり、同時に家庭教師でもあった。

叔父に連れられて各地を転々とした。ついでながら項羽の羽《う》は字《あざな》（よびな）のほうで、名は籍《せき》である。この点、「荆蛮《けいばん》」である楚人ながら、中原《ちゅうげん》の漢民族の命名法による名をもっている。やがては項羽の敵になる漢の劉邦《りゅうほう》が、漢民族の居住地にうまれながら、僻地《へきち》のせいかろくに字も持っていなかったことを見ても、項羽が荆蛮とはいえ中原の文化を十分に受容していた家の子らしいことがわかる。むしろ荆蛮の良家のほうが中原の文化を濃く受け、中原でも、劉邦のような田舎《いなか》にうまれると、中原紳士としての装飾が稀薄《きはく》であるのかもしれない。この多人種が混住している大陸にあっては古来、人種論は問われず、中原の文化にさえ参加すればすでに「蛮」ではないとされた。この章の冒頭に、江南の人種について触れながらも、そのことについて「よくわからないことが多い」としたのは、ひとつにはこの大陸においては古来人種論はさほどの意味を持たないということもふくめている。たとえば項梁や項羽が、中原の名前を持ち、中原の服装で居さえすればそれですでに蛮人ではないとされた。ただ項羽の性格を見ると、いかにも江南の荆蛮の若者という感じがしないでもない。

項梁は十歳から育てた項羽を可愛がった。項羽は敏捷《びんしょう》でかんがよく、そのうえ途方もなく腕っぷしが強かった。その腕白ぶりのひどさは、保護者が項梁でなければとても手のつけられぬものだった。項梁も、ただの典雅な容貌を持った紳士というだけの男ではなく、かつて人を殺《あや》めたこともあり、くらい無法者の社会ともつながっていた。かれが項羽を連れて転々としていた理由には、楚の遺臣だったということよりも、むしろ被害者の遺族の復讐を避けるということのほうが大きかった。

この流浪のなかで、項梁は、この甥《おい》に文字を教えた。

「こんなものが憶《おぼ》えられるか」

と、項羽はそのつど駄々をこねた。

この時代、楚人にとって漢字はおぼえにくいものであった。項羽が十歳のころに秦帝国ができあがって、それまで地域によってまちまちだった漢字を整理し、一大統一をおこなったのだが、項梁の教養は、多分にそれ以前の楚のものである。楚だけにある独特の文字も教え、秦の文字も教える。

「同じ意味ではあるが、これは楚の文字である。こちらはあらたな秦の文字である」

などと教えられれば、項羽ならずとも混乱してしまう。

そのうえ、文字の書き方が、地域によって異なる。とくに江南——たとえば楚——は他の地方とひどくちがっていて、漫画を描くように鳥あるいは魚のかたちといったものを文字に嵌入《かんにゅう》し、装飾性をもたせる。このことは、楚の文化の遅れをあらわしているといえるかどうか。文字は本来、意思伝達や事務上の道具として使われる。この江南の文字における多少の絵画的傾向は、機能性にやや欠けるという点で中原の進化より遅れているかもしれないが、しかしこのことは江南の土俗における呪術《じゅじゅつ》性と関係があると見れば、単に風土的なものであるかもしれない。一方、秦は騎馬民族との雑居地帯というべき未開地より興《おこ》ったが、早くから法家《ほうか》思想という簡潔な合理主義による国家運営法をとっていたことと濃厚に関係があるのか、文字の書き方はきわめて簡素かつ実用的で、どの文字も規格性の高い方形をなし、憶えるにも読むにも、他地域より簡単といえば簡単であった。

項梁は、楚の伝統的な教養を継承している。それに、秦を激しく憎んでいる。文字ひとつ教えるにしても楚の奔放華麗な、つまりは絵のようなかきかたを項羽に示し、秦の書き方については、

「秦では、こうだ」

と書き、

「まあ、秦のほうも憶えるだけは憶えておいたほうがよい」

いわば、補足として教える程度だったはずである。項羽はついに棒を折り、

「文字などは、叔父さん、自分の名前が書けるだけでよいではないか」

書ハ以テ名姓ヲ記スルニ足ルノミ、といってやめてしまった。項梁は、学問がおいの性分に適《あ》わないとすれば無理に強《し》いることはあるまいと思い、つぎは剣術を習わせた。ところが、項羽はこれも途中でほうり出した。基礎動作のくりかえしが、退屈で

ならなかったにちがいない。さすがに項梁も腹を立て、

「いったい、おまえ、そういうことでどうするのだ」

と言うと、項羽は、剣などをいくらならったところでただ一人をたおすだけじゃありませんか、と言いかえした。

「もし万人を相手にする術があれば、それを習いたい」

というと、項梁はこのおいの言葉をむしろよろこび、兵法を教えた。兵法は項梁の得意とするところで、みずから兵書を講義した。項羽は一度聴くと大略がわかってしまうたちの男で、それ以上は聴くことに飽いた。

「兵法も、たいくつなものですな」

と、ほうりだした。

このため兵法もさほど綿密に究《きわ》めたわけではない。ただ、項梁は、

(この子は、かんはいいのだから)

と、項羽の才幹に失望しなかった。

項梁の情熱は刃物のようなかたちをしていた。秦の天下をくつがえして王になるというより、秦を討って亡父項燕の恨みを晴らすということに研《と》ぎすまされていた。

「亡父の仇《あだ》を報じたい」

と、口のかたい友人たちに洩《も》らしていたが、そのように洩らすことによって自分が項燕将軍の実子であることを仲間に信じさせようとしていたのかもしれない。ともかくも、

（ひとたび乱がおこれば、項梁は英雄として人心を収攬《しゅうらん》するにちがいない）

と、ひとびとは見ていた。

この点、項羽より項梁のほうがはるかに年配者のあいだで人気があった。項羽は年若すぎたし、項梁の用心棒程度にしか見られていなかった。

ところが、項羽は二十《はたち》前になると、身のたけ八尺を越える大男になった。秦の尺は、一尺は二三センチメートルである。八尺で一八四センチメートルだが、この背丈は矮《わい》小《しょう》な体格の多い江南の田園や市中では大いにめだった。それに力は鼎《かなえ》を持ちあげるほどにつよく、さらには頭脳の回転が早く、一種匂《にお》うような愛嬌《あいきょう》もあった。この項羽の肉体的な雄大さと人柄とは、叔父とともに縁を結んでゆく土地々々で、若者たちの人気を得るようになった。すでに叔父が有力者たちの信望を得ている。それとあいまって、かれらは一種の勢力をなしていたといっていい。

この叔父とおいが最後に腰を落ちつけたのは、呉中《ごちゅう》（いまの蘇州《そしゅう》）の町である。

呉中は春秋の呉国の旧都で、呉国がほろんでからも、単に「呉」といえばこの都市のことを指した。はるかな後世、この呉の発音が漢籍や経典とともに東方の朝鮮南部や日本に伝わって呉音《ごおん》となり、また絹織物をつくるこの土地の方式もつたわって呉服とよばれたりした。

中原からみれば呉人はあるいは南方の蛮族かもしれなかったが、しかし広義の呉の地域というのは揚子江と銭塘江の二つのデルタを占め、稲作の最適地として大陸においてはもっとも豊沃で、人口も多く、さらには都市の呉中は大地のあぶら肉《み》ともいうべき以上の後背地と水運の便のよさによって、秦の時代といえども華やかな繁栄をみせている。

「このにぎやかな町で、すこし根を張ってみよう」

と、項梁は項羽に言い、言動に注意させた。人心を攬《と》ろうとする者はひとに嫌われることがあってはならないのである。

項梁は、多少の財は持っている。それに学問もあり、世間の話題に富み、よく人の世話もした。このためたちまち町の顔役になり、

「なにごとも項梁どのに相談し、その言うことに従っていればまず間違いはない」

といわれるようになった。その存在は、一種の遊俠《ゆうきょう》の親分にちかい。

項梁は町の顔役として、秦の郡治《ぐんち》の役所や県治の役所にもよく出入りした。このあたりの郡は会稽《かいけい》郡で、かつての呉や越の地に相当するほどの広大な行政区をおさめている。この秦時代における殷賑《いんしん》ぶりは、戸数にして二二万三〇三八戸、人口でいえば一〇三万二六〇四人というほどのもので、会稽郡一つに二十六もの県がおかれている。会稽郡の長官として、秦帝国は殷通《いんとう》という者を派遣してきている。その管轄《かんかつ》地域のひろさを、つい二十年前までの封建時代の感覚で言えば一国にひとしく、長官はかつての国王といえるような勢威もある。

「殷通は、王でしょうか」

項羽は、叔父にきいたことがある。

「王ではなく、官だ」

叔父はこたえた。秦には、封建割拠の王というものが存在しない。

「王と官は、どのようにちがうのです」

「似てはいる。しかしちがう」

そのあたりの機微がおもしろい、と項梁は、秦の始皇帝が発明したこの一大官僚組織というものの説明を項羽にした。王ではないことの一つは、かつての王が私有したような軍隊をもたず、地方駐在の国軍の監督をしているだけの存在だ、ということである。

かつての王は怠けていても家臣がなんとか切り盛りしてくれたが、秦の地方長官はそうはいかない。

かれらは始皇帝の権力の代行者として管轄地の人民にのぞむ。かれらから租税をとりたてる。それをかつての王のように自分のものにできず、経費分を差しひいてすべて始皇帝のもとに送らねばならない。

「官とは、給料でやとわれた王ですか」

と、項羽はきいた。かれはハイカラな官というようなものより、古い王のほうがすきであった。

「まあ、そうだ」

叔父はうなずいた。

地方長官の仕事はいそがしく、また始皇帝の股肱《てあし》である以上、働かざるをえない。租税のとりたてが鈍ければ始皇帝から一片の辞令で辞めさせられるのである。

が、租税は取り立てすぎると、税を作るもとである農民が逃げてしまって、かえって減収をまねく。この間の手加減はじつにむずかしく、これらの地方長官やその配下の吏員だけではとてもできない。結局は地方々々の有力者を懐柔し、人民とのあいだの調整をやらせるのである。郡役所から見た場合、呉中における有力者のひとりとして、項梁がいた。

「かつての王の時代、わしのような人間は必要でなかった」

と、項梁がいう。わしのようなというのは、役所と人民の間に立って双方の利害を調整し、そのどちらにとっても結構な結果になるように奔走する町の顔役のことである。

——項梁、たのむぞ。

と、巨大な権力者である殷通が笑顔を見せてそう言うのも、項梁のような存在がそっぽをむけば、人民の統御をしにくいからである。とくに前代未聞《みもん》の土木狂ともいうべき始皇帝を頭《かしら》に戴《いただ》いている以上、咸陽《かんよう》からくる命令というのは、どこそこに人民を一万人出せとか、辺境のどのあたりまで二千人の人夫を送れ、とかといったもので、相重なってやってくる。その長官にとって途方もなく厄介なしごとだった。徴発すべき人民に逃げられてしまえば、所定の人数がそろわず、法家《ほうか》式の信賞必罰でもって、殷通自身が地方長官の椅子《いす》からころがり落ちてしまう。この人夫の徴発の場合こそ、長官は項梁のように地下《じげ》に力をもつ男にたよらざるをえない。

――なんとか致しましょう。

と、こういう場合、項梁はひきうけて県中の町に帰り、かねて手なずけてある有力者たちと談合をかさね、無理があるならふたたび郡役所へ走ってその事情を述べ、多少の手直しをしてもらい、妥協のできるところで人数をそろえ、役人にさし出すのである。


――項梁は、大した顔役だ。

と、殷通のほうでも思ってしまうし、また一方、県中の地下衆からみれば、おそろしくて常人が近寄ることもできぬ郡の官衙《かんが》に出入りする項梁を見て超人のように思い、しかもかれが郡の長官と平然と談合するのを見て、一種、長官の代理人であるかのような権威をかれに感じてしまう。項梁が郡の役所に出入りしていることの効用は、県中の町の人々に勢力を扶植《ふしょく》するためにも測り知れぬほど大きい。ともかくも中国にあっては、王朝やその出先の地方長官が人民に利益をもたらすという例は秦以後もほとんどなく、人民としては、匪賊《ひぞく》同様、これも虎狼《ころう》のたぐいと見、できるだけその害をすくなく逃れることのみを考えてきたし、でなければ暮らしも命も、保《も》ってゆかない。


「項梁様」

というのは、この虎狼の害をふせぐ守護神のようになってきた。守護神はいつも項羽という馬鹿力《ばかぢから》の大男を護衛につれている。町を歩くときも、人に招かれてゆくときも、県の役所の庭で終日、用もないのにたむろしているときも、あるいは日盛りのなかを、遠く会稽郡の郡役所へ出かけてゆくときも、この組みあわせは変わらない。

——いい景色だ。

と、ひとびとはあふれるような好意でもってこの二人組をながめている。

呉中の町衆《まちしゅう》は、天下の蒼生《そうせい》と同様、秦が考案したこの大陸ではじめての官僚制度というものに馴《な》れていないのである。項梁は、「官」という虎狼を、魔術師のようになだめこんでしまっている。もし項梁がいなければ、呉中というこの豊かな町は、虎狼のために食い散らされてしまっているかもしれない。

「なにしろ、項梁・項羽のお二方は、楚の名族であられるから」

秦の地方長官も遠慮をするのであろう、と呉中の町衆たちはおもっていたが、その見当は外れている。鼻息の荒い新興帝国の地方長官が、たかが田舎の名族におそれをなすはずがない。が、項梁はそういうことを言うひとがあれば、

「まあ、そういうことだな。秦の役人などは、西方の馬糞《ばふん》くさい羌《きょう》(異民族)に似たようなもので、素姓もなにもない。亡《ほろ》びたりといえども楚の由緒《ゆいしょ》に対しては一目《いちもく》おくのさ」

と、笑っておく。楚の名族については秦といえども遠慮をしているということを広めておけば、いざ「項氏」が旗揚げしたというときに、大いに効き目があろうというものである。

しかし項梁が、県や郡の役所に行ってかれらを懐柔しているのは、そういう名門の効用ではない。おれの背後には何十万という地下人《じげにん》がついているのだというおどしと、それに項梁が身につけている香薬のようにかぐわしい行儀作法の力である。

「どういうわけか、そのほうと話していると気分がいい」

と、この広大なデルタ地帯で、皇帝の代理として絶対権力をにぎっている会稽の長官の殷通でさえそう言う。殷通というのは宰相李斯《りし》の法律行政技術の弟子で、法律に目鼻をつけただけの、他に何の面白味もない男である。その男が、無官の項梁を気に入っているというのは、項梁の行儀のよさであるらしい。行儀がよく、つねに温雅な表情を保ち、片時も相手に対する儀礼上の尊敬をうしなうことなく――つまりは礼儀ということだが――終始していれば、会っているたれもが心やすまる。その上、項梁は、かつての呉越の文化および楚の文化が相重なっているこの江南デルタ地帯の物産、人情にあかるく、ささいな話題でも殷通の民治に役立つことばかりで、その上、話し方がおもしろい。

さらにいうと、項梁は秦の法にも明るかった。法に即して地下《じげ》の要求を持ち出すために、殷通といえども、それを拒否することはできないのである。

「いっそ吏《り》にならないか」

と、一度、殷通はすすめたことがある。

吏というのは下級の役人のことで、地元から採用される。項梁は感謝の色をうかべつつ肩をすくめて恐縮し、しかしながら自分のような者は町の世話役をしているのが精一杯で、とても吏などつとまる能はありませぬ、とことわった。

「お上《かみ》の御用に立てば、それだけがよろこびでございます」

そう言われれば、殷通も悪い気はしない。元来、殷通は人情として項梁を愛しているわけでなく、道具として項梁を重宝《ちょうほう》におもっている。もともと咸陽の始皇帝は地方々々の長官に対して要求が多く、その勤怠については、かれらの背中につねに刃を押しつけて監視しているといっていいほどにきびしい。中央の命令に対してゆるがせにすることは、いささかも許されない。殷通にすればそういう苛烈《かれつ》な独裁者を主人に持っている以上、項梁のような男を道具にして人民との調和をうまくすることは、渇《かわ》いた者が水をもとめるほどに必要なことであった。

殷通にとって項梁が便利なことは、かれが反対給付を求めないことであった。役所から利権をひき出そうというわけでもなく、取り入って吏員の親玉になろうとする様子もない。

(つまりは、世話をすることだけを生き甲斐《がい》にしている男だ)

と、殷通は理解しているし、項梁もかねがねそのように自分を説明してきた。

呉中の町のなかでも、項梁は世話好きであった。当初、葬式があるとなると乗り出して行って切り盛りしてやったが、ちかごろは項梁が世話をしない葬式はさびれて見えると言われるようになっている。どんな貧家の葬式でも、頼まれれば項梁は行ってやる。項梁がゆくと来葬者が多くなり、喪主はあとあとまで恩に着た。

呉中ニ大繇役《たいようえき》(労役)及ビ喪アルゴトニ、項梁、常ニ主辦《しゆべん》タリ。

と、司馬遷《しばせん》もいう。葬儀は、家族の秩序主義を原理とする儒教にあっては重大な儀式だが、しかしこの時代は儒教はまだ一般に普及するに至っていない。が、この大陸には儒教以前からの固有の俗ともいうべき家族原理があり、葬儀ともなれば大いに人々が集まり、動き、じつに手厚い。

項梁は、それを請け負《う》ってやる。なんでもない市井《しせい》の親爺《おやじ》が死んでも、項梁は人々をあつめ、礼を厚くし、王侯将相でも死んだかと思われるほどの演出をしてやった。遺《のこ》された息子たちがその手厚さにおどろき、項梁に感謝した。むろん項梁は謝礼などは受けとらない。

有力者が死んだ場合の大きな葬儀になると、項梁は一軍の総帥《そうすい》のように奥深く陣どり、配下を指揮した。滑稽《こっけい》なことだが、こんな暮らしの項梁にもいつのまにか多くの配下ができていた。葬儀のときにはかれらをひきつれてゆき、能に応じて仕事させた。葬儀ごとに、あらたな人材を発見した。

(この男は百人ぐらいの長になれるな)

と思うと、とくに目をかけ、さまざまなことを教えてやった。

人というのは、とりどりに出来ている。最初は人目をおどろかすほどに華やかな才を持った男のように見えても、そのうち、

(あれはただ人目をひくだけの才で、とても多数の人間を統御できない)

となると、項梁はその程度のあつかいにしてしまう。

後日譚《ごじつたん》になるが、項梁が旗揚げしたとき、葬式や労役の現場で育てたり目をつけた

りした右のような連中を能に応じて役につけたが、選に洩《も》れた者がいた。その某なる者が、なぜ私をお軽んじになるのです、と苦情をいってきたとき、

「あなたは、ずっと以前、なにがしの葬式のときのことを憶《おぼ》えておられるか」

と、鄭重《ていちょう》にいった。あのとき公《あなた》をしてこういう役につけたが、それをあなたはうまくやれなかった、だからこのたびの任用から外した、というのである。この某は能力よりもむしろ人との調和のうまくゆかない人物だったのであろう。賭博《とばく》的な挙兵をするとき、個々の指揮官の能力の上下はさほど重要ではない。それよりも団結のほうが肝要で、そのことに害がありそうな人間はあらかじめとりのぞいておく。この一事でも項梁という人間がどういう男かがわかる。

始皇帝が崩《ほう》じ、子の胡亥《こがい》が立った。

その翌年七月、江南は多雨であった。その淫雨《いんう》のなかを、陳勝・呉広が、他の徴兵要員とともに反乱に起《た》ちあがった。場所は揚子江よりも北の宿県という土地で、偶然ながら項梁・項羽のふるさとの下相《かしょう》にちかい。秦の役人に引率されて北方へ曳《ひ》かれて行ったかれらは、一種、軍事用の奴隷《どれい》というにちかいであろう。かれらがそこへ到《いた》ったという宿県付近は、大小の河川の氾濫《はんらん》する低湿地で、その氾濫の跡が常でも沼沢《しょうたく》と

して水をたたえている。雨がふりつづくと沼沢群がつながって一望湖水のようになり、旅人を通過させない。

「秦の法により期日に遅れれば死刑になる。逃げても死罪。どうせ死ぬなら蜂起《ほうき》しようではないか」

という陳勝の扇動は、それまで羊のような群れだった連中を群狼に変えてしまった。秦の監督官を殺し、四方に檄《げき》を飛ばした。

「扶蘇《ふそ》皇子と項燕《こうえん》将軍が立ちあがった」

という報は、天を飛ぶ雷霆《らいてい》のようにとどろきわたった。すでに故人である扶蘇、項燕は生前も互いに縁のない関係なのだが、こういう場合、知名度の高い名前ほど遠くへとどろきわたってゆく。

もっとも、陳勝・呉広は、いざやってみると付近の秦軍までが泡《あわ》を食って反乱軍に合流してしまったのをみて、これならば虚喝《こけおどし》をつかう必要もあるまいということもあり、扶蘇、項燕の名はおろし、本名の陳勝・呉広で押しとおすことにした。それほどにこの宿県の沼沢の中で噴きあげた反乱は四方にこだまし、八方の労役人夫団がつぎつぎに呼応し、やがて地をゆるがすような勢いになった。

たれもが、秦の政治をよしとしていない。法治制と官僚制という、始皇帝が考案した人類的な実験政治は、旧秦のせまい範囲内でこそ成功したが、ふるくから農業社会としての伝統を保ちつづけてきている地帯におよぼせば、過去の慣習との差が大きすぎた。人々にとって、大地に無数の針を植えたてられたように生きづらい世になり、しかも労役に次ぐ労役で、生計《たつき》の立ついとまもない。さらには故郷を離れ、労役にとられ、百人、千人、万人とかたまって飯場暮らししている連中は、生存の基本としてこの国家に不満があった。労役である以上、組織の中にいる。既に組織がある。組織ごと起ちあがれば、そのまま私軍になった。

この報が、呉中の町を駈《か》けまわったときには、

「長江（揚子江）の北は、流民と反乱兵で満ち満ちている」

という表現になっていた。

「秦軍も、どんどん反乱軍へ寝返っている」

という報もあった。すべて、すこしずつ事実であった。

秦軍といっても、すべての秦軍に皇帝への忠誠心があるわけではない。秦の固有の軍隊はさすがに旗をひるがえさないが、各地の守備部隊というのはそれぞれの土地の兵を徴募したもので、かつての斉《せい》人であり、趙人であり、燕人であり、あるいは楚人

であったりする。かれらの肚《はら》の中のどこを掻《か》きさがしても、「皇帝」というなじみのない新語に対する崇敬心も神秘感覚もなかった。ここに至ってみれば、始皇帝の多くの失敗の一つは自分の称号について、伝統のない新語を作ってしまったことであろう。

「秦といえば西戎《せいじゅう》——西方の野蛮人——のたぐい」

とひとびとは思っている。それが新語の皇帝と称して天下を歩きまわったところで、かえっていかがわしさが増すばかりであった。が、いかがわしくはあっても始皇帝の生存中は、その強烈な統御力と、かれがひきいる固有の秦軍の強さでもって天下は慴《おそ》れ伏しなびいていた。

いまひとつ、始皇帝の失敗は、すべての人民を自分の私物であると思いこみ、さかんに労役に駆りたてたことであろう。天下に無数の労役現場ができたが、それがそのまま流民軍になりうる生活条件をもっているということに、かれは気づかなかった。ましてかれのあとを継いだ若い胡亥に理解できるはずがなく、かれは父の時代以上に労役の大動員をおこなった。父の仕残した巨大な陵墓を突貫工事で仕上げねばならなかったし、父が未完のままで死んだ阿房宮《あぼうきゅう》もいそぎ完成させねばならない。

天下は、人夫だらけになった。

項梁は、のちに蘇州とよばれるようになった水と緑と磚《せん》の建物の美しい呉中の城内でしずまっている。しかしかれの幕僚たちは四方に奔《はし》っていざという場合の組織をかためつつある。

「またなにか大きな葬式があるのか」

と、あわててききかえす男もいたに相違ない。幕僚たちはいちいち入念に説いてまわった。

「いまからやるのは葬式ではない。もっと愉快で、とほうもなく大きなことをやるのだ」

秦を倒す、とは言えない。まだ秦帝国の行政と治安組織が厳乎《げんこ》として江南の地をおさえている。ただ呉中の世話人として項梁がいえることは、自衛のことであった。揚子江の北のほうで湧《わ》きかえるように跳梁《ちょうりょう》している各派の流民軍が、もしこの豊かな呉中を襲ってくればどうなるか。

「いや、襲ってくるのだ。それも近いという確報がある」

流民軍は、兵食の補給にこまっている。当然、揚子江を南にわたって、この食糧の満ちあふれた江南の地を襲って掠奪《りゃくだつ》するか、あるいはそれより利口ならここを本拠として割拠し、秦そのものと対峙《たいじ》の勢いをとるか、いずれにしても江南の地を忘れてかれらが他へ走りまわることはあるまい。

「来れば女どもは犯され、壮夫は殺され、財宝は奪《と》られ、城内ことごとく火にされる」

このことも、妄誕《もうたん》ではない。たれもが、納得できる。必然のことわりとして自衛せねばならぬ。いま自衛軍を組織中だ、というのが、項梁の幕僚たちが駈《か》けまわって告げている口上である。自衛には、大将が要《い》る。

「桓楚《かんそ》さんもいいのだが」

と、幕僚たちはひとことは言った。桓楚という男はこの町のやくざの親分で、顔役としては項梁と似た存在だった。ただ最近刃傷沙汰《にんじょうざた》をおこして、所在がわかりにくい。

「いや、やはり、項梁様がいい」

と、わざわざ幕僚の口からその名を出さずとも、たれもが言った。葬式の名人ということもあったが、なによりも項梁は亡んだ楚の名将項燕将軍の子であるということが、項梁への信頼感の基礎になっていた。項氏の旗があがれば楚の旧臣も馳《は》せ参じて人数の吸収力が桓楚より大きいはずだし、第一、項梁なら項燕将軍の兵法の秘術のひとつぐらいは承《う》け継いでいるはずだという期待も小さくなかった。

反乱は、あっというまに成立した。

じつをいうと、この時期、会稽郡の長官である殷通《いんとう》の気持がはげしく動揺していた。

(まだ流民どもの騒ぎは、長江の北にかぎられている)

と、最初はみずからをなぐさめていたが、しかし江《こう》の北のほうの騒ぎがいつ江を渉《わた》ってこの南の穀倉《こくそう》地帯に及ぶか、及ばないという保障はすこしもない。及ぶ及ばぬよりも、この江南の地元から英雄が崛起《くっき》すればたちまち事態が変わってしまう。たれが起ちあがっても最初にやることは決まっていた。まず郡治のこの役所を襲うにちがいない。それを防ぐ秦軍は兵力が寡少《かしょう》なために動揺しているし、場合によっては秦軍そのものが大勢に雷同して乱をおこしかねない。首都の咸陽《かんよう》に援軍を乞《こ》うにも道はあまりにも遠く、それに、途中、陳・呉の徒の匪軍《ひぐん》がはびこっていて使者を送ることさえできなかった。たとえ使者が咸陽に着いても、あの二世皇帝(胡亥)とそれを擁している宦官《かんがん》の趙高では、とても遠隔の地に援軍を送ってやろうという気をおこすはずがなく、第一、陳・呉の匪軍が咸陽にむかって進軍しているという報もある以上、皇帝や趙高たちは咸陽をふせぐことで悩乱しきっているにちがいない。

とすると、殷通は坐《ざ》して地元の反乱軍に討たれるのを待つのみである。

(いっそ、おのれから進んで秦にそむくか。——)

という思案が殷通をとらえたのは、当然であった。江南に拠《よ》って大いに兵を募り、暴戻《ぼうれい》の秦を討つという義を徇《とな》え、なしうべくんば諸方を斬《き》り従えて咸陽をおとし、ついにはおのれが帝国を打ち樹《た》てる。妄想ではない。可能、不可能はべつとして、それ以外におのれの五体を満足に生きさせる道がないのではないかと思い、殷通は決心した。

火急の場合、決断は早いほうがいい。ともかくも募兵だった。募兵して殷通の旗を江南にひるがえせば、それを慕って大小の流民団がやってくる。いよいよ勢威があがる。早ければ早いほどよい。

殷通は、項梁を呼ぶことにした。

(あの温厚な書物読みの小男を動かさねば、すくなくとも県中での募兵の実はあがりにくい)

急使を項梁のもとに走らせた。幸い項梁は家にいた。台所から出てきて、

「なにか人夫のことでも」

と、使者に対しわざと間のぬけた応じ方をした。ともかくも出かけた。例によって項羽をつれている。それ以外の供はいない。時節柄、おおぜいを連れて歩けば不穏にうけとられるからであろう。

殷通は、待ちかねていた。項梁を見ると大いに笑顔をつくり、人払いをし、項梁の肩を抱くようにして奥の間に招じ入れた。項羽だけは、そとに残された。屋外の露天で待った。大きく息を吸い、かっと痰《たん》を吐きつけた。

「秘密の話である」

殷通は、声を小さくした。ゆっくりと項梁の鼻さきにまでその大きな顔を近づけ、長江のむこうはみな反《そむ》いたぞ、とくさい息とともにいった。むろん項梁は情勢は知悉《ちしつ》していたが、わざと驚いてみせた。殷通はさらに声をひそめて、人が反くにあらず、天が――といって、黙った。やがて、

「――天が秦を亡《ほろ》ぼそうとしているのである。諺《ことわざ》に曰《い》う、先んずれば即《すなわ》ち人を制し、後《おく》るれば則ち人に制せらる、と。天意はすでに滅秦にある。わしはただちに兵を発したい」

と、いった。これには、さすがに項梁もおどろいた。まさか「郡守」といわれる秦の官僚制の軀幹《くかん》ともいうべき地方長官みずからがいちはやく軍閥化してその皇帝にそむこうとまでは、項梁も予想していなかった。

(大変な世の中になった)

とおもったのは、秦の大官たちの倫理観念が、大崩れに崩れつつあるということについてではなかった。たしかに殷通の場合、非道といえばこれ以上の非道はない。昨日までかれは江南デルタにおいて、彼一個が秦帝国そのものであるような重圧感をひとびとに与えつづけていたのに、今はひるがえって反秦の徒になり、滅秦の戦闘行動をはじめようとしている。項梁は、

(あるいは、秦の役人とはこういうものか)

と、おもったりした。なるほど始皇帝は官僚制度をつくったが、しかしかんじんの官僚の倫理とくに忠誠心をかれらに教育することを怠った。というよりも、法以前の倫理というものを、黙殺した。秦の国家運営の基本思想は、いうまでもなく刑名《けいめい》主義であり、倫理をいわば否定し、法を万能とする。法と言い、刑名と言う。すべて国家の力をよりどころとするもので、国家の力が衰えれば法はその実をうしない、さらには法に遵《したが》う側も遵うべき必要をみとめなくなる。秦における法家《ほうか》思想の弱点が、殷通においてまず露《あらわ》れてしまった。

(官とは、そのようにはかないものか)

と、項梁は、目の前の殷通のまないたのように大きな顔を見つめているうちに、秦帝国が煙のように消えてゆくのを感じた。

（しかし殷通には殷通の理屈はある）

つまり法家の徒の殷通にすれば、法の源泉である国家が衰えた以上、あらたな源泉を自分が造るべく起ちあがるというのが、かれの思想上の正義というものであるのかもしれなかった。

しかし反乱の実務家である項梁が実務上大変だと思ったのは、事態が流民の騒ぎだけでなく、地方長官が鉾《ほこ》を逆《さかしま》にして起ちあがるというところまで深刻になっているということであった。市井にいながら項梁も、時勢を見つめ、分析し、つねに判断している。が、勢いにはずみがついてしまった時勢というのは、項梁の観察をさえ乗りこえていた。始皇帝の死から一年余、あるいは陳勝・呉広の反乱からかぞえてわずかに二カ月しか経《た》っていない。

（事をいそがねばならぬ）

と、項梁は焦《あせ》りがこみあげてきた。

それ以上に、目の前の殷通も、あせっていた。

「項梁どの」

態度が、ついいんぎんになった。

「事は、急を要する。とくに募兵を早くせねば、どういう悪人が立ちあがってこの江南で兵を募りはじめるか、予断をゆるさぬ」

(その悪人がつまり、おれだ)

項梁は焦りが昂《こう》じ、顔に血がさしのぼった。目の前の殷通こそ競争者ではないか。

「公《こう》よ」

殷通は、威厳をもって言った。

「公と桓楚をもって、両翼の将としたい。桓楚とともにいそぎ募兵してくれぬか」

と、殷通はいう。

(なんだ、桓楚のようなこそどろとおれを一緒にしているのか)

項梁は、不快におもった。

「桓楚さんは、このところ行方をくらましております」

とっさに、項梁はつぎの行動を決意した。

「その行方を知っている者はわがおいの項羽めのほかありませぬ。ただいまその項羽めをここへ連れて参りますので、ただいまの御命令、おん直々《じきじき》に項羽にお下《くだ》しくださいますように」

「おお」

殷通は、大きくうなずいた。

項梁は、項羽をよぶために部屋を出た。中庭に沿った回廊を小走りに駈けつつ、さすがに動悸《どうき》の逸《はや》るのを禁じえない。かれは生涯の運命をここで一挙に転換させようとしていた。中庭の一隅《いちぐう》に、項羽が立っている。半身を陽に照らされて、そのぶんだけ、どういうわけか金色《こんじき》の像に化しているようにも見えた。項梁はようやく近づき、耳うちした。

すぐさま、ならんで歩き出した。項梁がなにごとかを言い、項羽がゆっくりうなずいた。話がおわると、項梁は、

「わしから離れろ」

と、いった。叔父とおいが肩をならべて歩くことは不自然である。項羽は一揖《いちゆう》し、恭倹《きようけん》な態度で、叔父の背後に従い、いつも町を歩いているかれらの姿になった。

殷通の部屋に入り、項梁がうしろをかえり見て、

「甥《おい》の項羽でござる」

といったとき、項羽の体が黒い鴻《おおとり》のように飛んだ。剣光が一閃《いっせん》し、殷通の頭《こうべ》を激しく撃った。殷通は悲鳴をあげた。項羽はさらに撃った。殷通は死骸《しがい》になって、磚《せん》の床《ゆか》の上で長く伸びた。

「先ンズレバ即チ人ヲ制シ、後ルレバ則チ人ニ制セラル。公、コレヲ我ニ教フ」

項梁は諧謔《かいぎゃく》をこめて死骸に語りかけ、死骸が帯びている郡守の印綬《いんじゅ》を外《はず》して自分が帯び、そのあとこの建物の表側の政庁にむかった。このころには変事が政庁に伝わり、吏僚たちが擾《さわ》いでいた。その騒然たるなかを両人が押し入った。たちまち数人の者が剣を執《と》ってむかってきた。

項羽は大喝し、前後左右に跳ねとびつつそれらを撃殺した。その間、項梁は台上に立って演説している。

「この項梁が、今日から会稽郡の郡守である」

宣言し、さらに、「前郡守殷通は」と叫んだ。あろうことか、この者、おのれの皇帝に対し謀叛《むほん》を企てた、によってこの項梁が天に代わり、これを討った、いまより項梁に背《そむ》く者はすなわち殷通の徒としてこれを討つ、我に従う者は義士としてこれを讃《たた》える、よいか、といった。

この間、項羽が撃ち殺した者だけで八、九十人といわれるが、多すぎる計算かもしれない。多くの吏員は、項梁という者が徳のある男だということを知っている。徳ある者にしたがうというのが、このような混乱の場合の作法というべきものだった。

この庁内でも有力な吏員は、かねて項梁と親しかった。かれらは積極的に項梁に協力し、混乱を鎮《しず》めた。

一方、項梁が内々に組織していた民衆軍が庁前にあつまり、さらには付近に駐在していた秦の部隊もこの傘下《さんか》に入り、次いで会稽郡の隷下《れいか》の各県も項梁の掌握のなかに入った。

(なんとたやすいことよ、秦の制度は弱かった)

と、項梁はおもった。法をもって治めるといったところで、結局はなま身の個人に依存している。始皇帝が死ねば帝国そのものも機能をうしない、郡守が斃《たお》されれば郡そのものも空《から》になってしまう。

項梁は、会稽郡の王になった。

沛《はい》の町の樹《き》の下で

その地は、沛という。

沛という字義は、水の流れや草木がさかんなさま、ということである。沛の地はそのことばどおり、一望はるかな大地に沼沢《しょうたく》が点在し、雨量も多く、自然、水辺の草木がさかんに繁茂している。

沛は、いまの行政区分では、江蘇《こうそ》省の北部に属する。江蘇省はその南部に揚子江《ようすこう》を持ち、北部に多くの河川を持ち、それらが運んできた砂泥《さでい》によって一望千里の野をなしている。

江蘇省を南北にわかつと、南部は水田稲作が多く、「沛」のある北部は、麦作が主になっている。

南部の稲作地帯は楚《そ》人が多く住み、米を食い、楚の衣服である短衣《たんい》を着、楚語を話している。省の北辺のあたりになると、黄河流域人である漢民族が多くなり、麦をもとにした粉食を主食とし、長衣をまとっている。

沛は、秦帝国になって、県令の駐在地となり、沛県とよばれ、そのあたりの行政府になっていた。

その男――劉邦《りゅうほう》――のうまれは、この沛県の治下《ちか》の豊《ほう》という邑《むら》である。邑としての豊は、その下にいくつかの里《り》を持っている。劉邦の生家は、そのうちの中陽里《ちゅうようり》という集落であった。

劉家は、ごくありきたりな農家といっていい。

「劉」

という姓を持つだけで、その家族たちは名前らしいものをもっていない。当の劉邦でさえ、邦というのは名であるのかどうか。

「パン（邦）」

は、にいちゃんという方言で、ときにねえちゃんというときも、パンという。劉邦とは、

「劉兄哥《あにい》」

ということであった。

劉邦のおもしろさは、いっぱしの存在になってからも名を変えず、あにいのまま押し通したことである。結局、それが名前になった。それどころか、中国史上最大の名になってしまった。

名だけでなく、字《あざな》ももっていなかった。漢民族ならたれでも字をもっている。たとえば小作人の境涯から反乱軍の組織者になった楚人の陳勝でさえ、字は渉《しょう》であった。劉邦の生家のたれもが、字どころか名さえ持たなかったというのは、家が貧窮していたということではなく、中陽里のあたりが、むろん漢民族地帯とはいえ、中原《ちゅうげん》の文化の薄くしか及んでいない草深い田舎《いなか》であったことをあらわす。

この男が、無数の条件が集積してついには漢帝国の始祖になってしまったために、漢の盛時の史家である司馬遷《しばせん》も、その著『史記』の高祖本紀の冒頭でこの王朝の神聖なるべき始祖の出自《しゅつじ》を書くときに、当惑したにちがいない。もっとも司馬遷は、容赦もないほどの露骨さで書いている。

高祖ハ、沛ノ豊邑《ほうゆう》ノ中陽里ノ人ナリ。姓ハ劉氏。字ハ季《き》。父ハ太公《たいこう》ト曰《い》ヒ、母ハ劉媼《りゅうおう》ト曰フ。

字は季、などとわざわざ書いているのは、なにやら滑稽《こっけい》感をともなう。季とは、単に末っ子という意である。父の名の太公も、じいさまという普通名詞であり、母の劉媼も、劉ばあさまというにすぎない。「字は末っ子、父の名はじいさまと言い、母の名は劉ばあさまという」と、大まじめに述べたてた司馬遷の本意はどうだったのであろう。司馬遷は父の代から漢朝の史官であったが、『史記』は官修のものではない。かれが父の遺志を継いで一個人として編んだものであり、かれの孫の代まで家に蔵され、世上に流布《るふ》することがなかった。要するに司馬遷は、かれ一個の責任において『史記』を書いた。漢帝国から「高祖」とあがめられている劉邦についてのかれの観察態度は、酷なほどに冷厳であるといっていい。

　劉邦の兄たちも、その一族がのちに王侯になっているのに、名が伝わっていない。ふつうその家の長男のことを、伯《はく》という。劉邦の長兄の名は、単に劉伯である。つぎの子のことを、仲《ちゅう》という。劉邦の次兄は、劉仲である。要するに名が伝わらなかったのではなく、もともと名が無かった。せまい村落社会では個々に名など要《い》るはずがなく、劉という姓さえあればよく、個々については、劉の上のせがれ、とか、劉の中のやつ、あるいは末息子《おとんぼ》と呼びあっているだけで事が足りた。名などつけると、

——なんだ、あいつは。

と、かえって村落の共通の感情を損《そこ》ねるかもしれない。このことは中陽里という土くさい村のふんいきをよくあらわしている。

劉邦は、紀元前二四七年にうまれた。

かれの村の中陽里に、盧《ろ》という姓の家があった。盧家の当主と劉邦の父はいたって仲よしで、めずらしいことに劉邦がうまれた日に、盧家でも男児がうまれた。

「仲良し同士が、おなじ日に男の子を生んだ」

ということだけでも、のどかな中陽里では大きな話題であった。村の連中はよろこび、祭りのように寄りあつまり、祝いとして羊の肉と酒を両家に持ちこんで大いに飲み食いした。なにかといえば集まって飲み食いしたがるのが、中陽里のふんいきといっていい。

「綰《わん》よ」

綰よ、といって、劉邦が子供のときから弟分のようにして連れあるいたのは、この盧家の子である。盧綰《ろわん》は、おとなしい子で、劉邦の言いなりになっていた。幼いころは悪戯《いたずら》の手伝いをさせられ、長じては悪事の加担《かたん》をさせられ、そのおかげで劉邦が帝国をおこしたときに、長安侯にしてもらい、さらには燕《えん》王に封《ほう》じられた。

まことに中陽里はのんびりした村で、

「どうも、劉家の末っ子は、おやじのたねではないらしいな」

などという途方もないことが、たれを傷つけるわけでもなく野良《のら》での大声の話題になるようなところがあった。漢民族の社会は、のちに儒教が支配思想になってから男女の性の倫理がやかましくなったが、この時代、中陽里あたりではなお古代以来の大らかな自然さがつづいていて、そういう事故がままあったとしても、当の亭主さえ笑っていれば、けわしい倫理的教条によって裁かれるなどのことは、まず無かった。もっとも、相手は人間ではなかった。

中陽里も、沼沢が多い。ある日、劉媼が近所の大きな沢の堤まで行って休息しているうちに、居眠りしてしまった。夢の中で、神に遭《あ》った。この時代、神は、森といわず、沢といわず、いたるところにいた。このとき天が晦冥《かいめい》し、大いに雷電がはためいた。劉媼をさがしていた亭主の太公が沢の堤まで行ってみると、「則《すなわ》チ蛟竜《こうりよう》ヲ其《そ》ノ上ニ見」た。其ノ上とは、劉媼の体の上である。蛟竜とは、あるいはよそから流れてきたやくざ者かもしれず、おそらくそうであろう。ほどなく劉媼は身ごもり、劉邦を生んだ。

「うちの季《すえっこ》は、竜の子だよ」

といって、いかにもうれしげに言いふらしたのは、唯一《ゆいいつ》の目撃者である太公自身であった。しかし太公も、手放しにはうれしくなかったかもしれず、劉邦に対する態度は、他のこどもに対するそれとちがって、どこか翳《かげ》があった。この父の態度は、劉邦のほうにも翳をひいた。かれは世間から立てられるようになっても、父に対してどこか微妙な冷たさをもち、露骨にその態度を示したこともある。

もっとも、この出生についての古怪な噺《はなし》は劉邦自身、気に入っているふしがあった。

「おれは竜の子だ」

というとき、みるみる自分がふくらんでゆくおもいがした。

かれは、まともな農民であったことがない。父親や兄たちが草とりや刈り入れでへとへとになっていても、

「ちょっと、沛の町へ行ってくる」

といって、消えてしまう。このあたり一円では、磚《せん》を積みあげた城壁をもつ城市は、沛の町だけであった。そこでは、銭をかめの中に貯えた商人《あきうど》もいるし、それらを相手にする賭場《とば》も開帳されていたし、酒場もあれば、娼婦《しょうふ》もいた。あるいは劉邦の大好きな盗賊どももいたし、人殺しの常習者もいた。

こういう男が、生れ在所の中陽里で評判がいいはずがない。父親や兄たちも、

「あのろくでなしめが」

といっていたし、村の連中も同様であった。

ところが、家と村を離れてしまえば、その世界は劉邦のものであった。たとえば、在所では、あれはおやじの子ではあるまいとされている出生の秘密までがかれの大法螺《おおぼら》のたねになり、

「おれは竜の子だ」

と、一座を睨《ね》めまわして高言した。

うそだ、と言うような者があれば、劉邦のほらを平素真《ま》に受けている子分どもにつまみ出されてしまう。以下のことは劉邦もめったにやらないが、まれに、

「見ろ」

と、着衣をかなぐり捨ててしまう。素裸になった。この時代、ふつうの家屋には椅子《いす》などはなく、床《ゆか》の上に莚《むしろ》を敷き、立てひざをついて飲む。酒場では、つねに劉邦は主座にいる。劉邦の睾丸《こうがん》が、ゆったりとばかばかしいほどの落ちつきぶりで、莚に接している。

「数えてみろ」

おれが尋常な人間であるかないか、からだじゅうの黒子《ほくろ》の数をかぞえればわかるこ

とだ、という。

みな劉邦の裸形《らぎょう》のまわりに集まってかぞえざるをえない。黒子は、左脚に集中している。数えるのに陽が暮れかけたりした。黒子がそれほど多すぎるということではなく、皮膚の色素的な奇形など、それが黒子であるのかしみであるのか、境界がさだかでないものも多く、数える者によって数がまちまちになってしまい、たがいに言いあらそい、何度も数えなおした。ついに疲れ果てるころに、劉邦自身が、

「七十二個だ」

と、叫び、断定するのである。根拠は、赤ン坊のときからすでに七十二個あり、村中の人があつまって数えたからまちがいない、しかしなぜおれの肌に七十二個の黒子が印《いん》せられておるのか、その理由は一同もわかるであろう、と劉邦はいう。

「赤竜の子だからだ」

と、言い捨てつつ、ゆったりと上着に手を通すのが常であった。

この時代よりすこし前に、戦国時代が長くつづいていた。そのころ、宇宙から人事までをふくめた原理的説明法として陰陽説《いんようせつ》が流布《るふ》し、一方においてすべての物質は「水火木金土」の五つの元素に帰するという五行説もおこなわれ、やがて二説は一つになった。この当時の哲学および科学理論というべきものであったが、この陰陽五行

説は暦法《れきほう》にも結びつき、さまざまな現象が数量で説明されたりした。当時、一年は三百六十日しかない。この数字を五行の「五」で割れば、劉邦の黒子とおなじ数の七十二になる。だからおれは特別な人間だ、と劉邦はいう。ちょっと強引すぎるりくつかもしれない。

――七十二という数字は、土《ど》だ。

と、たれか、陰陽家が、劉邦に教えたのかもしれない。なぜ七十二が五行における土であるのかということになると、劉邦もわからず、陰陽家もわからず、証明不能の境域になる。哲理は、そのあいまいさの上に成立する。

――土《ど》は、赤である。

というふうに、論理が発展する。当時、色彩は五つに区分されていた。青、黄、赤、白、黒である。陰陽家は、五の字を好む。五色が五行に付会《ふかい》され、五行の「土」は五色の「赤」であるとされた。なぜ土が赤であるのか、論理はそこでゆきどまりになる。このことは公理ともいうべきもので、証明はできず、証明ができないために、ひらきなおったように絶対の真理とされ、その後、二千年以上、この理論は中国とその周辺の民族の思考力をどこかで昏《くら》くしてきた。ともかくも、劉邦はいつ陰陽家から教わったのか、土は赤である、と言い、土がこの劉邦であるために(七十二個の黒子を持つがゆえに）すなわち劉邦は「赤」である、という論理が成立する。一方、劉邦の母の劉《りゅう》媼《おう》は、大きな沢の堤の上で、蛟竜と媾《まじ》わった。ほどなく身籠《みごも》って出生した劉邦が竜の子であるというのは、劉媼の亭主すら承認している事実といってよく、さらに劉媼と媾わった竜は、赤であるところの「七十二個」の理論からいえば赤竜ということになるであろう。この精密な理論と冷厳な事実を聴かされて反論できるような人間は、この当時、草莽《そうもう》にも都《と》邑《ゆう》にもいなかった。

劉邦も、その子分たちも、沛《はい》の酒場の仲間たちも、このすばらしい体系から割り出された真理を信じていた。人類は、その後も多くの体系を創《つく》り出し、信じてきた。ほとんどの体系はうそっぱちをひそかな基礎とし、それがうそっぱちとは思えなくするためにその基礎の上に構築される体系はできるだけ精密であることを必要とし、そのことに人智《じんち》の限りが尽された。劉邦という男がただの人間でないということを疑う者がもし居るとすれば、その者はこの当時の真理である陰陽五行説の敵であり、畢竟《ひっきょう》するところ、真理に対する賊といっていい。

しかも、この理論には抜きさしならぬ実証があった。劉邦の顔であった。

「あれは、竜の顔だ」

と、子分の盧綰《ろわん》たちが、言ってまわった。かれらは、本気で信じていた。かれらはあぶれ者であったり、無頼《ぶらい》の徒であったり、こそ泥であったりするが、みな苛烈《かれつ》な秦《しん》の法治体制のなかでかぼそく生きている。せめて自分たちが立てている親分に神秘性を見出《みいだ》して心を安んじたいのが、頼るべき田畑を持たないかれらの人情というべきものであった。しかしながら、その実、劉邦の顔は、どうにも竜に似ているのである。まず、眉《まゆ》の骨が高く、それがまるく弧《こ》を描いている。顔はぜんたいに中高《なかだか》で、鼻柱においていっそう隆《たか》くなっており、鼻の肉もたっぷりついていてよく伸び、そのすがたが心地よい。竜の顔であった。

もっとも、竜がどういう顔をしているのか、たれも見た者はない。竜を見たければ劉邦の顔を見よ、と言われれば雷電に打たれたようにそう認識するしかなかった。髭《くちひげ》もいい。竜のくちひげはなまずのそれに似ているが、しかしなまずよりもはるかに長く、牛のしっぽのように強靭《きようじん》で、馬の腱《けん》でつくった笞《むち》のようにしなやかなのである。劉邦のくちひげの異様なばかりの美しさは、そのようなつもりで見ると、あるいはそう見えなくもない。

要するに、この沛の町の無頼漢から立てられている男の顔は、竜顔であった。かれが、かれの思わぬことに無数の幸運がつづいて、のちにこの大陸の皇帝になってしまったために、はるか後世にいたるまで皇帝の顔を「竜顔」と美称するようになった。

劉邦は、賭博《とばく》だけでなく、遠くへ駈《か》けて盗賊も働いたが、沛の町に帰ってくると、得たものはみな散じた。しかし大方は、生業《なりわい》を持たないために無一文でいることが多く、それでも酒を飲みたがった。

「こどもは乳をのむ。おとなは酒をのむ。どちらも人間を大きくするためのものだ」

と、いった。この時代の酒は乳色を帯びていて、酒精分もすくなく、馬が水を飲むほどに飲まねば酔わなかった。

沛の町の飲屋では、王媼《おうばあ》さんの店と武《ぶ》媼さんの店がひいきであった。たいていは嚢《のう》中《ちゅう》一銭もなしにぬっと入り、したたかに酔い、支払う意思もなかった。この時代、旗亭《さかや》はたいてい年末払いだったが、劉邦は口だけでも払うとは言わなかった。

——いやな奴《やつ》が来やがった。

と、最初は王《おう》媼も武媼も思ったが、やがては妙に採算が合うことを知った。劉邦が店に来ると、町中の劉邦好きの男や与太者たちにつたわり、かれらが互いに仲間を誘いながらやってくるため、たちまち店は客で満ちた。劉邦が呼ぶわけではなく、かれらが劉邦を慕い、劉邦の下座《しもざ》にいて飲むことをよろこぶためであった。

劉邦は、文盲《もんもう》ではなかったが、それに近い。

無学なために、何か教えを垂《た》れるなどということはしない。とくに諸方の地理人情に明るいわけでなく、またとくに商売のたねになるような商品市況の情報を教えるわけでなく、さらには、座談がうまいわけではない。

ただ劉邦は莚の上にすわっているだけである。大きな椀《わん》に米の磨《と》ぎ汁《じる》のような色をした醸造酒を満たし、ときどきそれを両手でかかえては、飲む。

ひとびとはそういう劉邦のそばに居るだけでいいらしい。みな一杯ずつ酒を酤《か》っては座にもどり、互いに好きなことを話し、酒が尽きると、また酤う。劉邦はただそれらを眺めている。彼等にすれば、劉邦に見られているというだけで楽しく、酒の座が充実し、くだらない話にも熱中でき、ひとびとはなにかの用があって劉邦がどこかへ行ってしまったりすると急に店が冷え、ひとびとも面白くなくなり、散ってしま

劉邦がもどってくると、ひとびとは、

「よう」

と、歓声をあげながらかれを擁してもとの上座《かみざ》につかせ、一同は退《さが》ってまた飲んだ。

劉邦は行儀がわるく、すこし酔えば横に長くなって肘枕《ひじまくら》をし、ときどき癇癪《かんしゃく》をおこすと、その男を口汚なくののしった。類がないほどに、言葉遣いが汚なかったが、そのくせ一種愛嬌《あいきょう》のある物言いで、罵《ののし》られた者も多くの場合傷つかず、一座もげらげら笑

い崩れてしまうというぐあいで、劉邦の芸といえばあるいはこれが唯一の芸であったかもしれない。

劉邦《りゅうほう》が沛の街路を歩いているときも、独り歩きするということはめったになかった。まず、盧綰《ろわん》が犬ころのようにつき従っている。

それに、大男の樊噲《はんかい》が従っていることが多い。樊噲は、劉邦が数奇な経緯のはてに漢王になり、さらには皇帝になってしまうために、かれも当初小部隊の長になり、やがては漢軍の将領になり、最後には舞陽侯に封《ほう》ぜられ、死んで武侯という諡《おくりな》をうけるまでになったが、この時期は沛の町の狗肉《いぬにく》業者であった。この当時、犬は羊や豚《ぶた》と同様、食用であった。劉邦の仲間は大ていえたいの知れない暮らしの中にいたが、正業についていたのは樊噲ぐらいのものであったかもしれない。樊噲はつねに明快な倫理観をもち、小細工《こざいく》を好まず、いつもだまりこくっていた。その大力と勇敢さと、剣をよくすることでは天成の武人といってよく、とくに劉邦のためなら死も厭《いと》わなかった。

「劉兄《あに》ィに手出しをするようなやつは、九族までさがして八つ裂きにするぞ」

と、樊噲はいったことがある。

劉邦が沛の町で、かれを好まない勢力から害されることがなかったのは、ひとつには樊噲がついていたためだったといえる。

この連中が歩いていると、家々から、

「どこへ行くんだえ」

と声をかけて人がついてきたし、辻《つじ》で見かければ追ってきて群れに入る者もいたし、ともかくも劉邦という存在は、無一文ながらも沛における重要な勢力であるにはちがいなかった。

この、後世、江蘇省とよばれるようになったその北端の沛地方というのは、北方的漢民族の居住地としては、その最南の僻陬《へきすう》といっていい。

戦国時代にはしばしば南方の呉《ご》が沛まで北進してここを版図《はんと》に入れた。南方の呉がほろび、越《えつ》が衰え、呉越同様に南方種族だった楚が大いに北へ伸びたとき、ついに沛をふくめた泗水《しすい》の流域まで楚の領土になったことがある。が、沛地方のひとびとにとっては、税をとられてゆくだけで、楚の風俗に化《か》せられるほどの濃厚な支配をうけたわけではない。

「沛は中原《ちゅうげん》の南のはずれ、楚の北のはずれ。こんな気分のよい町はない」

と、ひとびとはいった。

戦国の諸勢力というのは、それぞれ政治・軍事上の勢力圏であった半面、それぞれが互いに文化的特徴や、他と異なる気風を持っていたが、それらの勢力圏の影響を比較的薄くしか受けなかった沛地方という沼沢の多い土地は、太古以来ののびやかな気風も遺《のこ》っていた。

国家というものが沛に重くのしかかってきたのは、秦帝国の成立からである。この大陸には、当初住民がいて野を拓《ひら》き、穀物を植え、家畜を飼い、村々が自衛して盗賊の害をふせいだ。そのあとで国家がのしかかってきたのだが、春秋戦国のころの王国群は秦からみればはるかに物柔《ものやわ》らかな支配にすぎなかった。それらが亡《ほろ》んで秦帝国になると、中央・地方の官制が網の目のこまかさで整然とととのい、地方のすみずみまで人々は法の絆《きずな》につながれ、自分の身が自分のものではなくなり、すべてが帝国の奴《ど》隷《れい》のようになって労役に駆り出された。わずかの非違《ひい》でも、こまごまとした法に照らされて処罰をうけた。

この沼沢と草木のゆたかな土地も「沛県」として行政区劃《くかく》され、沛に県庁が置かれたことは、すでにふれた。ひとびとにとってそれだけでも物憂《ものう》いことであったが、しかし劉邦のような男にとっては、

(なるほど、政治とはそういうものか)

という、身のふるえるような好奇心をかきたてる契機あるいは対象になった。かれが沛の町に入りびたっていることが好きなのは、そこに商人《あきうど》、博徒、酒造り、酒売り、陰陽家、盗賊、職人といった非農民がにぎやかに都市生活を営んでいることだけではなく、そこに政治が存在したからであろう。具体的には県庁という権力の執行機関が所在しているということだった。

「ふん、これが県庁かい」

と、当初、柱の赤い建物ができたとき、劉邦はまず大声で悪口をいい、次いで、そこへ入りこんだ。

県吏たちの多くは地元から採用されている。自然、その親もとや親戚《しんせき》が地元に多く、それらのうちで劉邦の子分になっている者もある。劉邦が、前後左右にかれらを従えて庁内に入ってくると、いかに法において秦帝国の世とはいえ、県吏たちも多少は親しみを見せざるをえない。

役所の出入りに馴《な》れてくると、劉邦はあごを突き出して吏員たちをからかったり、大声で冗談を言ったり、庁内で昼寝をしたりした。

「あいつには、相手になるな」

と、吏員たちは、互いに言いあうようになった。

劉邦は、一面では人を容《い》れることが野放図なほどに寛闊《かんかつ》であったが、一面では病的なーーやくざの親玉になるような男の通有のものかもしれないがーー執念ぶかさを、いかにも、とりかぶとの塊根《かいこん》の中の毒のように秘めていた。自分に仇《あだ》をなす者については、表面は笑顔でつきあっているが、相手の隙《すき》を見てひそかに復讐《ふくしゅう》したりした。むろん、復讐は劉邦がじかにやるわけでなく、子分がそれをやった。県庁は、小なりといえども秦帝国の官衙《かんが》である。帝国の法を保持し、帝国の威権をもっている。しかし地元出身の吏員のひとりひとりは生身《なまみ》の人間で、役所からの帰路、人知れずに死骸《しがい》にされるかもしれないという恐怖心を、劉邦に対して持つようになっていた。

「あいつは、盗賊を働いているらしい」

ということを庁の吏員たちはみな知っていたが、口には出さなかった。もっとも、劉邦はそういう荒仕事を沛地方でやらず、他県でやっていた。このため沛県の役人としては事を荒立てわざわざ劉邦の憎しみを買うこともなかった。吏員たちはそれをあばきたてるよりも劉邦に近づき、劉邦と親しくなることによって、管内の悪党どもの動静を知っておくほうが、仕事の上では有益であった。

蕭何《しょうか》も曹参《そうしん》も、そういうぐあいの県の役人である。どちらも沛地方の出身で、県庁では司法関係の仕事をしていた。蕭何が上役で、司法・警察課長というべき職であり、曹参はその下の獄吏であった。巨大な秦帝国の官僚機構からみれば、粟粒《あわつぶ》ともいえぬほどの現地採用の小役人である。

二人は劉邦を保護したために、後年、漢帝国の宰相になるという数奇な運命をたどってしまった。蕭何は高祖（劉邦）の宰相になり、在世中も後世においてももっとも評判のいい政治家のひとりになった。また曹参は劉邦や蕭何の死後、第二世皇帝の恵《けい》帝の宰相になる。名声はかならずしも蕭何に及ばなかったものの、しかしそれに次いだ。

両人とも、法家《ほうか》主義の秦帝国の小役人でありながら、その思想は型どおりではない。かといって流行のきざしを見せつつある儒家でもなかった。どちらかといえば、物事の善悪を峻別《しゅんべつ》することを嫌うという点で、老荘の思想にちかかった。

しかしながら、両人の若いころ――沛の役人時代――どんな思想をもっていたかなどということは、当人自身もよくわからない。

余談だが、漢帝国の成立後、曹参は一時、地方にいた。劉邦の子の悼恵《とうけい》王が斉《せい》（七十あまりの城邑《じょうゆう》を持っている）の王に封ぜられたとき、曹参はその丞相《じょうしょう》になった。それまで野戦攻城の将軍だったかれにとって、政治は最初の経験だった。かれはもとから斉にいた儒者を百人あまり招き、「どうすれば人民の暮らしを安んじうるか」と質問した。儒者のいうことは百人百説で、元来、政治論には白紙の曹参《そうしん》にとって、何が何だか、よくわからなかった。

人がいて、膠西《こうせい》に蓋公《こうこう》という人物がいる、と曹参に告げた。老子の徒で、諸事、自然がいい、と言っている、という。曹参はそれを手厚く招き、教えを乞《こ》うと、政治の要諦《ようたい》は積極的なものではない、ひたすらに清静を尊ぶだけでよい、清静さえ主眼にしていれば民の心も暮らしもおのずから安定する、と蓋公はいった。曹参は大いに感心し、自分の丞相としての政堂を空《から》にして蓋公に明けわたし、自由に政務をとらせた。

在任九年、斉は大いに治まり、曹参は労せずして賢相という評判をとった。

やがて蕭何が死に、曹参は後任を命ぜられた。かれは斉の丞相の職を後任者に譲るとき、

「それでは、斉の獄市《ごくし》を貴官にお渡しします」

と、いった。獄市とは、牢獄《ろうごく》と商品の市場のことである。むろんこの時代といえども政治は多岐にわたっており、獄市のみではない。後任者は不審に思い、政治にはほかにもっと大事なことがあるのではないでしょうか、と反問すると、

「獄と市《いち》だけが、政治の要《かなめ》です」

と、曹参はいった。曹参の考えは、牢獄も商業の場も、善悪ともに受け容れるところです、これに対して為政者《いせい》が善悪に厳格でありすぎると、かえってぐあいがわるくなります、ということであった。このことはどうやら老荘的な政治学の基本のようであったが、後任者にはまだよくわからず、なぜ獄市を厳正にしすぎるとよくないのでしょう、と問うた。

曹参は、世の中には必ず姦人《かんじん》という者がいる、という。これをやわらかくつつむのが曹参の社会に対する生理学的な認識のようであった。そういう姦人たちは、司法の対象になるか、市場管理の対象になるかどちらかだが、この獄と市をあまりやかましく正しすぎると姦人は世に容れられなくなり、かならず乱をおこし、国家そのものを毀損《きそん》するもとになる、だから獄市は大切だといったのです、と曹参は答えたという。

曹参のこういう思想は、後年に身についたものではなかった。その気質からみて、沛の獄吏時代にすでにこの考え方の原型を持っていた。この点においては、上役の蕭《しょう》何《か》も大したちがいはない。

ただ蕭何のほうが、若いころから吏務に長じ、さらには天性、人間が優しく、かれが面倒を見ている沛地方のひとびとに対し、曹参よりもつよい愛情を持っていた。曹参はむしろ蕭何の考えややりかたを懸命に真似《まね》しながら自分を自分で育てた男といっていい。

「私は、劉さんを友人だと思っている」

と、蕭何はかねがね、曹参に語っていた。あいつには相手になるな、という他の役人よりも、積極的な態度といっていい。曹参も、そのつもりになった。司法の執行権をもつ蕭何と獄舎の役人である曹参が「劉さん」を友人だと見ている以上、劉邦が大手を振って県庁に入ってくるのはむりもないであろう。

蕭何の出身の在所は、沛地方でも、劉邦とおなじ豊《ほう》という邑《むら》である。ただし豊にはいくつかの里《り》があって劉邦の中陽里《ちゅうようり》ではなかったが、それでもざっと劉邦とは在所がおなじといっていい。このため、蕭何は劉邦を他人とは見ず、互いに親類の一員であるかのように思っていた。

「劉さん、あぶないよ」

しばらく身を隠していたほうがいい、とひそかに教えてやったこともある。行政上、県の上は、郡になる。沛県の場合、泗水《しすい》郡のなかの一単位である。その泗水郡の郡衙《ぐんが》から、劉邦をめざしての手配状がまわってきたときも、蕭何は、劉邦に耳打ちしてやった。

「ははあ、そんなものかい」

それほど切迫しているのか、という意味のことを、劉邦は他人事《ひとごと》のようにつぶやいた。こういう場合、じたばたしてはこの大陸では人望をうしなってしまう。劉邦のこの態度は、竜顔をもっている以上、当然演じてみせねばならぬ型のようなものであった。

「どこかへ逃げたほうがいい」

と、蕭何がいった。

「逃げはせんよ」

劉邦はいったが、むろん本音は、身を翻《ひるがえ》して早々に逃げたかった。劉邦はその後半生からみて遁走《とんそう》の名人のようなところがあり、決して身の危険に鈍感なほうではない。

蕭何は、身を隠してくれたほうが私どもの手間が省《はぶ》けていい、私どものためにそうしてくれ、と言いかえると、劉邦は、

「お前がたのむというなら、身をかくしてやってもいい」

と、承知した。

劉邦は、遠く沼沢《しょうたく》のあいだに隠れた。このとき沛の町の不良少年の多くが劉邦を見放した。つき従ったのは、竹馬《ちくば》の友の盧綰《ろわん》ひとりであった。劉邦はのちのちまで、

「従う者といえば綰よ、お前だけだったぜ」

そのころのことを思い出しては語った。沛をうろついていた時代の劉邦にとってもっともつらい時期であったらしいが、このときの罪科といえば大したことはない。窃《せっ》盗《とう》程度のものである。

このような程度の、沛の町のちんぴらといっていい劉邦が、天下を狙《ねら》うような意識をもっていたかどうか。そのあたりは、劉邦自身もよくわからない。

ただ、沛の県庁に出入りしていて、

（政治とは、ばかに簡単なものではないか）

と、たえず思った。劉邦が考える政治というのは、蕭何や曹参が生涯慎重な態度で模索しつづけたそれではなく、沛地方を奪うという程度の、ごくおおざっぱなものであった。文字を十分に知っているわけではないかれは、蕭何のレベルでの政治のことなど考えたこともない。

県庁では、まれに最高権力者の県令の姿を見ることがある。

決して大人物というような男ではない。干《ほ》しあげた小魚のように痩《や》せた男で、秦の官吏らしく法にだけは明るいらしい。しかし日常、実務を執《と》っているわけでなく、県庁の運営は、蕭何・曹参のたぐいの吏員がうごかしている。つまりは、劉邦でも県令がつとまる。

(あの程度の男が県令ならおれでもつとまる。蕭何のような能吏を、使えばいいだけではないか)

このことは、政治の規模が大きく郡になっても変わりがなく、さらに大きく大秦帝国そのものになっても、むろん変わりはない。要は能吏たちをみつける目と、みつければ法外に優遇してやる度量とがあればいいだけだ、と劉邦は知った。

(いざ世が乱れれば、県令一人の首を刎《は》ねてその席におれがすわるだけで、おれは沛の公《きみ》になりうるのだ。あとは、蕭何らにやらせればいい)

ただおれが県令になれば人々がよろこんでおれに従うようにならねばならない、それには平素が大切だ、つまりはおれはよほど大きな器量をもたねばなるまい、と思ったりした。劉邦の政治感覚は、その程度のものである。このことは、曹参が晩年、斉《せい》の丞相《じようしよう》の職を後任にゆずるときの言葉と照射しあっている。獄や市《いち》を厳正にやれば「姦人」は行きどころがなくなって乱をおこす、というその「姦人」とは、むろんこの場合の劉邦に相当する。劉邦が乱をおこさないのは、法吏である蕭何や曹参が、法の運用を厳正にせず、かしこくゆるめてあるために、たとえば劉邦のような男もおとなしく内意に順《したが》って沼沢の間に身を隠すのである。劉邦を追いつめて窮させれば、彼も樊噲《はんかい》のような命知らずの子分をひきつれ、県庁にあばれこんで県令の首を刎ね、自分が県令になるかもしれない。しかし、時機を違《たが》えて乱などをおこせば、蕭何や曹参も、上部機構の郡からの命令によってそれこそ厳格に法を執行《しっこう》し、劉邦を討滅しなければならない。晩年の曹参がいう「姦人」とはそういう追いつめられたうろたえ者のことである。

が、当の劉邦は、かんのいい男だから、そういううろたえ沙汰《ざた》はやらない。ともかくも、沛時代のかれが目標としていたのは、大俠《たいきょう》であったことだけは、たしかである。

劉邦は、さほどに独創性のある男ではなかった。大俠といっても、俠とは何かなどと思想としてそれをあれこれ考えるのではなく、拠《よ》るべき典型が具体的にあった。それも、遠からぬ過去に存在した。

信陵君《しんりょうくん》である。

劉邦はこの伝説的な人物がすきであった。

信陵君、名は無忌《むき》、戦国末期の魏《ぎ》の公子であった。王を輔佐《ほさ》し、魏の勢いをさかんにし、当時、虎狼《ころう》の国といわれた秦の圧迫に抗した。もっとも有能な輔佐者はしばしば王に猜《そね》まれたり、敵国からの反間苦肉をうけたりしたが、信陵君もその例外でなく、その境涯に波瀾《はらん》が多かった。そのことは姑《しば》く措《お》く。

「門下に食客三千人」

といわれた。

戦国末、諸国に貴族出身の名輔佐者が出、斉の孟嘗君《もうしょうくん》、楚の春申君《しゅんしんくん》、趙《ちょう》の平原君《へいげんくん》とならんで信陵君は戦国末の四君などとよばれていたが、信陵君の評判はあるいはもっともよかったかもしれない。

戦国末には、諸国に智恵者《ちえ》がむらがって出た。智恵、情報、能力、特技が、渡世のたねになる時代がきたといっていい。かれらは諸国を漂泊し、自分の持ちだねの智恵や能力あるいは情報を国々の実力者に売りつけ、その門にわらじをぬぎ、食客になった。多くは寄宿舎ふうの建物に住んだが、能力の高い者には独立の邸宅があたえられる場合さえあった。いかに素姓が卑《いや》しくとも、賢《けん》であればよかった。

賢が価値をよび、賢がより高価にそれを買う買い手をもとめて天下を流浪《るろう》し、人材がいわば商品化するまでになったというのが、戦国末の特徴である。劉邦らのこの時代よりも、ほんの半世紀足らずのむかしであるにすぎない。

賢には、さまざまあった。たとえば斉の孟嘗君が、鶏の鳴き声のうまい者と狗《いぬ》の吠《ほ》え声のうまいというだけのけちな盗賊をも賓客《ひんきゃく》の列に加え、「先生」とよび、やがてそれが孟嘗君の急場を救う。そういう奇譚《きたん》は、劉邦のこの時代になると、一個の浪漫的情景のなかで語り伝えられるようになっている。

「孟嘗君はたかが知れている。四君のなかで、信陵君の俠がもっとも大きい」

と、劉邦はつねにいっていた。

信陵君が、貴族の身でありながら、いかに食客を優遇し、つねに賢を求めていたかという話は、魏が亡《ほろ》んで魏人の多くが四方に散ったために、その伝聞を聴くことは、容易であった。なにしろ信陵君の時代は、劉邦のこの若い頃における六十代以上の年齢の者なら、同時代の感覚でそのはなしを語ることができた。

とりわけ信陵君と侯生《こうせい》という老人の話は、ひろく伝えられていた。

当時、魏の国の首都は、大梁《たいりょう》（いまの開封《かいほう》）の町である。侯生は魏の最下級の役人で、首都の夷門《いもん》（東の門）の番人をしていた。齢《とし》七十というこの老門番の存在など、首都のひとびとのあいだで顕《あら》われるということはないが、信陵君の食客のたれかが、あの侯生というのはただの門番ではありません、晦《くら》まして市塵《しじん》にまみれて生きている隠者です、と耳打ちしたことで、知られた。

信陵君はおどろき、みずから門番小屋まで出かけて行って交際をもとめ、同時に厚く贈物をした。侯生が他地方の人ならともかく、魏の人であり、それも官僚制度の中の末端にいるのに、筆頭貴族の信陵君がわざわざ駕《が》を枉《ま》げて夷門へゆき、礼を厚くして賓客として招こうとしたのは、尋常な出来事ではない。信陵君の本質が、官僚的政治家でなく、大俠であるというゆえんであろう。

「信陵君とはそういうひとだ」

と、劉邦は、このあたりの信陵君の風姿に惚《ほ》れぬいていた。

侯生も、したたかであった。これに応じず、贈物も受けとらなかった。

「私は、貧しくはあっても身を清らかにして暮らしている。邪魔をしないでもらいたい」

と返事したところをみると、この時代の流行思想の一派だった老子の徒であるように思われる。

が、信陵君はあきらめず、後日、ふたたび侯生に接触しようとした。その日、信陵君はその邸館に魏の貴族や大官、あるいは食客をまねき、宴会を準備していた。かれは侯生を上客として招こうとし、わざわざ車騎を従えて夷門へゆき、うやうやしく侯生の手をとった。侯生はぼろぼろの衣冠をつけ、信陵君の車に乗った。乗ってから自

分の車のように、

——友人に用があります。市場へまわってくださらんか。

と、侯生は信陵君にいった。市場に友人がいるという。肉屋の朱亥《しゅがい》という者であった。侯生のいうところでは朱亥もまたその尋常ならざる勇と賢を晦《くら》まして市井《しせい》に隠れているのだ、ということだった。車が市井の雑踏のなかに割りこんでゆくと、やがて朱亥の姿があった。侯生は車を降り、朱亥と立ち話した。

信陵君を、車に待たせたままであった。

侯生は朱亥と談笑し、この任俠の貴族を待たせつづけた。一方、宴会場では、信陵君の帰りを魏の公子たちや大官、将軍、あるいは有力な食客が待ちに待っていた。信陵君が帰館しないと宴会がはじまらないのである。

(ふつうの人間なら、いらだって不快の表情をうかべるはずだ)

と、侯生はおもい、ときどき車上の信陵君を見た。侯生のほうがその仕《つか》えるべき相手をためしているのである。

信陵君もそう察していたから、たえず温雅な表情をたもち、車上で待った。これを見た従者たちや市場に集まっているひとたちは、侯生をひそかにののしりはじめた。

やがて侯生は、「この人物が、先刻お耳に入れておいた朱亥です」と、路上からいった。路上に突っ立って貴人に物を言うなど、礼にかなわないのも甚《はなは》だしい。が、信陵君の恭倹さに変化がなく、車を降り、朱亥の前に進み、うやうやしく敬礼し、どうか朱先生も私の賓客になっていただきたい、と乞《こ》うた。ところが朱亥は横をむき、返事もしなかったばかりか、信陵君の礼に対して答礼もかえさなかった。

この朱亥の態度は、ごく一般的に考えて、理由のないことでもなかった。貴人が礼を厚くして賓師になってくれという場合、つまりは「知己《ちき》の恩」を売ってくると考えてよく、この知己の恩を受けたが最後、たとえば、死んでくれと頼まれれば死なざるを得ず、それがこの時代の俠の道といってよかった。侯生も朱亥も、己《おの》れを知ってもらえることの後《あと》にやってくる災禍から身を護《まも》ろうとしたに相違なく、しかしながら朱亥はのがれ、侯生ひとりが信陵君の手厚さに屈してしまい、賓客になることを承知したのである。俠死を予約したといっていい。

このあと、侯生は信陵君にともなわれてその宴会場へ行った。信陵君はこの老門番の手をひいて上座《かみざ》にすえ、やがて堂に酒気が満ち、宴が半ばまですすむと、かれは来会者を指揮してこの門番の長寿を祝った。

宴が終るころ、侯生が、「公子よ」と信陵君にいった。あなたに私はずいぶん厚く遇していただいたが、それ以前に私のほうがあなたのために尽している。あの市場の雑踏のなかで、私はあなたを車上に待たせ、朱亥と立ち話にふけったが、そのとき市《いち》のひとびとは、待たされれば待たされるほどうやうやしい態度をとりつづけたあなたを尊敬し、賢者に対して心からへりくだる有徳《うとく》のひとであると見、賞《ほ》めぬ者はなかった。それにひきかえ、この侯生は、所詮《しょせん》は門番ふぜいの小人にすぎない、と衆人がみな批難した。このことは、あのあと、私は人を遣《や》って調べさせたからまちがいはない

——といった。

この侯生の態度は、戦国末期の世間の一端を知る上で、重要といわねばならない。戦国期に商品経済が発達したが、それによって人々の意識が変化し、賢者の賢才も商品として数量化して見られるようになった。同時に、封建貴族が施す「恩」も商品的な価値としてとらえられている。さらにはその「恩」に対して賢者側は「酬《むく》い」を見せねばならないのだが、その「酬い」もまた「恩」に見合うだけの数量的な価値を持っている。この場合、侯生は私とあなたとの貸借関係は右の数式で一応済んだのだ、というのである。信陵君も、

「先生のおっしゃるとおりです」

と、よく理解した。

この時期、趙《ちょう》は秦に攻められていた。趙は勝たず、ついに首都邯鄲《かんたん》を秦軍によって

包囲された。趙王および輔佐者の平原君は、魏に救援を求めた。魏王はいったんは十万の兵を出したが、途中で秦と戦うことがこわくなり、行軍を停止させた。趙の平原君は、魏の信陵君を責めてきた。「あなたは、世上、高義の人といわれている。どうやらうわさとはちがうらしい。それに、姉（平原君の夫人は信陵君の姉）の悲運を憐《あわ》れまぬというのはどういうことであろう」という文面であった。が、魏王はなおも出兵をゆるさない。ついに信陵君はわずかな食客をひきい、いわば単独で趙へ赴援することを決意した。強大な秦軍に小勢《こぜい》で当ることは卵を石壁に投げつけるようなもので死を意味するが、信陵君は首都の大梁《たいりよう》城を出た。夷門から出た。出るにあたって、門番の侯生にあいさつした。侯生は、「どうぞお行きください。私は老齢のためにお供はできません」と言った。助言もしなかった。恩を受けた賢者はこういう場合には助言をするものであり、恩を施す側からいえばこういう場合の助言を期待してのことなのである。

（ふしぎなことだ）

信陵君は城外へ去りつつおもった。自分は侯先生を士として厚く遇してきて、手落ちはなかったつもりだが、しかし侯先生のあの態度を見ると、あるいは手落ちがあったのかもしれない、と思い、車を夷門までひきかえさせた。侯生は笑って、ひっかえして来られると思っていました、と言い、必勝の策を耳打ちした。結果としては信陵君はその策を用い、奇捷《きしよう》を博するが、そのときには侯生もすでに生きてはいない。信陵君とわかれるとき、私は老齢で軍に従えない、であるから公子が戦場に到着されるころ、その日数をかぞえておいてその日にみずから首を刎ね、公子の門出を送ることにしましょう、ついては朱亥をお連れくださいかならずお役に立ちます、と言い、やがてその約束した日に頸動脈《けいどうみやく》に刃《やいば》をあて、一気にひいて死んだ。恩に対しては賢という商品で返しうるが、しかしそれ以上に知己という全人格を尊敬されてしまった場合は返しようもなく、結局は死をもって酬いるしかない。それを侯生は実行した。そういう士としての気風、倫理あるいは進退の法則のようなものが戦国末期にすでに出来ていたことを、この挿話《そうわ》はよくあらわしている。

——おれは信陵君だ。

と、劉邦《りゆうほう》は私《ひそ》かにこの大侠を気取っていた。かれがいかにこの大侠が好きだったかについては、後年、大軍を馳駆《ちく》させる身分になったとき、大梁の町をしばしば過ぎ、過ぎるごとに土地の者に金をあたえて信陵君を祭らせ、その祭祀《さいし》を絶やさぬようにさせたということを見てもわかる。

劉邦は、七面倒なことがきらいであった。理屈の多い儒家を好まず、かといって人民を虎狼《ころう》のように法の爪《つめ》にかける法家《ほうか》は彼自身、秦の世を体験してへとへとになっていたし、あるいは道家《どうか》とまでになると、その思惟《しい》が高雅すぎてよくわからない。劉邦には、俠の一字があるのみであった。つまりは信陵君のみが、かれの書物であり、手本であった。たとえば当初、沛《はい》の市中で樊噲《はんかい》にはじめて出会ったときも、

(これはわしの朱亥だ)

とおもった。

ほかに侯生にあたる人物も多く持っており、蕭何《しょうか》や曹参《そうしん》などについても、劉邦からみれば、かれらはおれにとっての侯生だ、と思いこんでいた。もっともこの場合、蕭何のほうが劉邦より身分がはるかに上である。さらに蕭何自身は劉邦をそれほど高く買っていたわけではなく、

——劉邦ハ固《もと》ヨリ大言多ク、事ヲ成スコトスクナシ。

と、評したことがある。

劉邦は元来が大法螺《おおぼら》吹きで、法螺を裏打ちするような実《み》のあることをやりとげたことがない、というのである。蕭何によれば事をなすには、権力か富かを必要とする。劉邦にはその二つながら無く、事を成そうと思っても成せるはずもなかった。蕭何に

とっては、要するに劉邦はお目こぼししてやっている自称俠客《きょうかく》にすぎない。であるのに劉邦のつもりでは蕭何を子分あつかいし、信陵君のように恩を売ってやっているつもりでいる。

「蕭何はわしの子分だ」

と、町でいったりした。

蕭何も、ときどきやりきれなくなったであろう。

信陵君の徳のきわだった特徴は謙虚であることだった。いかなる身分の者でも賢才と見れば師表と仰いでへりくだったが、劉邦はそうはせず、蕭何をばかにし、ときにひどく乱暴で無作法であった。もっとも信陵君は貴族だったからへりくだりも徳でありうるが、劉邦のような素寒貧《すかんぴん》の無頼漢は、うかつに蕭何などにへりくだれば哀れみを乞うているようで、謙虚とは人は見てくれない。

劉邦の持つところといえば、竜に似ているといわれるその顔しかなかった。二十代の半ばをすぎてからは髯《ほおひげ》、鬚《あごひげ》をたくわえ、長身の体と相まってまことに堂々としている。ただし、口をひらけば、無知と品わるさというお里が出て、とても信陵君どころではなかった。

（あの下品さが、たまらなくいやだ）

と、蕭何はおもっている。大侠というのは本来謙虚で、気品のあるものでなければならないのではないか。

もっとも、

(あるいは、劉邦には意外な面があるかもしれない)

とも蕭何はおもうことがある。

劉邦が武媼《ぶばぁ》さんの店などで酔いくらって寝てしまっているときに、竜が寝姿の上にあらわれているというのである。蕭何はそういう類《たぐい》のはなしは信じないほうであったが、たとえ作り話であっても劉邦自身が作ってひろめているのではなく、武媼《おう》やその他の劉邦好きの連中が本気にして、いわば顔色を変えてその不思議を語り、自然にひろまったはなしであった。このことは、劉邦という男に神秘性を見出《みいだ》したいという欲求がかれのまわりにあるということであり、裏返していえば、蕭何のような理づめの男には見えにくい劉邦の徳のようなものかとこの聡明《そうめい》な役人はときにくびをかしげてみたりした。

ときに、単父《ぜんぽ》という土地があり、そこに呂公《りょこう》という勢力家が住んでいた。

呂公は、田地も持ち、多数の作男をかかえ、一面投機をして貨殖し、さらには一面、四方の任俠《にんきょう》と交際していた。

その男が、単父で人に恨まれる事態になり、一族をあげて難を沛《はい》に避けた。かねて沛の県令と親しかったためで、沛の県令もこの勢力家が県城《まち》に移住してきたことをよろこび、みずからの屋敷に住まわせ、あれこれ世話をした。

県令としては、呂公を沛に住まわせるについては、沛の役人や大小の勢力家たちに顔つなぎをさせておこうとおもった。

それには呂公を歓迎する宴をひらくのがもっとも手っとり早い。

「県令の屋敷に、大そうな客人が来ているそうな」

というわさは、すでに沛の内外に伝わっている。たれもが呂公という人物を知らなかったが、県令が下にもおかずにもてなしているというところから察して、相当な人物に相違ないと見当をつけた。

県令は日を決め、

——呂公とつきあいをもとめる者はたれかれなく来よ。

と廻状《かいじょう》をまわし、当日、屋敷を開放して宴会場とした。

こういう場合、招《よ》ばれた者は、呂公への進物を持ってくる。進物は、銭であった。当日、宴会のとりしきりを蕭何がやった。客の数は蕭何の予想を越えてしまい、定刻には屋敷の前の槐《えんじゅ》の木の下に車馬が満ちた。やがて路上にまで車馬があふれ、人は庭に満ちた。それでもなおつぎつぎに門を入ってやってくるために、蕭何はたまりかね、

「進物の銭が千銭に満たない人は、堂下にすわっていただきます」

と、叫び、整理した。堂下には、土間に莚《むしろ》を敷いてある。莚の上のあちこちに大きな酒甕《さけがめ》がいくつか置かれていた。堂上も、同然であった。人々のあいだを縫って給仕人が肉をくばり、しだいに酒がまわり、さわがしくなってきた。

(もう、客はこのくらいかな)

と、蕭何は会場を歩きながらおもった。千銭以上の進物が出せる能力をもった人間など、沛にこれ以上いそうにはない。

ちょうどそのとき、門から劉邦が入ってくるのを蕭何は見た。遠目でみると、劉邦の体全体が、鰻《うなぎ》の化物が立って歩いているように見える。

(あいつがきた)

ときがときだけに、蕭何はうんざりした。

当の劉邦は、蕭何など、眼中にない。ひょいと蕭何の前に立つと、手を懐《ふとこ》ろに突っこんで木簡《もっかん》をとりだし、わたした。名刺である。名刺には進物の銭の額が書かれてい

る。

「劉邦　一万銭」

とあった。

(こいつ。——)

蕭何はおもったが、役目柄呂公にその名刺を渡さざるをえない。劉邦が囊中《のうちゅう》無一文の男であることは、たれよりも蕭何はよく知っていた。しかしそれにしても、一万銭とは吹きすぎではないか。

蕭何は堂上にあがり、県令と談笑していた呂公の前に進み出、その名刺をわたした。呂公は県令と談笑をつづけていたが、やがて名刺の数字を見ておどろき、趨《はし》りだした。はしり出したのは呂公が銭を愛するからではなく、銭で誠意を量《はか》ることが、戦国末期ごろからすでに成立していた。一万銭という巨大な誠意の人物には、呂公みずから趨って堂上に案内せねばならないと思ったのである。途中、蕭何が追ってきて袖《そで》をひき、

「あれは、もともと大法螺ふきですから」

と、暗に木簡に書かれた数字はうそだ、とほのめかした。が、呂公の耳には入らない。

うそであろうが何であろうが、一万銭と書いたのは、自分に交際を求めようという

気持がそれだけ厚いからにちがいなく、呂公の生き方としてはそういう人物を粗略にあつかうことができないのである。

「どうぞ」

と、呂公は劉邦に飛びつくようにして手を執《と》り、堂に上げた。席をつくって自分の横にすわらせ、あらためて劉邦の顔を見、声をあげた。

「大変なご人相であられまするなあ」

と、いった。

「私がですか」

「私が、ではない。あなたを除いて、何人《なんぴと》がそういう人相を持っておりましょう。私は、若いころから好んで人を相《そう》してきましたが、あなたのような人相を見たことがありません」

呂公は、昂奮《こうふん》しきってしまった。

この時代、天文で吉凶を占うことと人相でその人物の上下を見ることが、後世における科学のような機能と受けとられ方をもって流行していた。このことも戦国が生んだ価値の分別法といってよく、どの郷村にも観相自慢の者がいた。劉邦がかねて沛の町を大きな顔でもって歩くことができたのも、多くの観相家たちが、あれはただ者ではない、と言ってきたからであり、そういうことから言っても、氏素姓《うじすじよう》もなく、金もなく、さらには何の能もない劉邦にとって渡世のたねは、前にぶらさげている大きな顔とひげしかなく、それが大きな価値であったことがわかる。

「いや、まったく、凄《すご》い人相だ」

「ほめて下さって有難いが、いくら人相がよくても、能なしではどうにもならぬ。早い話が先刻の一万銭の木簡、あれはただの木片にすぎませんよ」

「なんの」

呂公は手をふり、劉公ともあろうお方がそんなへんぺんとしたことを申されるものではない、どうであろう、宴が果ててからしばらくここへお残り下さるわけにはいくまいか、といった。

むろん劉邦には、他に用事があるわけがなく、呂公に言われるまま居残った。

宴のあと、呂公は長い廊下を劉邦とともに歩いた。この単父《ぜんぽ》の顔役は、背はひくいが、いかにも胆力《たんりよく》のかたまりのような男で、しかもゆったりと歩く。君子（身分のある者）の歩きかたはきまっていた。いかにも閑《ひま》をもてあまし、いかにも度量があるかのように、靴先を思いきって外輪《そとわ》に突き出し、そっと磚《せん》の上を踏み、次いで他の脚を前へゆるゆると出してゆく。

「劉邦どの」

と、いった。

「なんです」

「まことに稀有《けう》の人相であられる」

呂公はそのことをくりかえし、かつ細部にわたってほめた。やがて別室に劉邦を導くと、妻をよんだ。

この単父の顔役の妻女というのは、両眼に悍気《かんき》を帯びた初老の女だった。劉邦はめずらしく鄭重《ていちょう》に辞儀したが、女のほうは軽くその礼に酬《むく》い、いかにも劉邦をばかにしているようでもあった。

（むりもない）

劉邦は腹を立てずに、ひそかに自分を滑稽《こっけい》におもった。沛の町のあぶれ者の兄貴分というほか、身を飾るべき肩書はなにもないではないか。

「娘を、これへ」

と、呂公は命じた。

ほどなく娘が入ってきた。

黒い瞳《ひとみ》が刺すように劉邦を見ている。娘はその母とはちがい、丁寧に辞儀をした。

劉邦は、身につかぬ行儀のよさを呂媼《おう》に見せたために、かえってあなどられた。やはりおれは地金《じがね》のままがいいと思い、この小娘に対しては尊大に酬いてやった。娘は、まだ熟れきらぬ李《すもも》の実のようにひきしまった頬をもっている。そのくせ口許《くちもと》が咲くように半ばひらき、幼女のあどけなさをのこしていた。

のちに、呂后《りょこう》になる女である。後年、彼女が示した信じがたいほどの残忍さは毛ほどにも感じられず、彼女自身も、むろんそういうぐあいに成長してゆく自分にすこしも気づいていない。

「いかがでござろう」

呂公は劉邦をかえりみて、笑《え》みかけた。

「この娘に、箕《ちりとり》と箒《ほうき》を持たせてやってくださらんか」

箕箒《きそう》の妾《しょう》ということばが、当時あった。女房にしてやってくれ、ということを、婉曲《えんきょく》に言うばあいにつかう。呂公は、すでに劉邦の手の甲に、自分の汗ばんだ掌をかさねて、媚《こ》びるようであった。

悲鳴のような声をあげたのは、呂媼のほうであった。

「あなたは、何という……。常日頃、娘の相《そう》をごらんになって、これほどの佳《よ》い人相はない、とおっしゃっていたじゃありませんか」

「いかにも、そのとおりだ、わが娘ながらよい人相をしている」

呂公は、おだやかな視線を妻にむけた。

が、呂媼は鳴りやめない。

「あなたはこの娘をよほどの貴人でなければ嫁にやらない、とおっしゃっていたではありませんか。何をうろたえておいでなのです」

「うろたえてはいない。その貴人が眼前におわすのだ」

この話は、出来すぎている。

しかし、観相が信じられていたこの時代では、むしろごく自然な話ともいえる。呂公は沛へ来るにあたって、沛の人物について十分調べていた。劉邦についても十分の調査をし、

(この秦のような不安定な時代は、やがて去る。乱世が来れば、沛ではやはりあの男が立てられるのにちがいない)

と見ていたはずだし、その期待があった上に、劉邦の人相を見ておどろいてしまった。

劉邦は、呂公の娘を妻とした。

べつに生計の道を持たない劉邦は、沛の町では女房を養ってゆけぬために、中陽里《ちゅうようり》の実家に彼女をあずけた。彼女は、劉家の農業を手伝い、よく働いた。その後も劉邦のほうは、べつに変わり映えがない。沛の町へ出て行っては、以前同様、町をごろついていた。

挙兵

「人間の鑑《かがみ》とは、ひょっとすると蕭何《しょうか》のような男のことをいうのかもしれない」

沛《はい》県の者ならたれでもいう。

沛県のなかの豊《ほう》の農民の子としてうまれたこの小柄な男は、文字や算用にあかるかったために、県の現地採用の小役人になった。たちまち吏務に練達し、沛県ではなくてならぬ役人になった。

沛のひとびとが、県の役人時代の蕭何については、二通りの印象しかない。

「何《か》は、あごの下にかびでも生えているのではないか」

と、ひとがいうほどに、毎日、薄暗い役所の片すみで背をまるめながら、小刀で木や竹の簡《ふだ》を削っては文字を書きこんでいる。

いまひとつの印象は、住民がなにかを訴えにきたとき、小さな目をいっぱいに見ひらいて訴えに聴き入っている姿だった。

「そういうときの何の目は、こどものようにきれいだ」

と、ひとびとがいった。無口だが、ひとの話はよく聴いた。

蕭何は、天性、ひとびとの世話をし、かれらを保護することがすきなたちであったのかもしれない。べつに栄達欲もなさそうで、自分の生れ故郷の小さな地域に住む同郷人たちの利益を守るためにうまれてきたと思いこんでいるようなふしがあった。沛のひとびとは蕭何を敬愛し、ごく自然な人望があったといっていい。

ただ蕭何は人望を売りこむようなところがまったくなく、その上、性格が誠実すぎた。あまりに誠実すぎるために、かえってかれの印象を小さくし、影を薄くしているようなところもないではなかった。とはいえ、

「沛の役所に何がいるかぎり、わしらは安心だ」

とたれもがおもい、そういう意味では蕭何ほど沛県の上下から信頼される男はいない。

それほどの蕭何が、ろくでなしといわれた劉邦《りゅうほう》をかばい、かばいすぎてときに劉邦に兄事しているかのようにもみえる。あるいは齢《とし》の変わらぬ劉邦に対して本家の伯父

を見るようにうやうやしい態度をとることもあり、このことが劉邦の価値を大いに上げていたといってもいい。

なぜ蕭何が、そういう具合だったのか。

「劉季《りゅうき》（劉邦）ハ固《もと》ヨリ大言多ク、事ヲ成スコトスクナシ」

とさきにのべた蕭何の劉邦評は、呂公《りょこう》に洩《も》らした言葉である。蕭何の正直な劉邦観だったであろう。この言葉は、蕭何が漢帝国の宰相になってからも、ながく沛の町で語りつたえられていた。よほど後代になってから、当時刑余者だった司馬遷《しばせん》が沛の町にきて俚人《りじん》のあいだを取材してまわったとき、この言葉をきいた。司馬遷はほとんど口語のままでその言葉を文章の中に挿入《そうにゅう》した。

大ぼらふき
何をやったという事もないろくでなし
と、蕭何は劉邦をおもってはいるものの、ただ、

（憎めない男だ）

とも思っていた。そういうこともあって劉邦が小さな犯罪をたえずくりかえしても

かばってきたのだが、この蕭何の劉邦に対する淡い好意が、一転して積極的なものになるのはいつごろからであろう。

(劉邦には徳というほどのものはないが、ちょっと類のない可愛気《かわいげ》がある。このことは、稀有《けう》なものとして重視していいのではないか)

と、思いはじめた。可愛気が、劉邦の中で光っている。それが大きな光体になって劉邦の不徳も無能も、すべておおい晦《くら》ますほどの力をもっている、と蕭何はおもった。この大陸の社会では、徳が重視される。徳ある者が人を魅《ひ》きつけ、ひとびとに推しあげられ、ときに神の代用物のように信仰されて、結局は勢力をなす。この時期の劉邦は徳者とも言いにくいのではないか。徳者といえば蕭何自身のほうがそうであろう。が、劉邦にあって蕭何にないものは、可愛気だった。

夏侯嬰《かこうえい》という者がいる。夏侯が姓で、嬰が名である。やはり沛のうまれで、はじめ県の厩《うまや》の雑役夫だったが、蕭何が目にかけてやって、下級の県吏にひきあげてやった。のちに漢の汝陰《じょいん》侯になる男である。

この男などは、早くから劉邦の可愛気のとりこになっていて、

「兄哥《あにい》々々」

と、劉邦のあとを家鴨《あひる》の子のようについて歩き、葬式の簫《しょう》吹きの周勃《しゅうぼつ》などと一緒にいつも群れて取り巻いていた。あるとき蕭何が、なぜお前は劉邦についているのか、ときくと、嬰はしばらく考えて、

「あっしが居なければ、劉あにいはただの木偶《でく》の坊ですよ」

といった。このとき蕭何は劉邦の可愛気ということに気付いた。

(劉邦というのは、なるほどそのようなところがあるのか)

蕭何はその面で劉邦を見ようとした。

閑人《ひまじん》の劉邦は、たえず県の役所に遊びにくる。嬰などは仕事をほったらかしにして、劉邦とじゃれまわって遊んだりした。そういう子供っぽさをみると、双方とも、とても利口者とはおもえず、

(嬰がいう劉邦の可愛気とはこういうことなのか)

と、なかばそう思い、うんざりした。

あるとき、劉邦は、県庁で剣を抜いた。むろん冗談である。夏侯嬰を追っかけてみせた。嬰は戯《たわむ》れに逃げ、さらには戯れに剣を奪おうとし、奪われまいとした劉邦が、無器用にも子分の嬰を斬《き》ってしまった。

——役人を斬った。

となれば、土民の劉邦は死罪である。

劉邦は不徳にも飛んで逃げ、あとに血だらけの嬰がのこった。それを、県令がみつけ、このため騒ぎが公《おおやけ》のものになった。

「たれが、県吏たるお前の体を害《そこな》ったのか」

と、県令がじきじき咎《とが》めた。県令は他の者から事情をきいて、この傷が劉邦のしわざらしいということを知っていた。県吏が傷害に遭《あ》うなどは、いかに下っぱ役人といえども秦《しん》帝国の威信にかかわることであり、かつ劉邦の日頃の行状についても、県令はうすうす気づいている。町のごろつきの身で県庁に出入りし、県吏をおのれの手下同然にあつかっているらしいことをにがにがしく思っていたために、県令は嬰の口から証言させ、それをたねに劉邦を逮捕し、処刑してしまおうと思った。

が、夏侯嬰は「犯人」の名を吐かなかった。

「吐かせろ」

県令は、中国史上、最初の法家《ほうか》主義の帝国の地方役人だけに、容赦《ようしゃ》はなかった。こまったのは県の司法の責任者である蕭何だったが、そこは県令への操縦は馴《な》れていて、うまく時間をかせいだ。さらには嬰に対してもやさしくなだめてやった。

「吐いてしまえ。劉邦のことは、わしがなんとかする」

吐かなければ、嬰が黙秘の罪に問われる。この罪は重く、「笞《むち》を加え、牢《ろう》にも入れられる。とても体が保《も》つまい。嬰、死ぬぞ」と蕭何はいったが、嬰はかぶりをふり、劉邦をかばえるなら、自分などの一命はどうなってもいい、と言いきった。

嬰は、黙秘の罪でもって市中にひき出され、衣服を剝《は》がれて数回の笞をくらったが、蕭何と気脈を通じている牢屋役人の曹参《そうしん》が、執行役人に手心を加えさせたために痛みはすくなかった。しかし牢にはたっぷり入れられた。一年も入っていたが、ついに嬰は劉邦の名を口にしなかった。

(なるほど、嬰の態度でわかった。劉邦とはこういう男か)

蕭何は、嬰のみごとさよりも、むしろ嬰によって劉邦の真価を見たような感じがした。

劉邦の人間は、ひとに慕われやすくできている。そのくせ有徳人《うとくじん》でもなく、またこの時期、長者の風があるわけでもない。ただ人間の風韻《ふういん》が大きい上に、弟分の者が劉邦を仰ぐとき、居たたまれぬほどに何かしてやりたくなる可愛気というものが劉邦にそなわっているのであろう。

(ああ、劉邦という人間を、おれは知ったな。以後、珍重すべきだ)

とおもった。蕭何のような男が、自分の保身のためにそうおもったはずがない。沛地方の住民に対するかれの独特の愛情がこういう智恵《ちえ》と詠歎《えいたん》を生みだしたというべきであった。蕭何の見るところ、秦はやがてくずれる。その制度は卓抜したものが多かったが、あまりに新奇なために人々はなじまず、さらには労役が過重すぎて怨嗟《えんさ》の声が地に満ちている。秦という大鍋《おおなべ》の底が破裂すれば天下は収拾のつかない大乱となるに相違なく、その場合、沛の住民は盗匪《とうひ》や私軍、官軍の掠奪《りゃくだつ》にくるしむにちがいない。何人《なんぴと》を立てて沛を守るかという場合、

(劉邦しか居ないのではないか)

と、蕭何はおもうようになった。

おもっただけでなく、蕭何は、劉邦を売り出そうとした。そのためには県の役人にするのがいいのだが、劉邦はろくに文字を知らないために、その職にはつけない。蕭何は考え、亭長《ていちょう》の職が劉邦に舞いこんでくるようにひそかに工作した。やがてそのことが実現したが、蕭何は恩きせがましいことを言わなかったために劉邦自身、なぜこういう幸運がやってきたかは知らない。

ともかくも劉邦が沛県の管轄《かんかつ》下の泗上《しじょう》という在所の亭長になったということは、そ

の当座、沛の町でもちきりの話題だった。

「たいしたものだ」

というのは、劉邦に好意をもたない連中の皮肉まじりの感想であった。豊《ほう》の邑《むら》の父や兄の田畑を耕すべき男が、農業をきらって町をほっつき歩いたり、けちな盗人《ぬすびと》になって野《の》稼《かせ》ぎをしたりしていたのに、最下級とはいえ、ともかくも吏《り》になったのである。一方、劉邦に好意をもつ者は、年中懐《ふとこ》ろの寒かったかれが、わずかながら収入を得る身になったのをともによろこんでやった。劉邦も大いによろこんだ。このあたり、劉邦は大言癖のわりには、望みが存外小さいといわねばならない。

ここで、亭と亭長について、すこし触れておく。

秦以前から、この大陸の郷村の単位として、五戸をもって隣《りん》と言い、五隣をもって里《り》ということがあり、秦帝国もほぼこの制度を継いでいる。この計算でいくと、社会の最小単位である里はじつに小さく、その戸数は二十五戸にすぎない。

里の風景というのは、大きな杜《もり》が中心になっている。杜のなかに社《しゃ》という地主神を祀《まつ》った祠《ほこら》があり、里人にとっての祭祀《さいし》と団結の中心であると同時に、里に住むひとびとの名前を記載した簿《ぼ》がおさめられている。里ぜんたいが、土の廓《とりで》でかこまれている場合が多く、その場合は門があって、日没後は閉ざされる。

亭というのは、「十里一亭」といわれ、十個の里に一つの亭がおかれている。亭は古代にもその名称はあったが、これを地方制度の一つの結び目としたのは、秦の始皇《しこう》帝《てい》であった。

「亭」

というのは、宿屋でもある。

官設宿屋である。公用旅行をする官吏の宿舎として使われたが、その意味においては亭は日本の江戸期の宿場の本陣に相当するともいえるし、さらに亭長というのは江戸期日本の制度でいえば本陣の主人にして宿場役人を兼ねている者と考えればいい。ただ秦帝国は、封建制の江戸日本とはちがい、純然たる中央集権制の官僚国家であるために、亭長は、本陣の主人のような委託されたあいまいな役職でなく、小なりといえども純乎《じゅんこ》たる吏員で、田舎の警察吏員と理解するほうが早いかもしれない。

亭の建物は、小さいながらも役所風といっていい。

遠い周の時代には、一般の建物の屋根というものには瓦《かわら》がなかった。戦国になって土を焼いて瓦をつくることが普及しはじめ、秦になると、亭のような最末端の役所でも、瓦でもって屋根が葺《ふ》かれていた。もっとも庶人の家はたいてい茅《かや》ぶきで、茅ぶきのことをわざわざ「白屋《はくおく》」とよんだから、里という集落の中にある亭の建物は、白屋のむれの中で巍然《ぎぜん》として瓦屋根を誇っているという印象がある。それだけでも遠目には堂々として見えたし、建物のまわりは牆《ついじ》がめぐらされて、威厳もある。また内部の壁には、蜃《おおはまぐり》の貝殻を焼いて粉にした白い塗料がぬられ、民家よりは快適な感じがした。

建物の中には、椅子《いす》や卓子《テーブル》はない。この大陸の人々が、土間をつくり、そこに椅子を置いて腰をかけることをはじめたのは、一般にははるかに後代の宋《そう》初になってからで、この時代には存在せず、劉邦とその同時代人は、のちの日本建築と同様、床《ゆか》を張ってその上にじかにすわるという生活様式を共有していた。じかといっても、席の上にすわるのである。席は、植物の茎《くき》などで編まれた後代のアンペラ風のもので、亭のように大小の官吏が泊る場所なら、席のまわりは、きれいな地文《じもん》を織りこんだ織物で縁《ふち》どりされている。

以上が、亭の外容と内景である。

亭長のしごとは、こまごまとしていそがしい。

亭に官吏がとまる場合、予告があれば亭長は建物の中を清掃しておき、付近の橋などがこわれていれば修復しておかねばならない。

旅の官吏が亭にやってくる場合、亭長は出迎えねばならない。いんぎんに亭内に案内し、席へあげ、亭長自身は席よりずっと離れた下座《しもざ》にさがってあいさつをする。亭長より以下の役人などいないために、たれに対しても頭をさげねばならなかった。劉邦は、粗野で知られた男だったから、こういうあいさつはにが手であったが、しかし後世の平坐《ピンツオ》といわれる行儀のわるいあぐらなど掻《か》いたりはしない。もっともこの劉邦の時代、そういうすわり方は存在しなかった。客人や目上の者の前ですわる格好というのは、後代の日本の正座に似て、二つの膝《ひざ》を折りまげ、尻《しり》を両足の上にのせるというものであった。この時代、ひとつには日常の衣服にズボンがなく、また下帯を着けなかったために、両脚を投げ出してあぐら風にすわれば陰所が露顕するおそれがあったのである。

亭長のしごとは、官設旅館の管理人というだけではなかった。

さきにのべたように十個の里《り》の警察吏員をも兼ねていた。

このことは、劉邦《りゆうほう》に適《む》いていた。江戸期日本も、目明《めあか》しのたぐいはかつて犯罪を犯したことのある者を使い、その道の経験をお上《かみ》に役立たせたりしたが、劉邦の場合、かつて自分も盗賊を働き、またその道の玄人《くろうと》も子分として多く持っていたから、他郷から流れてきた盗賊をつかまえるのに、すじやつぼをよく心得ていた。たいていの場合、子分をつかって仕事をさせたが、かれ自身が捕物《とりもの》に出かけてゆくことも多かった。

(よほど、好きなのだ)

蕭何《しょうか》は、劉邦が張りきっているという噂《うわさ》をきいて、内心おかしかった。劉邦が、亭長になったのをよほどよろこんだということは、わざわざ新工夫の冠《かんむり》を作らせてかぶった一事でも察せられる。

亭長は、卑職とはいえ、士である。士ならば、冠をかぶる。

「士」

であるということは、多少、時代への理解が要《い》る。

古くへさかのぼりたい。

孔子《こうし》を教祖とする儒家は古《いにしえ》を尚《とうと》ぶ。とくに周の礼制をたたえ、孔子自身、「周ハ二代ニ監《かんが》ミ、郁郁乎《いくいくこ》トシテ文ナルカナ」と賛美している。儒教はこの時代、法家主義の秦によって圧迫されて力はなかったが、要するに長いその後の儒教の歴史からみればまだ初期の時代だったといっていい。儒教といえば多分に礼の教団であった。その内容をごく単純にいえば貴族や紳士としてのお行儀作法を教える教団で、もっと端的にいえば古代の服制の精神や作法こそ「郁郁乎たる」文明であるとする。よりいっそう簡単にいえば士たる者は冠を正しくかぶらねばならないという運動をする教団であった。

孔子のいう古代は、貴族の時代である。逆には、貴族に私有された農耕奴隷《どれい》の時代といっていい。このため、士は素姓《すじょう》であった。素姓以外にも、高い学問技芸の持主は士とよばれた。冠は士たる者の身分と自覚をあらわすためのものであったために、単に服制的なもの以上に思想的なものとして扱われたとさえいえる。

が、その後、戦国をへて社会の基盤が変化した。旺盛《おうせい》な自作農社会がひろがってゆき、門閥貴族の力は弱くなり、戦国の国々をささえたのは、むしろ自作農とその階層出身の有能の士たちで、素姓は一般に問われなくなった。士が消滅したというよりも万民が士になったというべき社会が戦国末期で、とくに秦《しん》のように辺疆《へんきょう》で成立した国家はこの点が極端であった。秦帝国が成立すると、かつては一地域だけのものだった秦の法が全国に及んだために、素姓による士は無くなり、たれもが士になれた。極端にいえば、

——自分は士である。

とおもえば、すでに士である。

秦への最初の反乱者である陳勝《ちんしょう》の、「王侯将相、寧《いずく》ンゾ種《しゅ》アランヤ」という言葉は、封建制をほろぼした秦帝国の社会原理そのものに根ざしているといってもいい。かといってたれもが冠をかぶるという酔狂なまねをしたわけではなかった。制度上、すくなくとも官吏が士で、士たる冠をかぶった。

庶民はかぶらない。かれらは労働着にふさわしく頭に巾《きん》という小さな布ぎれをつけているだけであった。

たとえば、亭長の劉邦には、数人の平民の部下がいる。亭父《ていふ》とか求盗《きゅうとう》などとよばれる番卒であったが、かれらは後頭部に白い巾をつけているだけで、冠はつけない。ともかくも、泗上《しじょう》のかいわいでは、劉邦ひとりが冠をかぶっていた。

その冠も、どこにでもあるというものではなく、かれ自身が苦心して考案したもので、材料は竹の皮であった。竹の皮にはてらてらとつやがある。劉邦はこれを好んだ。さらには地《じ》に濃淡の微妙な紋様が浮き出ているのもおもしろく、容貌《ようぼう》、体軀《たいく》とも堂々としているかれがこれをかぶると、たれもが目をみはってしまう。

「劉さんの冠は、南方の聖獣の皮だ」

という者さえあった。

その竹の皮もこのあたりの細竹のそれではなく、薛《せつ》（山東省の滕《とう》県の東南）の竹から剝《は》いだもので、劉邦はその竹の皮を入手するためにわざわざ番卒を薛まで使いにやったほどのものである。劉邦は才能に乏しいとはいえ、自分の押し出しや容儀を工夫するという点では、凡庸ではなかった。ついでながらこの竹の皮の冠はよほどかれが気に入っていたものらしく、漢を興《おこ》して皇帝になってからでも日常はこれを用いた。世間ではこれをとくに、

「劉氏冠《りゅうしかん》」

とよんだ。どこか滑稽《こっけい》で、どこか大きく、ひとのめだたぬところに取り柄がありそうなこの男の感じが、劉氏冠ひとつに象徴されるようでもある。

さて、一方、蕭何である。

県よりも郡のほうがはるかに広域であったことは、いうまでもない。沛《はい》県の郡は、泗水《しすい》郡である。

郡の監督官を御史《ぎょし》という。蕭何の吏才は御史の知るところとなって、抜擢《ばってき》されて郡吏になり、卒史《そつし》（警察部次長）をつとめた。郡衙《ぐんが》の所在地から劉邦のいる泗上は遠くなかったから、蕭何は後《うし》ろ楯《だて》となって劉邦のしごとのしやすいようにしてやった。

ところが御史は蕭何の才をつぶさに見ていよいよ驚き、

「いっそ、中央の役人にならないか。任命されるよう、はからってやってもいい」

と、いった。中央任命ともなれば、堂々たる官で、現地採用のへんぺんたる吏ではなかったが、蕭何は固くことわった。沛県を出てきたことさえ、蕭何は心愉《こころたの》しくは思っていなかった。

「私は、この土地で世を終りとうございます。泗水郡ならば沛県の面倒を見るわけでございますから今の職を大変よろこんでいるのでございますが、中央の官に栄達しますと、どこへ赴任させられるかわかりませぬ」

といって、鄭重《ていちょう》にことわった。

ひとつにはこのころには秦帝国の行く末が蕭何には見えていて、中央の官途につけばどうなるかわからない、とおもっている。それよりも泗水郡にとどまり、地縁と人縁のある沛との連絡を緊密にし、万が一のときには劉邦をかついで沛を守りたい、という構想が、ひそかに蕭何の腹中には育っていた。

劉邦は、機嫌よく泗上の亭長をつとめている。

この時代、官吏には、

「五日ごとの洗沐《せんもく》」

というものがあって、髪を洗うという名目による休暇が五日に一日あった。亭長は泊まりこみの職で、五日目ごとに、かれは外泊した。たまに、沛県豊邑中陽里《ほうゆうちゆうようり》の家に帰った。

家では長兄の劉伯《りゆうはく》が農耕し、劉邦ぎらいの嫂《あによめ》が家政を見ており、そのなかにまじって劉邦の妻の呂《りよ》氏が二人のこどもを育てつつ、畑仕事や台所などを手伝っていた。嫂が意地悪で気のつよい女だったから、呂氏の苦労が多く、彼女はのちのちまでこの時代の怨《うら》みごとを言った。

劉邦も、嫂を好かなかった。かれが天下をとったとき、兄弟の子をみな侯に任じたが、長兄の伯の子だけは黙殺した。老父の太公《たいこう》が「伯の子も何とかしてやってくれ」とかれにたのむと、かれはにがい顔をして「あの嫂の子だけはいやです」といったほどだから、よほどかれも恨みを持っていたのであろう。かれはまだこの近在でうろついていたころ、家に友達をおおぜい連れて帰ってきては嫂に飯を食わせてやってくれ、とたのんだ。嫂は毎度のことでもあり、あるとき、「もうご飯はないよ」といわんばかりにして、シャモジで鍋《なべ》の底をからからと音をたててこそぐまねをした。客はおどろいて帰ってしまったが、劉邦があとで鍋を検分してみると十分飯が残っていた。

(なんという女だ)

とおもい、かれは皇帝になってもこのたぐいの恨みは忘れなかった。同時にこの挿話はかれが生い立った境涯《きょうがい》がどんなものであるかをよくあらわしてもいる。

休暇で帰宅するたびに、呂氏は劉邦に嫂のことをこぼした。

「まあ、いいじゃないか」

と、そのつどいった。かれは好色であったが、女と面倒なやりとりをするのがにが手だった。

劉邦は休暇で帰っても、日が暮れるまで近所をほっつき歩いた。ある休みの日に、劉邦が豊《ほう》の家に帰ってくると、呂氏が二人のこどもをつれて畑に出ていて、そのあたりに居なかった。劉邦は、やむなく他家へあそびに行った。

呂氏は、畑で草刈りをしていた。そこへ旅の老人が通りかかって、路上から声をかけた。

「なにか飲むものを与えてくださらんか」

呂氏は田舎俠客《いなかきょうかく》の娘だけに、こういうあたりの心くばりも機転も利《き》いた。家にもどり、一椀《わん》の湯《タン》を老人にあたえ、さらに「お腹《なか》は、空《す》いていらっしゃらないんですか」ときくと、老人は、おおせの通りだ、といった。呂氏が飯をもってきてやると、老人

はあぜにすわってそれを食った。食べ終えてからまじまじと呂氏の顔を見、やがて、

——夫人ハ、天下ノ貴人ナリ。

あなたは大変な貴相だ、といった。この時代、観相が流行していたことはすでに触れた。呂氏は相手が観相家だと知ると、長男を老人のそばにゆかせ、

「この子も観《み》てください」

といった。

老人は長男の孝恵《こうけい》の顔を見るなり、

「わかった」

と、叫んだ。

「奥さん、あなたが将来貴人になられるというのは、この子によってです」

結果としては孝恵が二世皇帝になり、呂氏は皇太后になる。観相は当ったことになる。さらに老人は乳離れしてほどもない娘の魯元《ろげん》の顔をのぞきこんで、「亦《また》貴シ」と言って頭をなで、杖《つえ》をひろって立ち去った。

その直後、劉邦が近所からもどってきて、呂氏からこの話をきいた。

劉邦は、

「おれも観てもらう」

と、駈《か》けだした。柄《がら》が大きいために、馬が二本脚で走っているようなおかしさがあった。

劉邦は老人に追いつき、自分はさきの女の亭主であり、かつ子供たちの父親である、承《うけたまわ》れば、彼らが貴人になるという、とすればこのおれはどういうことになります、と言った。

老人は一時間ほども劉邦を熟視していた。やがて、

「ああ」

と、吐息をついた。

「さきのお三方《さんかた》は、みなあなたの相によって貴いということがわかった。あなたの相を観ずるに、その貴さは、ことばに言いあらわせない」

劉邦は、

「かたじけない」

と言い、厚く辞儀をして、もし将来、あなたのお言葉どおりになりましたら、御恩に報《むく》いましょう、といった。ただし、後日、劉邦が天下をとったあと、手をつくして老人を探してみたが、ついに行方が知れなかった。

右のようなことは、事実としては無かったかもしれない。ある日の中陽里の路上で似たような事実がおこったともおもえるが、たとえば旅の老人が、呂氏の親切に応《こた》えて、あなた、いいお顔をしていらっしゃる、お子達の相も、なかなかどうして――という程度のことはいったかもしれない。

しかし事実であるかどうかよりも、これが事実として噂《うわさ》がひろまったことのほうが重要であった。同時代にひろまっただけでなく、のち、これが沛のあたりの民間伝承としてながく息づいていたことを思うと、よほど、伝播《でんぱ》力と伝承力をもった伝説だったにちがいない。

おそらく、このはなしの潤色者は蕭何《しょうか》であったであろう。

噂は、それを語る人《にん》によって、ひとびとは信じるか信じないかを決める。この噂も、蕭何の人柄と人望を通してはじめて「事実」として成立したにちがいなく、他の者がこれを語れば、ただの笑い話として忘れ去られたにちがいない。

といって、蕭何は奇を好む男でもなく、乱を望む男でもなかった。

（もし天下が大乱になれば、どうしよう）

という思案が、常住、蕭何の頭にあり、その場合、沛地方を守るための中心的な人物を想定しておかねばならなかった。蕭何は、劉邦がいいと思っている。

しかしなまの劉邦ではどうにもならず、すこしは潤色する必要があった。

——あのろくでなしか。

と、沛地方のたれもが思っている。農夫たちは、百姓仕事をきらってほっつき歩いている劉邦など、屁《へ》のような男だとおもっている。

沛の商人たちも劉邦など踏み倒しの常習者としか見ておらず、県の小役人たちは劉邦をこそどろ程度にしか見ていない。蕭何にすれば、堂々たる容姿と可愛気《かわいげ》だけが身《しん》上《じよう》の劉邦という存在に、神秘性を付加せざるをえなかった。

(沛に、人物をひとりつくっておくのだ)

蕭何はおもっていた。かれの思案は、いざというときに、その一個の人物が磁石《じしやく》になって、まわりに人間どもが鉄粉のように吸収されるようにしておかねばならない。

——劉邦というのは、一見ただの人間にみえる。しかし天意がこの男にあり、将来、皇帝になることが決められている。

という神秘性を劉邦に付加すれば、人々は劉邦のまわりにあつまり、たちまち大勢力をなすにちがいない。ともかくも万一の場合、沛に一つの勢力をつくることが必要であった。蕭何にすれば劉邦の無能など、意とするに足りない。その補助者に有能な者が多く居ればよく、かれらが懸命に劉邦を輔《たす》け、かれの空虚をおぎなってゆけばそれで済む。

（劉邦は、空虚だ）

だからいい、と蕭何は思うようになっていた。

理想をいえば、いっそ空虚という器《うつわ》が大がかりであればあるほどいい。有能者たちが多数それを充《み》たすことができるからである。蕭何のみるところ、劉邦の馬鹿《ばか》さかげんは、導きようによってはその大空虚たりうる。さらには蕭何が見るところ、劉邦は臆病《おくびよう》で、身があやういとなるとさっさと逃げてしまう。しかしその臆病も、陽気さというものが補ってあまりある。その陽気さはまわりの人間をも陽気にさせているようで、将来、困難に出くわしても劉邦とその仲間は大いに陽気に切りしのいでゆくだろう。陽気さは七難をかくすのではないか。そのうえ、子供っぽいほどにお調子者でもあった。もし劉邦の運に調子がつけば、かれ自身、それに乗り、竜の申し子といわれているとおりに天へ駈《か》け昇るということも可能かもしれない。

劉邦は、泗上《しじよう》にいる。

相変わらず捕方《とりかた》の親方のようなその仕事に熱中していて、蕭何が泗水の郡衙《ぐんが》からながめている印象では、大きな子供のようなものであった。劉邦にとって、仕事の性質が子供っぽければ子供っぽいほど熱中するようで、一面、公用の官吏が亭に泊まるときなどは、大人のまねをせねばならず、このため理由を設けて遠くへ出たり、ともかくも接待には熱心でない。蕭何は、郡衙に来る旅の役人から、ときどき苦情をきくことがある。

「泗上の竹の皮は、また不在だったよ」

そのつど、蕭何は、

「ちかごろ流賊が出没しますので、彼もいそがしいのでございましょう」

と、かばったりした。

事実、流賊が非常な勢いでふえていた。

この時期、かつての秦王政《せい》が、始皇帝《しこうてい》になってから十年になる。始皇帝のそのみじかい在位期間でいえば最末期に入っている。普天の下で耕す者といえば老人と子供しか居ないのではないかと思われるほどに人民を徴発し、辺疆《へんきょう》の軍役につかせたり、あちこちの土木事業に駆りたてたりしていた。

逃亡者が多く、かれらは郷村に帰れば逮捕されて殺されるために途中で流賊になり、食えないために他郷になだれこんでは糧食をうばい、官兵に追われては山中に逃げこんだりしていた。

――戦国のころのほうがよかった。

と、おもわぬ者はいない。

かつての戦国のころ、六国《りっこく》が割拠《かっきょ》していたときはかえってその国々の内側では治安がよく、このような労役もなく、乱れもなかった。法治主義と官僚機構の整備という点で世界史上もっとも先進的な国家をつくった秦は、その点で先進的でありすぎたのか、人民が国家や法の組織から肉離れしてしまい、厳格な法のもとでかえって治安が悪くなったという皮肉な状態が、いよいよ進行している。

労役の命令は、ついに泗上の亭長のもとにもきた。

「ついにきたか」

と、劉邦は、うんざりした。任俠肌《にんきょうはだ》のかれがかねがね大言壮語しているのは、

――官《かん》に抗し民《みん》を守る。

というもので、官の命令に服して民を郷村からひっぺがして首都の土木現場にひきつれてゆくということではなかった。

しかし秦の制度は、この点ではぬけめがなかった。人民を法の網からのがさぬように、その名前を把握《はあく》していた。

さきに、里《り》の中心は、杜《もり》にかこまれた社《しゃ》(地主神の祠《ほこら》)であるということに触れた。

社は「書社」ともよばれる。里には、その二十五戸の住民の名がことごとく書き上げられた名簿があり、名簿は社におさめられているために、書社ともよぶ。役人が巡視してくれば、里の人数と年齢がひと目でわかるわけで、労役や兵役で人間を徴《ちょう》する場合、じつに便利であった。この書社の制はふるくからあったが、秦において戸籍保存所のような機能もあわせ持った。

沛県では、徴発する名簿をつくり、各亭長に命じ、名簿どおりの人数をそろえさせた。劉邦も加わった各亭の亭長たちがそれらをひきいて沛の町に集まったとき、談合のなりゆきで、劉邦自身がひきいてゆくことになった。

「おれが連れてゆくのか」

劉邦は、とっさに、いやだ、といった。

「こういうしごとにはむかん」

「なぜだ」

一座のたれかがきいた。

「劉邦だからだ」

それが、理由のすべてであった。詳しく理由を喋《しゃべ》ろうにも、劉邦は、弁が立たない。

「君は、亭長ではないか」

「劉邦であるほうがさきだ」

なるほどそうであろう。

しかし一座の亭長たちは、言葉をつくして劉邦に説き、おだてもした。おだてられると、結局、いい気分になってきて、ゆくことにした。つねにそういうところがあった。それにかれが人足になるわけでなく、人数を現場までつれてゆけば亭長であるかれだけは帰るということも、かれの気を軽くしていた。

ゆくさきは、驪《り》山《ざん》である。

「皇帝陛下の陵《みささぎ》の工事のためだ」

と、県の役人がくわしく指示していたから、仕事がどういうものであるかがわかる。

驪山というのは秦の首都の咸陽《かんよう》の東方にある。

始皇帝は六国《りっこく》を征服して統一帝国の皇帝になったと同時に、驪山に自分の陵墓をつくりはじめた。地上に、周囲二キロ、高さ百メートルという雄大な人工の山を現出させるのだが、この造山そのものはこの土木工事のほんの一部分にすぎない。

問題は、地下であった。始皇帝は、死後、その地下に住むために小宇宙をつくり、その宇宙のなかに大宮殿を収めこむというもので、小宇宙である墓室ぜんたいは分厚い銅板でもって囲い、床《ゆか》にあたる大きな平面には、黄河《こうが》も揚子江《ようすこう》その他の諸河川も流れている。諸河川の水は水銀で、機械《からくり》の仕掛けで絶えまなく循環《じゅんかん》して流れているというものであった。天には蒼穹《そうきゅう》がひろがり、玉《ぎょく》でもって造られた日月がかがやき、おびただしい星宿がきらめいている。皇帝は百官をひきいるものであるということで、宮殿には百官の席が設けられ、さらには皇帝は万乗の軍隊をひきいるものであるということで、等身大の将軍、士卒の人形がおびただしく造られた。

始皇帝は、この工事をはじめた早々に、人夫として七十余万人の犯罪者をあつめて労役させたが、このことは、かれがやった万里《ばんり》の長城や阿房宮《あぼうきゅう》、あるいは全土を結ぶ官用大道路（馳道《ちどう》）以上に技術と労働力を必要とするため、工事はなかなかはかどらなかった。

工事を総裁する長官にしてみれば、これを急ぐのも保身のよしあしということもあって、工事の日程上さほどの労働力を必要としないときは、他の土木現場に譲ったりしてきたために、進捗《しんちょく》が遅れていた。

工事は、すでに土をかぶせて山を造る段階に入っている。労働力がいくらあっても足りるということがなかったために、全土から百姓を徴発することになった。

秦の農民ほどつらい存在はなかった。租税は収穫の三分の二という重いもので、払いきれずに罰をうける者は犯罪者として土木現場に送られた。一家が餓えようとも身をしぼるようにして税だけは払っていた農民も、こんどの場合のように一片の官命によって労役にひきずり出され、田畑はこのため荒れるにまかせざるを得なかった。さらにはこのために翌年の税が払えなくなるのは自明であった。労役の翌年は受刑人になってしまうのである。

劉邦《りゅうほう》は、そういう連中を五百人ばかりひきいて沛《はい》の町を出発した。

西の方、雲煙万里ともいうべき咸陽をめざすのだが、途中、劉邦が交渉して村々に泊めてもらうことも、ありうる。しかし原則としては野宿であった。さらには、村に泊まるにせよ野宿にせよ、食糧はすべてこの一行が車に積み、あるいはその背にかついでゆかねばならない。また煮《に》焚《た》きの道具も、自前であった。どの男もぼろを着て浮浪人のようであったが、みな大きな鍋《なべ》や釜《かま》をかついで、自分が食うための糧《かて》や道具で圧《お》しつぶされそうになりながら歩いた。

(このあわれな連中を、咸陽・驪山まで連れてゆくのか)

この引率役ばかりは、血や涙を持った人間のつとまるものではなかった。劉邦はひとをあわれむ感情を多量に持った男ではなかったが、しかし人並みに持ち、持つだけでなくそれを露《あらわ》に言葉や態度に出す男でもあった。

「可哀《かわい》そうじゃ」

行軍中、言いつづけた。

「見ておられんわい」

大きな冠《かんむり》をかぶった大男の劉邦が全身でそういえば、たれの目にも、かれが仁慈の心を多量にもった男のようにみえた。むろん、劉邦は口だけでなく心底からそうおもってのことだったが、しかしこういう場合も、その大柄のからだと美髯《びぜん》とが格別な効果を発揮した。劉邦はどう見ても、徳者のように見えた。さらに、かれは、みちみち、

「こんなばかな世の中があってたまるか」

とも、大声で言った。やがて引率されているひとびとも、なんだか咸陽にむかって歩いていることがばかばかしくなった。

かといって、劉邦は乱をおこすつもりもなく、ましてそのためにひとびとを扇動しているつもりもなかった。かれらを咸陽・驪山に送りとどけることによって亭長としてのつとめを果たすという平凡な目的のほか、べつに強い思惑《おもわく》など持っていなかった。ただ、性格が引率という律義《りちぎ》さを必要とする仕事にむいておらず、そのため平素の不平がつい口を衝《つ》いて出てしまう。

劉邦にとっては唄《うた》のようなものであったが、ひとびとにすればこういう引率者を上に戴《いただ》いてまともに歩いていられるものではなかった。

（いっそ、逃げるか）

という気分が、最初からこの行列を覆《おお》った。

沛県の域内を歩いているぶんには、全員のうちのたれかの出身の里《り》があるために野宿の心配はなかった。

「ひとたび沛県を出ると、大変だぞ。豺《やまいぬ》が出るか、狼《おおかみ》が出るか」

などと引率者の劉邦は、大声でいうのである。

第一日目は、すでに連絡してあった里の幾つかに分宿してとまった。

翌朝、劉邦は自分の中陽里出身の親しい者にゆりおこされた。

どうも様子が変だという。みなを路上に集めてみると、半数ほど消えていた。劉邦がいかに甘い引率者であったかということが、この一事でもわかる。

「ほほう」

こういう場合の劉邦というのは、じつに景色がよかった。かれは窮地ということについての感覚が鈍感なのか、しおたれたり狼狽《ろうばい》したりはせず、かといって見えすいた空元気《からげんき》も出さず、春の日の湖のように泰然としていた。

「まあ、いい」

といって、第二日目の行軍をした。

第二日目は、劉邦の故郷の豊邑《ほうゆう》でとまった。いくつかの里に分宿したが、やはり翌朝、目が醒《さ》めてみると、様子がちがっていた。前日に逃げた連中で、逃げると郷村にも帰れず飢餓《きが》だけが待っていることに気づき、戻ってきている連中もいたし、あらたに消えた連中もあり、ともかくも人数は定員の半数前後であった。

劉邦のおもしろさは、何という里のたれが逃げたかということを一切詮索《せんさく》しないことであった。ただ、戻ってきた男たちには、

「やあ、おまえ、もどってきたか」

と声をかけてやった。

三日目に、この国家の奴隷《どれい》たちは沛県を離れた。わずかに沛県を西に去ったというだけで、

――もう沛県ではないのか。

ということが、農民たちをおびえさせた。故郷から動かないというのが農民の美徳とされており、かれらの多くは、隣県の土を踏んだだけで、山河の色まで別世界にみえるような心細さを覚えた。

三日目は野宿した。

翌朝、起きてみると、また減っていた。このぶんでゆけば、咸陽につくころには、劉邦ひとりになっているのではないか。

(これは、殺されるなあ)

劉邦は、四日目の行軍をしながら、おもった。たとえ一人欠けても引率者に対する追及が激しい。半数も逃げさせてしまったとなれば、劉邦は咸陽につくとともに間違いなく死刑になる。のちの陳勝・呉広《ごこう》も、兵役に服するための農民にまじって途中大雨と洪水に遭い、とても所定の期日に到着できる見こみがなくなったとき、窮して反乱に立ちあがったのだが、このとき、行くも死、逃げるも死であるということがかれらを反乱にふみきらせた。この場の劉邦もむろん変わらない。

劉邦は町を通過したとき、所持していた官給の路銀でもって酒を大甕《おおがめ》ごと買わせ、それを郊外まで運び、野原で簡素な酒宴をひらいた。

(自暴《やけ》酒を飲んでやれ)

劉邦は、その程度にのんきで、いわば懶《なま》けものでもあった。後日の陳勝・呉広は男どもを扇動して反乱に立ちあがったが、劉邦にくらべれば反乱に起《た》ちあがるだけ働き者であったといえるであろう。劉邦は、路銀を流用して酒でも飲み食らうしか思いつかなかった。もっとも劉邦という男は陳勝・呉広よりは臆病《おくびょう》でもあった。臆病という感覚があるだけに勢いの大小についてはよくわかっており、いま秦に対して反乱に起ちあがってもつぶされるだけだということはわかっていた。

このときも、

「歩きくたびれた」

というのが、野外の酒宴の理由であった。

「なんだ、おれを置き去りにしてさっさと逃げちまやがって」

劉邦は、酔うにつれて、愚痴が出た。

もっともかれは愚痴を言いつつも、逃げた連中の行く末をおもって、心を傷《いた》めてもいた。故郷に帰っても、司直の手が待っているのである。

「あいつらは、どうするのだ」

劉邦は、ふと涙ぐんだ。

「しかし、逃げずに咸陽《かんよう》や驪山《りざん》にたどりついたところで、みなの命がどうなるかわからない」

ともいった。引率者として言うべからざることであった。

「着けば、刑に遭う。そのことは、わしが八方弁じてやるから、まぬがれるとして」

劉邦は、酔っていた。

「あとのことは、わからない」

つまりは、驪山の地下宮殿には、財宝がずっしり蔵《おさ》められている。うわさでは、盗掘防止のための石火矢の仕掛けさえ施されているという。盗掘人が入れば自動的に機《から》械《くり》が動き、矢が飛んで射殺してしまうというものであった。さらに始皇帝のあの生前墓の地上部分があれほど巨大な堆丘《たいきゅう》として盛りあげられるのは、堆丘のどの一点を垂直に掘れば地下宮殿に至るかということをわかりにくくするためだとも言われていた。しかし工事の人夫に駆り出された者は、地下の地理はほぼわかっており、このために工事が終れば鏖《おう》（みなごろし）にされるというらわさも流れていた。

劉邦は、ついそのことを言った。

百姓たちは、元来、口が重い。ごく農民くさい劉邦程度の男でも、百姓たちからみれば都会的な饒舌《じょうぜつ》家であり、言葉の回転の早さにかれらの理解力が容易についてゆけないのだが、「鏖」という音《おん》をきいたときに、一様に顔色が変わった。

「みなごろしでございますか」

口々に、いった。

「工事がおわるまで生かされる」

劉邦は、酔った舌で答えた。

「すぐ殺されるわけではないのでございますな」

「すぐ殺されるのは、このおれだ」

劉邦はそういう言葉を口から出したあと、言葉にそそのかされたようにして身のうちが慄《ふる》えてきた。

こういう場合、この男は虚勢を張ることがない。しばらく目をつぶってわが身の慄えるがままにまかせている。

ひとびとは息を殺してそういう劉邦を見つめていた。やがて劉邦は横の男から杯《さかずき》を奪い、口にふくみ、体の中で煮こごりのように慄えている何物かに静かに酒を注ぐようにして飲んだ。

酒が、その煮こごりのようなものをすこしずつ融《と》かした。やがて、

「おれは、この場から逃げるよ」

と、いった。静かな表情でいる。

こういう場合、陳勝・呉広にせよ、他の者にせよ、この大陸に住む人間はたいていは他人の脳裏に刻みこむような名文句を吐くのだが、劉邦にはそういう芸がなく、ただ

それだけを言った。

一同、驚いた。

「亭長様みずからがお逃げになるとすると、私どもはどうなるのでございます」

「どこへでも行け。わしについてきたいと言う者があれば、ついてきてもいい」

亭長は流賊になる気だ、と一同はおもった。この時代、逃げれば自動的に流賊にならざるをえず、それ以外に生き方がなかった。

(何人がついてくるか)

劉邦は思ったが、名乗り出たのはわずか十余人でしかなかった。ともかくこの瞬間から、劉邦は秦帝国の抗民とまでいえなかったが、逃亡者になった。革命がおこってあらたな国家が興《おこ》らないかぎり、永久に逃亡をつづけざるをえない運命をえらんだ。

劉邦は、立ちあがってこの場を離れ、野を歩きだした。

ゆらゆらと歩いてゆく。酔いが、激しくまわりはじめていた。あらたにかれの子分になった十余人の者は、持てるだけの食糧をかつぎ、鍋釜を背負い、劉邦のあとを追った。

「どこへ行くのでございます」

と、たれかが追いすがって尋ねたが、劉邦にもわからない。

「あっちだ」

とのみ、指さし、自分の指の方向へかれ自身もひきずられるようにして歩きだした。その方向さえとれば、官道から遠ざかる。官道から遠ざかれば遠ざかるほど、追捕《ついぶ》をうける危険はすくなくなる。

(なんでもいい。ともかく、めあてがあるような顔をして歩くのだ)

劉邦は、酔いながらもこの一事だけは自分に言いきかせつづけた。もし途方に暮れた様子をすれば、子分たちは心細がって散ってしまう。

(おれには、子分が必要なのだ)

子分が散ってしまっては、自分のような男は生きてゆけないということを劉邦は知っていた。

一昼夜歩き、翌日は昼は寝て、夜、歩いた。

ゆくにつれて地は低くなり、沼沢《しょうたく》が多くなった。水捌《みずは》けがわるいために耕地がなく、従って人家もない。沼と沼のあいだの道は、沓《くつ》がめりこむほどに湿っている。夜になったが、月光のために足もとは明るい。劉邦はひたすらに歩いた。歩きながら、瓢《ひさご》をとりだして飲んだ。飲まずにこのあてどもない時間の中を漂ってゆく神経は、さすがの劉邦にもなかった。

冠をつけた士の分際の者は、労働をしないことが古来の原則である。このため、劉邦は、先登《せんとう》に立って道の様子をさぐるということはせず、夜目の利《き》く者をえらび、先行させた。劉邦は、数人でそのあとを進む。ともすれば左右の沼に足をすべらせそうになるほど、道は細く、あやうかった。

やがて先行の者があわただしく駈《か》けもどってきて、このさきは通れません、と報告した。きくと、沼から這《は》いあがった大蛇が小径《こみち》に胴を横たえて動かないでいるという。きいたとたん、劉邦の壮気が酔いに乗って全身をかけめぐった。わしは壮士である、壮士とは勇往して畏《おそ》れざる者をいうのだ、と叫びつつ前進した。

なるほど、径《こみち》に丸太をたおしたようにして灰白色の大蛇が横たわっていた。

「こいつか」

劉邦は剣をふりあげ、力まかせに大蛇の胴を撃ち、狂ったような勢いで撃ちに撃って胴を両断してしまった。劉邦は酔っている。あとは忘れたように道をすすみ、行くこと数里、ついに大酔を発して、路傍にねむりこんでしまった。

このため、あとのことは劉邦は知らない。

最後尾を歩いていた者が、寸断された蛇のところまできたとき、老婆《ろうば》がひとりうずくまって哭《な》いていたというのである。

以下は、のちに蕭何《しょうか》か、蕭何に近い者が創《つく》った流布《るふ》用のはなしではないかと思われるが、内容はまことにすさまじい。

なぜあなたは哭いているのです、ときくと、わが子が殺された、と老婆がいう。なぜあなたの子が殺されたのか、と最後尾の者がたずねると、自分の子は白帝《はくてい》の子である、姿を変えて蛇に化《な》り、この小径に横たわっていたのだが、そこへ赤帝《せきてい》の子が通りかかり、斬《き》ってしまった、というのである。となれば、劉邦は赤帝の子であるということになる。

この話は、もし創作されたものであるとすれば、創作者はよほど物識《ものし》りであるに相違ない。秦《しん》の帝室が王国のころから白帝を祀《まつ》っていたという事実を踏まえているのである。白帝の子を斬ったということは秦を倒す者が劉邦であるということになる。

劉邦はその配下とともに沛《はい》地方の中の沼沢に隠れたが、このたびは盗賊働きはしなかった。盗めば住民たちが離反する。盗まねば、ふつう、食えない。その食えないという事情をかれは克服した。蕭何の智恵《ちえ》であった。

蕭何は、劉邦が逃げもどって沼沢にかくれたということを知ると、沛地方において、劉邦に同情的な里《り》や戸を、秘密裏にすこしずつ組織して行ったのである。

秘密の劉邦党ともいうべきものが組織され、それに加盟する農家から、後年の私軍がみなそれをやったように、内々の租税を出させた。農家としては二重に租税をとられることは辛《つら》いことであったが、しかし、秘密の工作にやってくる説得者たちから、

——秦の世を終らせたくはないのか。できるだけ早く終らせねばならない。いまお前たちが別途に穀物を供出せねばならぬのは辛かろうが、それによって将来のしあわせな世が保証されるのだ。

と説かれると、その気になる者が多かった。以後、ながい中国の歴史のなかで、革命をおこす者の伝統的な型を、劉邦は創《つく》ったことになる。

むろん、蕭何がつくった、というほうが正確である。

もし蕭何がいなければ、劉邦などは、沛の沼沢地に出没する無名の草賊として、最後には野たれ死にしていたろうことは、ほぼまちがいない。

それにしても、蕭何は、表むきは泗水《しすい》郡の純良な能吏である。劉邦が沼沢に逃げこんだということを知ったときばかりは、

(こまったことになった)

と、頭をかかえこんだ。秦の始皇帝がほどなく死ぬということは、この時期、蕭何といえども、予知していない。秦の世はまだ堅牢《けんろう》と見ざるをえず、このため、早まって草賊になってしまった劉邦とその仲間を、蕭何は公然と私軍として育てることはできなかった。蕭何はいうまでもなく郡の警察責任者であった。かれらを逃亡者および草賊として対処してゆかざるをえなかったが、幸い、劉邦逃亡の件は、劉邦が報《し》らせてきたほか、公式の報告は入っていないために、郡の御史《ぎょし》も役人たちも知ってはいなかった。

かれはこの一件を秘密にすることにした。

とりあえず、

「洗沐《せんもく》のための休暇を賜《たま》わりとうございます」

と、郡の上司に届け出、すぐさま沛の町に帰った。

沛の町では、蕭何の顔を知らぬ者はない。

このため、夜、町に入り、自宅の奥にひきこもると、ひそかに県庁から曹参《そうしん》と夏侯《かこう》嬰《えい》をよんだ。蕭何の沛時代の腹心の部下であった曹参は、その後も、沛の牢屋役人をしている。夏侯嬰はすこし職務が更《かわ》って、県令の馭者《ぎょしゃ》をつとめていた。

「なにか、大事がおこったのでございますか」

と、曹参はきいた。

「劉邦は、もう世の中には戻れぬ」

蕭何は、聴きとれぬほどの低い声で言い、劉邦の一件を話した。

「他言《たごん》するな」

蕭何はいった。劉邦は秦の法に照らせば極刑に値《あたい》し、郡県をあげて追捕すべき重要犯人になった。

「ともかく、水（沼沢）の滸《ほとり》にかれをおとなしく閉じこめておく必要がある。盗《とう》を働かせてはならぬ。盗を働けば、いかにわれらがかれをかばおうとも、職務上かばいきれなくなる。それには、糧《かて》を与えることだ。糧をあたえるには、沛県のすみずみまでかれの味方をつくってやることだ」

蕭何は、こののち、情勢が変化してからも劉邦のためにひとり辛苦して兵站《へいたん》補給の役目をつとめたが、その仕事の端《たん》は、この劉邦の逃亡のときにすでに発しているといっていい。

「いつまで劉兄ィを潜伏させておくのです」

と、夏侯嬰はきいた。

「秦の世がみだれるまでだ」

蕭何がいったが、このことばはかれの革命への宣言といってもよかった。

「革命ですか」

曹参は、きいた。

「革命だ」

蕭何は、水のようにしずかな表情でいった。

同時に、かれらはこのとき劉邦党という幇《パン》（秘密党）を結んだといってよかった。

このもっとも困難な時期、蕭何に次いで重い任務を背負ったのは、曹参だった。かれは劉邦追捕のための県の警察業務を怠行させるとともに、裏面では秘密を共有しうる里人《りじん》を組織しなければならない。

夏侯嬰のしごとも、重い。

劉邦には、沛の町などに葬式屋の周勃《しゅうぼつ》や狗肉《いぬにく》業者の樊噲《はんかい》といった有能な子分たちがいる。嬰はひそかにかれらを訪ねまわって結束させねばならない。蕭何・曹参の意をよく含ませ、劉邦党の幹部として県下の里に潜入して農民に劉邦をたすけることを説き、かつ劉邦の潜伏地まで糧秣《りょうまつ》を秘密に運ぶしごとをさせる必要があった。

「それには、いままでの劉邦では、どうにもならぬ」

蕭何が、いった。

「あの男を尊ぶのだ」

「私は尊んでおります」

夏侯嬰がいった。

「そう、あなたは尊んできた。しかし私はそれが薄かった。これから主人として尊ぶ。それには、よびかたを改めねばならぬ」

しばらく考えてから、

「劉公とよぼう」

貴人として尊ぶのだ、と蕭何はいった。農民たちに劉邦のうわさを伝えるときに、王であるかのようにうやうやしくその名をよぶ。でなければ、いままでのろくでなしの劉邦のために誰が命がけで糧を供出するか。

「劉邦はうまれかわったのだ」

蕭何は宣言するようにいった。

中陽里《ちゅうようり》は、二十五戸が挙げて劉邦党になった。その理由は、劉邦の故郷ということもあり、またおなじ里の出身の盧綰《ろわん》が命がけで里じゅうを説いてまわったためでもある。しかしなによりも里人にとって蕭何が後ろ楯《うしろだて》になっているということで劉邦を見直し、安心もしたということが大きかった。兄の劉伯《りゅうはく》の家で畑仕事をしている呂氏《りょし》は、むろん劉邦の立場について、周勃《しゅうぼつ》など後方勤務者がひそかに連絡にきては説明しているために、よく知っていた。劉邦は隠れ家《かくが》を転々としているが、そのいちいちについても、呂氏は周勃などから知らされている。

里《り》には、父老《ふろう》という者がいる。

ふつう、五十歳以上で徳望のある者が、里の安寧《あんねい》を守り、風教のための師表のようになっている。集落が、一人または数人の父老を選んでその人格的な教化に服するというのは、中国の住民社会ではごく自然法的な存在として古代から続いてきたものらしい。

人間の世は、集落がさきに存在した。王朝は忍び足で、あるいは軍靴《ぐんか》であとからやってきて、その上にかぶさった。

かぶさったとはいえ、歴世の王朝はこの自然法的な集落秩序に対し、基本としてそれを尊重してきた。王権は決して集落の牆《かき》を越えて内部の父老政治に立ち入ることはない。

ただ、秦の体制は例外であった。人民を、里単位でなく個人単位で国家と法に直結させるというのが法家《ほうか》の基本思想の一つ――この点、近代国家に似ている――であったために、国家が里の牆の中に入りこむ面がつよかった。そういう秦といえども、古代以来の集落の自治制はある程度重んじ、一面において統制を厳格にするために、本来、何者が父老であるかわかりにくかった面をあらため、任命制にしている点が、古代のそれにくらべて異なる。ただしやや陰翳《いんえい》が異なるだけのことで、父老そのものの本質や実態には、さほどの変化はない。

劉邦の故郷である中陽里にも、むろん、

「父老」

という者がいる。

ある日、劉邦の隠れ家に、中陽里の父老がやってきた。

案内者は、妻の呂氏である。それ以外に、同行者はいない。

「どうして、ここがわかったのだ」

劉邦は、おどろいて呂氏にきいた。なにしろ呂氏が劉邦を沼沢の間に訪ねてきたのは、これが最初であった。劉邦にすればおどろかざるをえない。

「なぜわかった」

と、くりかえした。

「あなたのいらっしゃる所は、すぐわかりますよ」

呂氏は、笑った。雲気《うんき》が立っているのだという。劉邦が移動すればその雲気も移動するために、それをめあてにゆけばわかるのだ、と呂氏はいった。

「雲気が？」

劉邦も、初耳である。

「そういうものが、おれの上に立っているのか」

雲気など立っているはずがなかったが、おそらく蕭何が、人を通じて呂氏に劉邦の隠れ家を教え、ついでに雲気の一件も言いふくめたのにちがいない。

「老《ろう》が御覧になっても、わかりますか」

劉邦は、態度を改めて父老にきいた。劉邦のように尊大で行儀のわるい男でさえ、自分の里の父老には父に対する如《ごと》くうやまう。

「わしには、わからない」

父老は、おだやかに微笑して、ただ、ここへ来るまでの間、道に迷うと呂氏が高所に立ち、彼女だけに見える雲気をさがし、あらためて道を選んでは進んだ、わしの目にはわからないが、実在することはたしかだ、しかし自分の雲気を自分でわからないというのは、お前ものんきなものだな、と老人は笑った。

この雲気についてのうわさはたちまち沛の町にも伝わり、若者のあいだで、ぜひ劉公に随身したいという者がふえた。蕭何の策というのは、じつにきめがこまかい。

始皇帝《しこうてい》が、死んだ。

その翌年の七月、雨がつづいた。沼沢の地は、ただされ湿気に満ちている。水辺にあるわずかな竹木のかげで暮らしている劉邦にとって、愉快な日々ではなかった。そうしたある日、よく似た沼沢地帯である宿県の大沢郷《だいたくきょう》というところで反乱がおこった、という報らせが、沛の秘密後方員からとどいた。

日に日に情報はとどき、日に日に内容がくわしくなった。

陳勝・呉広の反乱である。

この両人は、兵士要員として九百人のなかにまじっていたが、二人が話しあって反乱を決意したときに、蕭何が劉邦を素材として施したような手のこんだことは、状況上、できなかった。

かんじんの内部を工作するについては、蕭何がやった策と似たことをやった。たとえば絹《きぬ》切れに、「陳勝が王になるだろう」という言葉を朱文字で書き、漁師が獲《と》った魚の腹の中にこっそり入れておき、その魚を買った壮丁がそれを見て神託かと驚く――げんに驚いた――というふうに細工したりした。またべつに奇計をほどこした。

弟分の呉広が杜《もり》の中の社《しゃ》に入り、夜、狐《きつね》の啼《な》き声を真似《まね》た。この時代、里の中の社というのは、一般に里人が掃き清めるという信仰習慣をもたないため、ねずみと狐の巣になっていたから、狐の啼き声は唐突ではない。にせの狐である呉広は、啼き声のあいまに、するどく澄んだ声で、

大《タア》楚《チュウ》興《シン》

陳《チェン》勝《ション》王《ワン》

と、くりかえし叫んだ。大楚（壮丁たちは、亡楚の出身者である）が興《おこ》り、陳勝が王になるぞ、という意味である。

たれもが、この神異におどろいた。

ついでながら、陳勝・呉広は、当初、この大沢郷で窮していた壮丁九百人をもって挙兵したが、たちまち一カ月以内に戦車六、七百乗、歩兵数万、騎兵千騎という大軍にふくれあがった。ただしのち敗亡したために、その挙兵についての神話が、かれらの創作であったとして公然と語られたが、劉邦の場合、結果としては漢帝国の初代皇帝になったために、赤帝の子という噂《うわさ》も雲気の話も、その他すべての怪異が、創作で

はなく天意もしくは天意によって生《な》された瑞兆《ずいちょう》であるとされた。

ともかくも、天下は乱れはじめた。

秦帝国ほど、ふしぎな帝国はない。

徹底的な法家主義をとりながら——官僚も人民もすべてが自然的存在でなく人間は法の上の仮称にすぎないといえるほどに法にくるみこんでいながら——始皇帝ひとりが法を超越していた。かれだけは法に拘束されず、地上唯一《ゆいいつ》のなまの自然人であり、同時に法の唯一の源泉であった。このため、唯一の自然人である彼が死ぬと、法までが融《と》けてしまった。

この場合、秦の法は蜘蛛《くも》の網に似ていた。始皇帝という巨大ないっぴきの蜘蛛が死ぬとその網までが力をうしない、かねて網によって権力をもたされていた官僚たちはただの人間になってしまい、人民たちは、意識としてはもとの自然法的な群居の感覚にもどった。

沛《はい》の町も、例外ではない。かつて王以上に強権をもっていた県令は日に日に勢威をうしない、かわって昔ながらの父老《ふろう》が活躍しはじめた。

いうまでもなく沛は城廓《じょうかく》にかこまれた都市機構である。都市の中にもいくつかの里《り》
（この場合、町内に相当するであろう）がある。それぞれの里は碁盤の目のように区劃《くかく》さ
れていて、それぞれの里ごとに複数の父老がいる。それらの里の父老のうち、とくに
人望ある者が沛の町全体の父老として選ばれている。これらは、江戸期日本の江戸や
大坂の市政における町人代表ともいうべき町年寄《まちどしより》や総町年寄に相当する。
ひとびとは、町の自衛については、これら父老を中心に相談しはじめた。
なによりもまず町の自衛体制を確立せねばならない。秦の法が町を防衛してくれる
わけではなかったのである。このことは火急を要した。たとえば陳勝・呉広の軍が攻
めてくるかもしれず、かれらが攻めて来ないにしても、他の県ごとに成立するであろ
う私軍が攻めてくるおそれがある。つまり、他の県が攻めてくる。情報は十分ではな
かったが、いくつかの郡衙《ぐんが》や県庁の所在地で、市民の手で郡の御史《ぎょし》が殺されたり、県
令が殺されたりしているという噂もあった。
蕭何《しょうか》は、泗水《しすい》の郡衙から逃げ出して、沛の町にもどっている。
事態が切迫してから、県令は蕭何をよび、
「一体、どうすればよいのか」

と、相談した。

「いっそわしも秦に反乱し、県軍をひきいて大楚将軍（陳勝）のもとに馳《は》せ参じたい。それ以外にない。ついては兵を集めてくれないか」

と、たのんだ。

蕭何は、気の毒そうに、

「あなたは、秦の中央から派遣された官吏なのです」

と、言いきかさざるをえなかった。

曹参《そうしん》もこの場にいて、

「あなたの命令では、沛県は子供ひとり動かないでしょう」

「いっそ、この沛県出身の者で無人の沼沢に逃亡している者たちをお呼びになって、かれらに沛を衛《まも》らせるほうがよいでしょう」

と、曹参らしくおだやかな調子でいった。県令はこの言葉をきいてはじめて恐怖の色をうかべた。念のために蕭何をかえりみて意見をもとめた。

「私も、曹参と同意見です」

と、静かにいったので、県令はいよいよおびえ、この両人に従わざるをえなかった。沛の父老たちが蕭何を圧倒的に支持していることは県令も気付いている。蕭何の意見にさからえば、沛の土地に寸刻も居ることができないということは、理性よりも恐怖でわかっていた。

「ではそうする」

と、県令がうなずいた。蕭何は狗肉屋《いぬ》の樊噲《はんかい》を庁舎によび、ただちに劉邦のもとに使いせよ、といった。口上は、軍隊をひきいて沛に入城してもらいたい、われわれは沛の町の城門をひらいて貴軍をお待ちしている、ということだ、といった。

樊噲は質樸《しつぼく》で、およそ浮華《ふか》ということから遠い。が、このときばかりはよほどうれしかったのか、飛びあがった。すぐさま駈《か》け出そうとしたのを蕭何はよびとめ、

「忘れていた。以上のことは、県令閣下のご依頼だということを劉将軍に伝えてもらいたい」

と、いった。県令の命令ではなく依頼だといったのは、蕭何が勝手につけ加えた解釈である。法的にいえば県令は、「自分も秦に反《そむ》く」といったときに県令ではなくなっており、いまは一私人にすぎない。であれば劉邦に対する命令権などはなく、依頼しているだけのことである。県令が劉邦に対して約束できることは、「城門をひらいておく」ということだけであった。

「蕭何、命令というべきではないか」

県令は、色をなしていった。

「ご依頼というほうが穏当でございます」

「なぜだ」

「県令はすでに秦にむほんをするということで、秦の法にそむかれました。いまは私人であられます」

と、さとすようにいった。

県令はこの蕭何の態度を見て、気味わるくなった。

(あいつは、劉邦の党ではあるまいか)

時間が経《た》つにつれて疑惑は濃くなり、考えが変わった。他の吏僚をよび、

「城門を閉じよ。何人《なんぴと》といえども入れるな」

と命じた。人々は、四方の城門にむかって走った。

この命令変更をいち早く知ったのは、県令の馭者《ぎょしゃ》である夏侯嬰であった。かれは蕭何や曹参など、県庁の劉邦党に急報し、全員を県令の馬車に乗せた。城内にとどまっていると、逆に県令の命で殺されるにきまっていた。夏侯嬰は一鞭《いちべん》して馬を跳ねさせると、市中をまっすぐに走って西の城門を通り、城外へのがれ出た。

県令は、直後に蕭何の逃亡に気づいた。狼狽《ろうばい》のあまり、履《くつ》をはき忘れたまま庁前の

庭に走り出、悲鳴のような声をあげて馭者をよんだ。

「夏侯嬰はいるか」

なお庁内に残っていたひとりの吏員が、力なくかぶりを振って、

「閣下の馭者も、劉邦の徒だったのです」

と、いった。

あとは、県令としては城門を閉ざして、城内にすくんでいるしかない。

蕭何らは、ほどなく城外で劉邦の軍に出遭《であ》った。

劉邦は相変わらず竹の皮の冠をかぶり、どこで手に入れたのか、馬に騎《の》っていた。

「やあ、蕭何か。苦労である」

と、たかだかといった。

従う者の多くは蕭何の顔見知りだったが、たれもが乞食《こじき》のようなかっこうをしていた。

蕭何が、馬上の劉邦を見あげていくつかのことを報告すると、劉邦は微笑をもって点頭するだけで、べつに感謝のことばも述べない。蕭何には、それでよかった。劉邦が、ごく自然に将軍のような風貌《ふうぼう》になっていることに満足した。

この一軍が沛の町の城壁の下に着くと、城門は閉ざされている。

「父老たちに、城門を開けさせせましょう」

蕭何は、劉邦に、矢文《やぶみ》を書くことを進言した。

劉邦は小さな絹に、俗語でもって父老への手紙を書いた。蕭何が連署すれば父老も大いに信用するところだが、すでに劉邦の家来になっている蕭何としてはそれを控えた。連署は劉邦の威と徳を卑《ひく》くするおそれがあったし、それに、家来になった以上は劉邦の嫉妬《しっと》を避けねばならなかった。蕭何としては、以後、あたらしい配慮を劉邦に対してせざるをえなかったが、人に仕えることに馴《な》れたこの男には、べつに苦痛でもなかった。

城内に射込まれた矢文は、父老にとどけられた。父老たちはすでに若者をあつめて自警隊をつくっている。かれらは自警隊をひかえさせた場所で合議をし、やがて劉邦を迎えることに決定した。もっとも一個の器《うつわ》に二つの物を入れるわけにゆかず、劉邦を迎えるについては、県令を始末しておかねばならなかった。

「県令に、死を贈るように」

と、父老たちは、若者たちに命じた。若者たちは手に手に棒をもって市中を走り、県庁に乱入し、県令をとらえ、父老の言葉どおりの処置をした。

劉邦たちは、入城した。

父老たちはかれらを城門に迎え、県庁に案内した。ここで、父老たちは劉邦に沛公(沛県の主権者)になってもらいたい、と懇願した。このことは、この民族の社会での昔からの作法で、わかりきったことながらも、劉邦を戴《いただ》くことを劉邦に懇願するかたちをとるのである。劉邦は劉邦で、

「私にはその徳がない」

と、ことわった。さらに父老たちが懇請したが、劉邦はふたたびことわった。三度目には、受諾した。これも、型のとおりといっていい。

劉邦の軍隊が、県庁の庭前に整列している。

参謀格に、蕭何と曹参がいる。

副官にあたる職として、幼な友達の盧綰《ろわん》がいた。

諸隊長の職に、馭者あがりの夏侯嬰、それに下級役人の任敖《じんごう》、葬式屋の周勃《しゅうぼつ》、織物の行商人の灌嬰《かんえい》、さらには見るからに最強の隊長といった感じの樊噲《はんかい》も隊をひきいてしずまっている。沛の空を背景にしてひるがえっている旗や幟《のぼり》は、劉邦軍の色である、赤帝の子であることを象徴する赤色であった。

庭に、祭壇がつくられ、犠牲《いけにえ》がそなえられた。

まず、この大陸における天地開闢《かいびやく》以来の最古の伝説的皇帝である黄帝《こうてい》をまつり、さらには戦いの幸先《さいさき》のために軍神蚩尤《しゆう》をまつり、犠牲を屠《ほふ》ってその血でもって戦鼓《せんこ》の皮を赤くした。

楚《そ》人《じん》の冠《かんむり》

秦《しん》のたがは、はずれた。

が、秦の首都咸陽《かんよう》は、一見、平静であるかのようである。都城の大路を往来している市人の様子ものどかで、兵乱についても、せいぜい東方で餓えた土寇《どこう》が騒いでいるそうな、という程度の印象でしかなかった。

「われわれは関中《かんちゅう》にいる」

ひとつには、そういう地理的な安堵《あんど》感が咸陽の士庶の気持の基底にあるのであろう。外界（東方）の物音はすべて函谷関《かんこくかん》の天嶮《てんけん》でさえぎられてしまい、関中までは容易にきこえて来ない。

「関中」

なんというひびきであろう。

土くささ。

どこか異民族めいたにおい。

辺疆《へんきょう》の盆地。

しかしながらふしぎなゆたかさ。

鉄のような法。

天下の離れ座敷。


そういう感じを、この地域名はひびかせている。

関中盆地は、この大陸の漢《かん》民族圏のなかにあっては西にかたよりすぎている。そのために西域への通路にあたり、はるかな西方の文物が流入しやすい点、陸の貿易港という機能をもっていた。また北方の異民族に対しては蕭関《しょうかん》の嶮がさえぎり、西は散関《さんかん》がそそり立つ。南は武関《ぶかん》がこの盆地を守り、もっとも重要な方向である東方の中原《ちゅうげん》に対しては函谷関という天下の嶮がこれを守っている。

天嶮であるだけでない。関中をつらぬいて渭水《いすい》という大流がながれていることは、ひとびとの暮らしに無限の豊かさを保証していた。渭水には支流が多い。細流を含めれば無数のながれが黄土大地をうるおしていた。単に自然の河川があるだけでなく、戦国末期に灌漑《かんがい》水路が発達し、可耕面積が大きく、大きな人口を養う能力をもっていた。戦国のある時期、秦が都をうつしてこの盆地の咸陽にさだめたとき、すでに秦の天下制覇《せいは》の条件の重要な部分が成立したといえなくはなかった。

関中は、金城《きんじよう》千里といわれた。

咸陽の都市は、渭水の大流にまたがっている。水と街路樹に映えた建造物群の壮麗さは、宮殿や官衙《かんが》だけではなかった。始皇帝《しこうてい》が大陸を統一すると天下の富家十二万戸に命じ、強制的に咸陽に移住させて宏壮《こうそう》な建物をつくらせた。さらには始皇帝はその征服事業の進行中、国々を攻めつぶすごとにそれを記念し、潰《つぶ》した王国の宮殿を、記念構造物として渭水のほとりに建てさせた。

「咸陽は天の府である」

と、当時、いわれた。この時代、西方のローマの存在については、かすかに伝わっていたかとおもわれる。都市としての咸陽の栄えは、十分それに対抗しうるものであったろう。

つづいて始皇帝は阿房宮《あぼうきゅう》といわれる世界最大の宮殿を建てようとし、その造営なかばで死んだ。

「阿房宮の造営をいそげ」

と、叱咤《しった》しつづけているのは、胡亥《こがい》というふしぎな名前でよばれていた二世皇帝であった。この若者が即位して最初に宣した命令も、そのことである。さらには一方、先帝の陵墓である驪山陵《りざんりょう》の工事をいそがせた。

このため、これらの工事に徴用された何十万という人夫が、咸陽の内外で働き、起居し、巷《ちまた》を往来していた。

さらにいえば咸陽には何万という官僚がいたし、より重要なことは始皇帝以来の直《ちょっ》轄《かつ》部隊五万人が咸陽を守って日常射術の訓練をかさねている。街衢《がいく》で見る日常の風景としては、始皇帝の生存時代とすこしも変わりがないのである。

二世皇帝胡亥は、人としてべつに愚鈍というほどではない。ただ他人に対するいたわりや愛情が持てないために物事がわからなくなり、自分一個の思想に閉じこもらざるをえなかった人物というだけで、それなりに自己完結しているという意味でいえば一種の思想家といえなくもない。

むしろ、鉾《ほこ》のようにするどい論理をもっている。

即位早々、先代からの老臣（右丞相《うじようしよう》の去疾《きよしつ》、左丞相の李斯《りし》、将軍の馮劫《ふうきよう》）が進み出て、阿房宮のような大土木工事はやめたほうがいい、とこの思想性の高い新帝に諫言《かんげん》したことがある。

「函谷関から東に群盗がはびこっているのを何とお思いになりますか」

と、かれらが言い、説明した。租税が重すぎ、かつ人民を労役に駆り出しすぎるからだ、ともいった。秦の言葉では、辺境の兵役は戍《じゆ》という。ぼう大な租税を水運ではこぶ労役を漕《そう》といい、陸送する労役を転《てん》という。土木・建築の労役を作《さく》という。

戍

漕

転

作

「このために人民は翻弄《ほんろう》され、家郷を離れ、ついには流離して流盗にならざるをえないのでございます」

と、かれらはいう。

これら流盗に対し、われわれも手をつかねているわけではございませぬ、精兵を四方に派遣してこれら群盗を討ち、見つけ次第殺してはおりますが、おびただしく跳ねまわる蚤《のみ》を獲《と》るようなもので、いかに大軍を所有していても手がまわりませぬ、上《かみ》の御英断をもって、せめて阿房宮の工事だけでも中止して下されば治安はよほど安定するはずでございます、といった。

——民が憐《あわ》れでございます。

とは、老臣たちもいわない。かれもまた法家《ほうか》主義の帝国の官僚であるため、人情論は、この宮廷では禁句だった。

胡亥は聴きおわると、さとすように、

「お前たち、堯舜《ぎょうしゅん》や禹《う》を知っているだろう」

と、いった。老臣たちはむろん知っている。

堯と舜はいうまでもなく漢民族が帝王の理想としてきた伝説の存在だが、この時代、まだ大勢力を得るに至っていない儒教の教団がとくに聖人として持ちあげてきている。しかしながら思想の如何《いかん》を問わず、漢民族にとっては土俗にまで浸《し》みこんだ神話的人物なのである。

胡亥は、いう。

「堯や舜、あるいは禹は、間違っている。たとえば堯や舜の宮殿は、王であるというのに、屋根はかやぶきで、椽《たるき》も丸太のままという粗末なものだったというではないか。またかれらの食事といえば土器《かわらけ》でめしを盛ったり、あるいは汁を満たしたりした。ともかくも秦の門番といえども堯や舜よりひどい暮らしではない。禹は禹で、治水《ちすい》ばかりをやっていたというのはいいが、王みずから労働して、ついにはすねの毛がすりきれるほどだったという。いまの世で、驪山《りざん》で土を掘っている人夫の労働といえども禹の働きの激しさよりはましだ」

——だから古《いにしえ》の聖人はえらかった。

と、胡亥はいうのではない。

——かれらは、とるに足らぬ。

と、おもっていた。

胡亥は、そこで話を中断して、

「聴いているか」

といった。薄い唇をとがらせ、老臣を軽侮するような冷笑をうかべている。胡亥にすれば、新皇帝たる自分の思想がすなわち天下の思想たるべきもので、臣僚どもはよく胡亥の思想を学び、それを知った上で天下の行政をすべきであるのに、胡亥の思想を知りもせずに諫言するなどというのは本末転倒もほどがある、という気持がある。

「堯や舜、あるいは禹は、皇帝たるべき者の理想ではない」

と、胡亥は言いきった。

つまり、徳化主義というのは間違いなのだ、という。

「韓非子《かんぴし》も、それをいった」

と、胡亥はいった。

「わが父なる始皇帝も堯舜とは反対の思想でもって天下を治められた」

と言い、さらに、

「およそ、人たる者が、なぜ天子を尊ぶか。天子に徳あるがために尊ぶのではない。堯舜のように貧であるがゆえに尊ぶのではない。禹のように奴隷《どれい》よりも激しく働くから尊ぶのではない。天子は天下を保有する。それも一人で保有している。天子たるものは天下の富を保有し、天下の人民を意のままに使い、その他すべてを意のままにふるまって欲望をきわめつくしてはじめて下々《しもじも》は天子とは人間にあらず、格別に尊貴なものだと思うようになる」

といった。

この胡亥のことばからみても、かれが始皇帝の法家思想の醇乎《じゆんこ》とした後継者であったことがわかる。

「天子が天下を治める方法は、法に尽きる。人主たる者は法をあきらかにし、刑罰をきびしくさえしてゆけば、民は決して非違をおかすものではない」

と、胡亥はいう。法家主義の基本思想というべきものである。

「それを何ぞや、関東（函谷関から東）に流賊はびこるとは。さらには何ぞや、流賊生起の原因が、先帝の遺業であり、かつ朕《ちん》がそれをひきついでいる土木工事にありとは。卿《けい》らは、先帝および朕に罪をかぶせようとするのか。法をよく執行してそれらの根を断ち葉を枯らすのが卿ら股肱《ここう》たる者のしごとではないか」

言っているうちに、胡亥は、この老臣たちが、単に思想がわからない間抜けであるだけでなく、法の執行者としての職分を怠り、怠っているがために流賊が生起している、ということに気づいた。

（いわば流賊をつくっているのは、この連中ではないか）

と、おもった。

（その罪は流賊よりも重い）

論理の当然な帰結であった。

それだけでなくこの連中はおのれの罪を天子にかぶせようとする。

(逆賊ではないか)

胡亥は、頭から血が噴き出そうなほどに激しく憎悪《ぞうお》を覚えた。思想というものは本来自己完結をめざすために、思想的不純性や他の思想をはげしく排除するものらしい。胡亥は、三人の老臣を牢《ろう》に入れてしまった。

このうちの二人は牢内で自殺し、一人はこの恥辱に堪《た》えて死ななかったが、あとで罪を作られて刑殺された。

胡亥《こがい》の法家思想の教師は、かつてかれの家庭教師だった宦官《かんがん》の趙高《ちょうこう》である。後世、史家は趙高をもって中国政治史のなかでの最大の奸物《かんぶつ》としたが、この男が悪であることの本質は、あるいは思想的でありすぎたということかもしれない。この去勢者には胡亥と同様、思想と欲望がある。しかし忠誠心をふくめての情緒というものが、皆目なかった。

趙高は、刃物のようにするどい論理を持っている。ある日、かれは宮廷の奥で、胡亥に対し、

「陛下は、ご自分のことを朕《ちん》とおおせられます」

と、さとすようにいった。そのとおりだ、と胡亥はうなずいた。もっとも、朕という一人称は、古い時代、尊卑にかかわりなく人々が使っていたのを、始皇帝が法律をもって独占したわけで、胡亥も史上二人目の朕の独占者としてそれを使っている。朕は、普通名詞としてべつな意味もある。物事のきざし、兆候を意味する。趙高はこれを踏まえ、

「朕とは、きざしでもあります」

といった。

「ああ、きざしか」

胡亥は、こういう論理のあそびがすきであった。

「ここをよくお聴きあそばせ」

趙高は、いった。

「物事のきざしというのは、目にも見えず、耳にも聞こえませぬ。陛下が朕とおおせられるとき、ご自身がきざしであることをお思いなさらないと、朕ではありませぬ。人の耳目に陛下の声容が触れるようなことがあっては陛下はただの人間であり、皇帝ではないということになります」

「おお」

胡亥は感動した。

「はじめて知った。きざしであるがために、群臣が見ようとおもっても見えず、聴こうとおもっても聴こえぬわけだな」

胡亥はすでに思想的人間である。自分の思想の重要な欠陥をこのように補われることをもっともよろこんだ。皇帝が人前に出ては朕《きざし》でなくなるというのは真理というべく、思いあわせると、先帝の晩年が、すでにそうであった。きざしであるがために宮殿の中においても大臣その他の者に会わず、子である胡亥さえ父の帝を見ることがなかった。ただ趙高のみが始皇帝のそばにいたが、この男は宦官であるために人ではない。

「つまり趙高、お前にだけは、姿を見せていいわけだな」

「左様でございます。ただ、きざしだけでは、皇帝陛下の御意志が下々《しもじも》に伝わりますまい。おそれながら趙高がお声に代わり奉《たてまつ》って、百官にお伝え申しあげます」

「もっともなことだ」

胡亥は、趙高が自分を皇帝にしてくれたことを知っている。皇帝を作った男が、皇帝の声のかわりになるのは当然といっていい。

この問答のころから、趙高が皇帝代理のようなものになった。代理というより、趙高ののどから出る言葉が皇帝の言葉である以上、百官にとっては去勢者の趙高が皇帝そのものに見えた。

一方、中原《ちゅうげん》では雨の日が多い。

二世皇帝胡亥の元年七月に大沢郷《だいたくきょう》で窮し、やぶれかぶれの勢いで挙兵した陳勝《ちんしょう》・呉《ご》広《こう》の流民《るみん》軍は、雨と泥のなかでみるみる人数がふくらんだ。

その軍容は最初、ひどいものであった。数百の流民が、木を伐《き》って武器とし、竿《さお》をかかげて旗としたのだが、近在の秦《しん》の正規軍を急襲してこれを降《くだ》し、その武器を手に入れたために、すこしは軍隊らしくなった。

「予《よ》は誰あろう、扶蘇《ふそ》である。これなる将軍（呉広）は、亡楚《ぼうそ》の名将項燕《こうえん》だ」

と、陳勝は、四方八方に触れてまわらせた。

このことはよほど大きな効果があった。始皇帝の長子扶蘇は、人柄の優しさで評判がよかったのに、趙高のために謀殺された。が、世間はまだ生きていると思っている。扶蘇という人気のある皇位継承の資格者が挙兵し、胡亥に対して退位をせまれば、かならずその軍勢は大きくなり、勝つにきまっている。ひとびとは、当然ながら勝つ側に味方したい。その上、呉広が亡楚の項燕将軍に化けていることも大きかった。扶蘇だけでは人気があるにすぎない。項燕という名将が輔《たす》けてはじめて信用の裏打ちがあるというものであった。項燕がとっくの昔に死んだ歴史上の人物であるということなどは、民衆の知るところではない。

陳勝は、そういうはったりだけで出来ている。

(虚喝《はったり》以外に、おれに何があるか)

と、陳勝はひらきなおっていた。かれは農民出身といっても一枚の田畑もなく、他家に日雇《ひやとい》でやとわれてくらしてきた。この時代、法家主義の秦でさえ将軍というのは大地主の出身が多い。大地主であればこそ食客《しょっかく》がいていざというときには参謀になった。小作どもが親衛隊として一軍の核になる。徒手空拳《としゅくうけん》の陳勝が大きな人数を集めようとすれば、巧妙で大胆な虚喝しか方法がなかった。

陳勝においては、軍略の才すら怪しかった。ただ陳勝はひとたび調子づくと際限もなく勢いに乗ってゆける男で、たちまちにしてかれは車騎を従えるのにふさわしい風貌《ふうぼう》をそなえた。

形勢が、陳勝に味方した。

かれは大沢郷一円を従えると、躊躇《ちゅうちょ》せずに近在の田舎《いなか》町の蘄《き》(いまの安徽《あんき》省の宿《しゅく》県)を攻めおとし、つづいて銍《ちつ》、酇《さん》、苦《こ》、柘《しゃ》、譙《しょう》といったその付近の町々を降伏させ、秦の兵士、食糧、武器をうばい、その勢いを駆っていまの河南省になだれこんだ。そのときはすでに、車が約六百乗、騎馬が約千騎、歩卒数万という大軍にふくれあがっていた。この陣容は、もはや流賊とはいえない。

あとは、陳《ちん》の町を攻める。これを陥《お》とせば、勢いはさらに大きくなる。

「陳へ。――」

かれの軍の合言葉になった。

「陳」

赤い城壁《かべ》とうつくしい並木町。

楚人のふるさと。

と、たれかが詩《うた》った。たちまち一軍にひろがり、軍歌のようにうたわれた。

陳（いまの河南省淮陽《わいよう》）は、戦国の末期、楚が転々と都をうつして最後に王都とした城市で、秦帝国ができてからもここに郡の中心を置き、郡の長官が広大な土地人民を支配していた。

陳勝の軍には、陳勝自身もそうであったが、楚人が多い。楚人は中原の漢民族から半ば異民族あつかいをうけているだけに、異俗を保持していた。

たとえば楚人は庶民でも冠《かんむり》をかぶっている。それもひと目で楚人とわかる独特の冠であった。

さらにたとえば、楚人がおおぜい集まって気勢をあげるときは、いっせいに、一動作で、ひるがえるように右肩をぬぐ。まことに威勢がよかった。

たとえば群衆にむかって、

「否《いな》か応《おう》か」

というと、群衆は、

「応」

と、どよめき、いっせいに右肩をぬぐのである。

「われらは亡《な》き楚の民である。亡楚の都陳城をとりかえして楚を復興しよう」

と、陳勝が演説すると、楚人たちはいっせいに、

「大楚《タアチユウ》」

と叫び、右肩をぬいだ。楚人以外の者までが楚人にならってあわてて右肩をぬいだ。

勢いというほかない。この大軍が陳の赤い城壁にひたひたと迫ったころには、郡の長官は恐れて逃げてしまい、わずかに郡の属官の守丞《しゆじよう》の職にある者が城の楼門をまもり手兵を指揮して戦った。それもすぐ殲滅《せんめつ》された。

陳勝は銀甲をきらめかして入城し、この陳を根拠地とした。楚の故都だけに、この城市のぬしとなったことは、楚王にでもなったような印象を世間にあたえた。げんに四方の流賊の心理としては陳勝を盟主として仰ぎ見るような気持をもった。たとえば沛《はい》の町で兵をあげた劉邦さえその心理を共有していたし、さらには呉中（いまの蘇州《そしゅう》）で挙兵した項梁・項羽も同様であった。かれらは挙兵したものそれぞれの小さな町で兵を維持していることはできない。いそぎ陳勝将軍の幕下《ばっか》に入って大勢力の中に身を置きたいということを、さしあたっての行動目標とした。陳勝は、まことに奇功の人だった。大沢郷で挙兵したのは、わずか二カ月前だったではないか。

（成功とは、これほど容易なものか）

ということを、古今、陳勝ほど感じた男はなかったであろう。

ともかくも陳勝の勢威はふくらむ一方であった。

かれは陳の都城の中でじっとしていればよかった。すわっているだけでその評判のほうがひとり天下を駈《か》けまわった。とくにかれが制圧している版図《はんと》から近いあたり——現在の安徽省、江蘇《こうそ》省、河南《かなん》省——の大小の流賊団はみなかれを慕い、争ってかれの系列下に入ろうとした。陳勝は最初にひじをあげて大胆にも秦という山にむかって石を投じた。そのために積雪がくずれ、大雪崩《おおなだれ》がおこった。

（それだけのことだ）

と、冷静に陳勝のうごきを見ている者が、いないではない。

居巣《きよそう》にいる老人も、そのうちのひとりである。

この陳の都城から南の、さほど遠くもないところに、巣湖《そうこ》という琵琶湖《びわこ》ほどの湖が、海に似たような水の色をたたえている。そのほとりにあるのが、居巣という町である。そこで多少の田畑を保《も》ち、多少の暮らしのゆとりと多少の書物を所有し、ときに書を読み、ときに人を批評して暮らしている人物がいる。

范増《はんぞう》という。

このとし、七十である。

齢《とし》からいえば、老翁《ろうおう》といっていい。が、仔山羊《こやぎ》のように澄んだ目と小さな顔、細い手足を持ち、素早く歩き、物に感じてはあらわに驚き、あるいは怒り、ときに滑稽《こっけい》を感ずると笑いがとまらないというあたり、少年のようでもある。

かつての楚の時代、他郷に出て小役人をしていたともいわれ、また楚の貴族の食客をしていたともいわれるが、少年期がなおもつづいているような范増自身、自分の過去に何の興味もないらしく、語ったことがない。

かたくなところがあるが、齢のせいではない。

「節義のせいだ」

と、范増はいつもいう。

節義とは亡楚への義で、

「范増とはなにか、楚の遺民である」

と、自分を規定している。

「范増の志とはなにか」

楚がふたたびおこるのをこの目で見たいということだ、と范増はいう。

その心根《こころね》の象徴のようにして、この老人はいつも楚人冠《そじんかん》をかぶっていた。楚冠ともいい、南冠ともいう。この冠は羊の一種といわれる動物の皮でつくられたもので、形といい材質といい、北方の漢民族の冠とはひどくちがっている。かつて楚が栄えていたころ、楚王がこれをかぶり、臣下では正邪を判別する司法官以外にはこれをかぶらせなかった。楚がほろんでそういう冠の制はなくなったが、ともかくも范増はその遺臣意識のしるしとしてこれを用いている。

陳勝の意外な成功は、范増の住む居巣の町にも当然きこえている。

人心が大いに動き、ふるって陳勝の傘下《さんか》に入ろうとする者もいた。

しかし、一方、

——陳を制した将軍は、偽って扶蘇《ふそ》と言い、項燕《こうえん》であるなどと称している。

と、ひややかに評する者もいた。楚人は出自《しゅつじ》をおもんじる。このあたり、中原より

ひなびているといっていい。

この鄙《ひな》びをどう理解していいか。

中原《ちゅうげん》は、粟《あわ》や麦、その他雑穀の農業で、それらの生産物をたがいに交易して有無通じあうという貨幣経済がふるくから発達し、さらには毛皮や馬をもちこむ異民族との交渉も活潑《かっぱつ》で、諸事、刺激が多かった。これらの諸要素がいりまじって、貴族と奴隷《どれい》を主題とする古代がはやい時期にくずれ、新興の地主階級の社会になっていた。

楚は、やや事情を異にする。

ここは稲の国であった。米というほぼそれだけで生きてゆける穀物で社会ができあがっているために、自給自足が容易で、貨幣経済が農村に浸透するところが中原にくらべてすくない。

ここでは、古代がより多量にのこされているのではないかとおもえる。

たとえば、秦以前の戦国時代、どの国でも社会の変動がはげしく、下剋上《げこくじょう》がさかん

であった。

が、楚にだけはなかった。

亡楚にあっては世襲の門閥が、依然として政治や軍事をうけもっていたということ自体、中原では考えられぬことであった。しかも楚人たちはそれら門閥に対し、

「世族」

とよんで、特別の尊敬を払っていた。この特別家族のなかでの最高の家格をもつ家は、たとえば楚の悲劇的な詩人屈原《くつげん》の出た屈氏もそうである。また景氏、昭氏といった家も、屈氏とならんで政治・軍事を担当する名家だった。楚の名将項燕の出た項氏は、右の三家よりは、やや家格が低い。それでもなお、陳勝が挙兵するにあたって、呉広に、

「項燕」

と名乗らせたのは、単に項燕が伝説的名将であるというだけではなく、門閥が生きている楚の地帯の信用をつなごうとしたためであった。

しかしながら、陳勝軍が陳の都城を制したという段階で、呉広の鍍金《めっき》も剝《は》げ、あれは陽夏《ようか》（河南省大康）の無名の百姓にすぎない、ということがわかってきた。居巣に住む范増の耳にも、むろんその種の雑多な情報が入っている。

「居巣では、范増のめだまだけが世間を見ている」

といわれたが、しかし親分という存在ではない。

なにごとかがあると、ひとびとは范増のもとにわけをききにくる。

市井《しせい》の智者《ちしゃ》というところかもしれない。

陳勝の乱がおこってから、范増のもとに血気の若者が出入りしはじめている。地元を代表する父老《ふろう》とよばれる連中も同様で、居巣はどう動くべきかという教えを乞《こ》うたりしていた。

「しばらく陳勝のやることを見守っていたほうがいい」

范増は、そういう。

「范先生も老いたのではないか」

ひとびとは、范増の落ちつきぶりに対して不安がったりした。

なかには、この范増の冷静さにあきたらず、大いに昂奮《こうふん》して、

「かれらの多くは楚人ではありませんか。すでに楚を興《おこ》すべく、たちあがっているのです。醇乎《じゅんこ》とした楚軍とみるべきではないでしょうか」

われわれも坐視《ざし》すべきではなく、従軍すべきだ、というものもある。

「はたして醇乎とした楚軍であろうか」

範増は、くびをひねった。かれは陳勝の成功ぶりをこまかく観察している。

(陳勝は本気で楚人を団結させるつもりがあるのかどうか)

たとえば亡楚の王の血統をひく者が、山野にかくれている。秦の役人たちは知らないが、楚人のなかの消息通なら、それは何者でどこの野を耕している誰がそうだということは知っている。陳勝もその気になればさがしだすことは、困難ではない。

(陳勝が、それをやるかどうかだ)

と、範増はひそかにおもっていた。

といって、範増は旧王家を復活させねばならぬとおもうほどに時代おくれではない。かれはただ楚人世界を大同団結させたかったし、楚人を結集させるためには核が必要だとおもっていた。楚人の場合、亡楚の王の血流を立てて王として奉戴《ほうたい》することが結集に有効であることを知っていたし、それをしない勢力は結局、楚人の支持をうしなうだろうと見ていた。範増によれば、秦を倒すものは楚である以上、楚人の支持を得ない者に、秦がたおせるはずがない。

(陳勝が楚王の裔《すえ》をさがすかどうか)

ということが、範増にすれば陳勝が成功するかどうかであり、もしそうでなければ成功もしない陳勝に在郷の子弟を送ってむざむざと敗軍のなかで骸《むくろ》をさらさせたくなかったのである。

しかしながら、陳にいる陳勝はそのことを思いつきもしなかった。かれもまたこれだけの版図《はんと》と勢力を得た以上、一揆《いっき》まがいの雑軍の頭《かしら》でいたくはなかった。かといって、兵を吸収する段階において、自分を扶蘇《ふそ》公子と言い、呉広《ごこう》をもって項燕であるとしていたことが、いまでは通らなくなっている。いっそ、王を称したかった。

秦《しん》によって、王制は否定されている。しかしながら戦国の旧国のひとびとは秦の郡県制になじまず、むしろ課税の安かった王制時代をなつかしむ思いがつよいために、陳勝がたとえ王になっても、それが反動的志向であるとは、秦の官吏以外、たれもおもわなかった。

ただ、王は、民衆によって奉戴されねばならない。

かれは陳の民衆の代表者である父老たちをよび、

「自分は、今後、どうすればよいか」

と、もちかけた。むろん、暗に根まわしはしてある。ともかくもかれらは口をそろ

え、

「将軍はみずから甲冑《かっちゅう》を鎧《よろ》い、武器を取って暴虐《ぼうぎゃく》の秦を誅《ちゅう》し、楚の社稷《しゃしょく》をふたたびお建てになったのでございます。その功からみて当然、王になられるべきでございましょう」

と、いった。

こういう場合、この民族の習慣では、劉邦もそうしたように、自分は不徳でその器《うつわ》ではない、といったんは辞退するというのが型になっていた。

が、陳勝は一度でうけてしまった。このことは楚にそういう型がまだ中原から入っていなかったのか、それとも陳勝が育ちが育ちだけにそういう型をたしなみとして身につけていなかったのか、おそらく後者であるにちがいない。

陳勝は、はなばなしく即位した。

国号を「張楚《ちょうそ》」と称した。

「楚」

と称さなかったのは、さすがに陳勝もひるむところがあったのであろう。国号というのは、たとえば、夏《か》、殷《いん》、周《しゅう》、あるいは趙《ちょう》、魏《ぎ》、楚、さらには秦といったように、一字であるのが普通である。二字というのは、漢民族の正統の国ではなく、周辺の蕃《ばん》国が、中国に遠慮をして――あるいは中国側が勝手に文字をえらんで――つける場合が多かった。後代の朝鮮、吐蕃《とばん》、南詔《なんしょう》、あるいは月氏《げっし》、烏桓《うがん》、大食《たいしょく》などというのもそうであろう。

居巣の地でこれを聴いた范増は、

(王になったか)

いったんはおどろき、

(陳勝も、これまでだな)

と、おもった。

そのうち、南方の長江(揚子江)の下流の呉で項梁と項羽が旗揚げをしたとき、范増はその情報をあつめた。

やがて、かれらが楚の名族項氏の出であることがわかった。

(これは、ものになるかもしれない)

と思ったのは、項氏ならば自分の意見が理解できるであろうということであった。草莽《そうもう》をかきわけてでも楚王の子孫をさがし出し、それを推したて、国号を「楚」とすれば秦をほろぼす強烈な力を結集できるであろう。

――それだけで、秦はほろぶのだ。
と、范増はおもっている。
(項梁という男は、教えるに足る男か)
ということを知るべく、情報をあつめた。やがて県中にいたという行商人から、
――項梁という人は文字もあり、賢者の意見をしずかに聴くひとです。
ということをきいた。范増はようやく腰をあげ、旅装をととのえて出かけた。
やがて薛《せつ》という土地で項梁に会い、その参謀になる。

関中にあっては、宦官《かんがん》の趙高《ちょうこう》は、容儀から顔つきまで、前とは変わってきている。以前、先帝の壮《さか》んなころは餌《えさ》をさがす小動物のように目の動きがすばやく、先帝の心をよく読み、日常、先帝が用を言いつける前にいちはやく辷《すべ》るような足どりでそれを持ってくるというぐあいの男であった。そのため、つねにひざをわずかに曲げ、首を垂れ、人間以外の――かといって野獣でも家畜でもない――一種特別な動物のような感じで先帝のまわりに纏《まつ》わりついていた。先帝の晩年、趙高はもはや生物としての先帝の一部になって溶けこみ、趙高がいなければ判断もできず、極端にいえば生存すらできないのではないかと思われるふうになっていた。このことは、宦官という、人で

はないとされる存在の、芸としての極致をきわめたものといっていい。

ただ、二世皇帝胡亥《こがい》との関係は、先帝時代とはまったくちがっていた。

「秦帝国の立国の思想はなにか」

というふうなことを、趙高はたかだかとこの若い皇帝に説く男になっていた。

なんといっても胡亥に対する趙高の影響力は、かれの家庭教師だったという点で、根が深かった。

胡亥に文字を教え、書を教え、さらには法家《ほうか》思想を教え、帝王学まで教えてきた。幼いころから胡亥は趙高に教えられてきているために、趙高の口から咳唾《がいだ》とともに出てくる言葉のすべてが先哲や先帝の珠玉のような思想、教訓そのものであるとついおもいこむくせがついていた。

それ以上に、胡亥が趙高に大きく負っているところは、趙高の謀略のおかげで皇帝になったということだった。という以上は、趙高は師父以上のものになったといっていい。趙高の言うことに従っていればすべて間違いがなく、それ以上に、皇帝としての判断はすべて趙高にゆだねてしまうというまでになってしまったのは、胡亥としてむしろ自然なことであったといってよかった。

胡亥の皇帝としての仕事は、後宮《こうきゅう》で女どもに惑溺《わくでき》しきってしまうということだった。

趙高が胡亥に教えてきた帝王学というのはそのようなものであり、そのように躾《しつ》け、むしろ強制してきた。それが皇帝の至上の善であるという。この宇宙のなかで秦の法に拘束されないのは皇帝ひとりであり、無拘束の存在である皇帝たるものは、欲望を思いのままに遂げるということを天から許されているのである、と趙高はいう。でなければかえって下々《しもじも》の尊敬をうしない、ついには反乱をおこすにいたるものだという。胡亥の場合、その旺盛《おうせい》な欲望は女に集中した。趙高は皇帝たるものは社稷を安んじねばならない、社稷を安んずるの道は皇帝の種《しゅ》を殖《ふ》やすことである、つまりは婦人を御《ぎょ》することが天命にかなうための第一の道である、と胡亥にいった。

すでに、大官に対する接見は主として趙高がおこなっている。

かれは事実上の皇帝として百官に君臨したために、表情、言葉づかい、動作のすべてが以前の彼とはまったく別人のようになった。

胡亥は、その臣下たちに会わない。

が、秦の中央組織において、趙高がうっかり潰《つぶ》し忘れた慣習があった。戦時、前線において急変が生じたとき前線の将軍の伝令がまっすぐに宮門を駈《か》けぬけて皇帝に直接報告することができる。できるというよりも、せねばならなかった。秦にあっては皇帝は全軍の最高司令官であり、とっさに判断して前線の進退や援軍の急派を決めなければならないのである。趙高がこの慣習を潰し忘れたのは始皇帝《しこうてい》の大陸統一以来、大陸内部での戦いが終熄《しゅうそく》して平和がつづいていたためであった。

陳勝が反乱をおこした当座は、各郡県の地方官たちが対処すべき各郡での治安問題にすぎなかった。

が、かれが陳の都城を占拠して「張楚」の王（世間での呼称は陳王）となり、四方に軍隊を派遣して各地の秦軍と戦いはじめたときは、すでに事態は治安問題を越えて戦争へ飛躍した。各地の地方官としては中央軍の派遣を乞わざるを得なくなり、前線からしきりに伝騎が咸陽《かんよう》にむかって飛んだ。

この最初の一騎が、謁者《えっしゃ》という職名の官に報告し、謁者にともなわれて胡亥に拝謁し、前線の実情をのべた。

前線といったところで、胡亥は戦いがおこっているという事実そのものを知らない。

「うそだ」

と、叫んだ。

このときの胡亥の気持は、余人にはわかりにくい。

胡亥のような生い立ちと環境とそしてその思想を持った者が、他に一人、地上にいの者だけが辛《かろ》うじて理解できる。学問も知識も思想もそして政治むきのことも、すべて趙高を通してうけわたされてきた。趙高を経ない知識や事実というものにかつて接したことがないし、そういうものはすべていかがわしいと思ってきたし、もしそういうことがあればすべて自分をまどわすもの——と、趙高から教えられている——と頭からこの二十一歳の若者は思いこんでいた。まして秦帝国にそむく者があろうか。

そういう勢力が出現するなど想像したこともなく、ましてそれが戦争の形態をとっているなどというにいたっては、妄誕《もうたん》もはなはだしい。殺すべきだとおもった。

「汝《なんじ》、朕《ちん》をまどわすか」

と叫び、趙高をよんだ。趙高は泡《あわ》をくって飛んできて、その伝令を勅命によって牢《ろう》にほうりこんだ。

しかし、つぎつぎに似たような使者がくることを趙高はおそれた。かれは策をたてた。

まず自分の腹心の者に言いふくめ、皇帝陛下の宸襟《しんきん》を悩まし奉《たてまつ》ってはならぬ、として、戦場からいかなる報告がきても、「流賊は鎮定されつつある」ということを伝令に言わしめよ、と命じた。

以後、戦場から多くの使者がきたが、宮門を入ると、すべて戦勝と鎮定の報告になった。胡亥はついに陳勝という名も知ることなく、項梁《こうりよう》・項羽《こうう》という名も知らず、まして劉邦《りゅうほう》といったような名も知らず、秦をほろぼすにいたる反乱者の名をすべて知ることなく、そのみじかい生涯を終えることになる。

趙高には、函谷関《かんこくかん》の東の情勢は、ほぼわかっている。

しかし、

「土民が騒いでいるだけだ」

と、自他ともに言いきかせているだけで、どうしていいかわからない。趙高は、ほとんど生まれてこのかた宮廷で寄生してきた。宮廷の政治や皇帝の操縦にかけては魔術的な能力をもっていたが、宮廷外のことはいっさいわからず、まして軍事がわかるはずがなかった。

事態は、日々深刻になった。各地に流民が蜂起《ほうき》しては土地の地方官を殺し、親分を奉戴してそれに服した。法治による郡県制度を布《し》いている秦帝国のなかで、前時代の封建制が、土地土地で復活した。

各地で陳王のように、にわか仕立ての封建領主が土をかぶった五月の筍《たけのこ》のように簇《むら》がり出てきた。多くは陳勝に使者を送ってその傘下《さんか》に入った。傘下に入らない者は、その郷国で自立して趙王と称したり、魏王、あるいは斉王《せい》などと称したりした。

陳勝の軍隊は、さらに西進した。ついに戯《き》という地まで迫った。戯は、関中への関門である函谷関にちかい。

咸陽のひとびとはようやく目が醒《さ》めたように動揺しはじめた。

秦軍はつぎつぎに出発してゆく。しかし多くの地方で騒乱がおこっているため、函谷関を出ると各地に兵力を散らさざるをえなかった。細分化された軍は、小部隊ごとに咸陽に援軍を乞《こ》うた。

咸陽の軍部の中軸は混乱していた。皇帝が朕《きざし》であることを守って宮廷の奥から出て来ないために統率の中心的な意志が休眠状態にあり、このため有司《ゆうし》たちは前線から催促があるたびに兵を送った。やがて咸陽の町から兵士の姿がみえなくなってしまったとき、市中の動揺が大きくなった。

「問題は、陳勝でございます。陳勝をたおせば枝葉《しよう》はおのずから枯れましょう」

と、官吏たちは趙高に進言するようになった。かといって、陳勝を撃破するための予備兵力はほとんど無いといっていい。

当初、趙高は、それでもほうっておくつもりであった。ここで将軍をえらんで派遣すればその者が大功を樹《た》て、勢力を得、相対的に趙高の権勢がそれだけ減殺《げんさい》されてゆくことになる。趙高は競争者の出現を欲しなかった。二世皇帝の胡亥に、戦いの深刻さを知らしめなかったのは、そのためでもあった。もし胡亥が危機感をもてば、直接将軍たちを召致し、直接命をくだす。皇帝と将軍たちが戦争を通じて一体化してしまうおそれがあった。

もっとも咸陽には、すでに将軍らしい将軍はすべて趙高に排斥《はいせき》されてたれひとり居なくなっており、この点は、趙高にとっての幸いではあった。

「戦いには良将が必要なのだ。見わたしたところ、いないではないか」

趙高は、官吏たちが進言しにくるたびに、冷笑をもってむくいた。

しかし、何人かが声をそろえていった。

「章邯《しょうかん》がいます」

趙高は、その男を知っていた。しかしその職は武官ではない。少府という職にある財務官吏であった。章邯を推した者は、そうではなく、章邯の家は元来武の家で、かれ自身、先帝のころには軍人として働き、武功が多かった、という。

趙高は思案し、こころみに章邯をよんでみた。

（わしに対してわずかでも不遜《ふそん》なそぶりを見せるようなやつならば、推すまい）

と思った。

章邯は、中央の官僚のなかではたれよりもこの事態の深刻さを知っていたであろう。かれの官職である少府というのは、全大陸の沢や池で淡水水産物を獲《と》っている人民から税をとりたてる役所の長官で、このために地理にあかるい。とくにこのたびの大反乱は沼沢《しょうたく》の多い土地においてもっともその勢いが熾《さか》んで、租《そ》がまったく杜絶《とだ》えてしまっているだけでなく、その方面の収税吏からの業務上の報告が、裏返せば戦況報告の実質を持っていた。この点、章邯は軍籍にある者以上にこの事態に通じ、どの地方が安静でどの道路が無事であるかという兵要地誌にまで通じていた。

(自分が行って平定する以外にない)

と、かれは、べつに気勢《きお》いたつことなく思っている。度量がひろく、決断の能力に富み、しかも気持のやさしい男で、遠征軍の統率者として士心を得るという点でも、類のない資質をもっていた。

かれには、友人も多かった。

友人たちの多くは秦《しん》の危機を感じており、章邯に対し、ぜひ君が将帥《しょうすい》になって社稷《しゃしょく》を救うべきだとすすめており、それらのなかには幕僚や部隊指揮の能力をもつ者も多い。かれらは章邯が将軍になるなら命を呉《く》れてやってもいい、と言ったりしていた。

そこへ趙高から呼び出しが来た。友人たちが心配し、

「章邯よ、あなたはまさか子供っぽい正義感にとりつかれていまいな」

と、忠告した。

暗に、趙高のことをいっている。あの男に腹をたててはならぬ、という。

「あなたのしごとは、軍をひきいて陳勝をやぶり、秦を安泰にすることだ、宮廷の小人と決して諍《いさか》ってはならぬ」

さらに、いう。

「将軍が外征するとき、何よりも大事なことは君側に疑惑をもたせてはならないことだ」

むしろ、趙高の機嫌をとっておけ、という。もしそうでなければ千里の外にあって、援軍の要請を拒否されたり、軍功をたてればたてるほど猜《そね》まれて身を危うくする、ということであった。

章邯は、その程度の芝居ができる男だった。

かれは宮廷の一室で趙高と会った。

最初から温容で接し、しかも卑屈にならぬ程度にへりくだり、趙高に圧迫感をあた

えたりはしなかった。ただ、こまったことに兵力がない。

「このことで、ぜひ趙高どのの御力を拝借せねばなりませぬ」

この態度が、趙高の気をよくさせた。

「どういうことかな」

趙高は、ゆっくりとあごをひいて、章邯を見た。

章邯は、驪山陵《りざんりょう》の工事や阿房宮《あぼうきゅう》の工事が、まことに先帝陛下の御遺業としていわば国家をあげての神聖事業である、とまず言った。趙高は、内心おどろいた。なにしろこの事業で数十万の人民を労役させていることが世の怨嗟《えんさ》をまねき、国家をあやうくしている、という意見が多く、そのことは趙高はよく知っている。

「本気でそういうのか」

趙高は章邯の顔をのぞきこみ、やがて気をゆるしたように、

「邯《かん》よ」

と、いった。君は先帝陛下のおかんがえをよく知っている。天下の民をことごとく労役させ、これを逃れようとする者に刑罰を加えてはじめて民は法の恐るべきことを知る。民はやがては法になじみ、法に縛られることをよろこぶようになり、ひいては国家の安泰のもとになる。君は秦の法の原理をよく理解しているらしい、と趙高はい

った。

（趙高とは、こういう男だったのか）

章邯は、内心、趙高を見直すというよりも、とまどうような思いを持った。ひとびとは趙高のことを、先帝や二世皇帝に取り憑《つ》いたばけもののようにいっているが、この肥《ふと》った老婆《ろうば》のような感じの男は、存外、挙措《きよそ》が温雅で、しかも言うことはひどく思想的なのである。もっともこの宦官《かんがん》は二世皇帝の師傅《しふ》をもって任じているから、かれの教養がなみなみなものではないというのは当然であるのかもしれない。

（もしこの男、ばけものであるとすれば、一筋や二筋の縄ではどうにもならぬばけものだ）

趙高《ちようこう》にすれば、章邯が戦場で大功をたてて声望があがることをおそれている。もともそうなったとしても、非違《ひい》をみつけて勅命によって殺してしまえばそれですむが、ともかくも自分を怖《おそ》れしめ、自分の意のままになる男に仕立ててしまうほうが望ましい。このため、この座において、ときには威を見せ、ときには章邯の心を攬《と》るような笑顔をつくってみせた。趙高は、笑顔のわるい男だった。笑うと顔の皮がぬめつき、口もとに豚の黄色い脂肪を折りまげたようなしわが出来た。章邯は、さすがに薄気味悪かった。

「なにかね、私にしてほしいというのは。――」

趙高がいったとき、章邯は拱手《きょうしゅ》し、なにぶん非常の時でございます、といった。非常の時には非常の人の御力が要《い》ります、その御力によって非常の措置を講じていただかねばなりませぬ、というと、趙高はひどく満足したようであった。

「どういうことだ」

「驪山にも阿房宮にも、おおぜいの刑徒が働いております」

良民も働いているが、刑徒も働いている。刑徒だけで二十万を越えるであろう。かれらに大赦令を出してもらい、罪をゆるし、武器をもたせ、兵として連れてゆきたい、それ以外にこの状況下で大軍をにわかに編成する方法はない、といった。

(罪人を、兵に?)

趙高も、さすがにこの案にはおどろいた。軍旅の途上、罪人どもが鉾《ほこ》を逆《さかしま》にしてなにを仕出かすかわからず、よほどの統率力のある将軍でなければ、かれらをひきいることはできまい。

「いいだろう。内奏してみる」

と、趙高はいった。失敗したところで、目の前の男がひどい目に遭《あ》うだけのことである。

趙高はすぐさま二世皇帝胡亥《こがい》に謁し、この案を自分の案として述べ、さらには章邯を推した。

なにしろ軍事のことだけに、文武の百官をあつめてかれらから十分意見を出させねばならない。いくさの場合、それが慣例で、いかに胡亥でも朕《きさし》として隠れているわけにゆかない。

胡亥は、型どおりに百官を招集し、意見を出させた。このとき胡亥はあらためて趙高の偉大さを知った。趙高がいったとおりに事が進み、趙高が予見したとおりに章邯という男が進み出てきたときばかりは、胡亥は魔法でも見物するようなおもしろさを感じた。しかも章邯は趙高がかねて献策したとおりのことを言上したのである。胡亥は名状しがたい愉悦を覚えた。皇帝たる者のよろこびはこういう情景に接するときであろう。多数の人間が、たとえば満天の星が軌《き》の上を動くように秩序正しく動き、発言者も、皇帝の意表を衝《つ》くようなことはいわない。発言者は皇帝が先刻承知のことを快《こころよ》い音声をもって言うのである。すべてが、音楽に似ていた。胡亥はよろこんでそれを採用し、あわせて大赦令を出した。

ただし、当の章邯はここまで漕《こ》ぎつけることで、精根が尽きる思いがした。国家が健康であればこういう馬鹿《ばか》なことはありえないであろう。章邯は、平和な時代なら文官でいたかった。ひょっとすると戦場で死ぬかもしれない役目をひきうけるのにみずから奔走し、擬態《ぎたい》を作って趙高のような男に媚《こ》び、国家が与えてくれるはずの軍隊も自分で作り、補給その他の後方組織も諸官庁を駈《か》けまわって自分がつくらねばならぬというばかなことがありうるであろうか。しかしそれをしなければ、秦《しん》の亡《ほろ》びは眼前にせまっている。

章邯は、咸陽《かんよう》の兵器庫を空《から》にして、人夫どもに戎装《じゅうそう》をさせ、兵器をあたえた。軍の強弱は各級指揮官の能力によってきまる。章邯は、卒伍《そつご》の長にいたるまで、すべて秦の歴戦の兵士を昇格させて任命した。このためこの一軍は決して烏合《うごう》の衆ではなかった。

始皇帝以来、秦軍の色は黒である。旌《せい》も旗《き》も、士卒の戎装もことごとく黒い。かれらがくろぐろと地を覆《おお》って咸陽を出、嶮路《けんろ》をへて函谷関《かんこくかん》にむかったときは、道にも嶺《みね》にもはるかに黒雲が渦巻《うずま》き進むかと思われるほどに壮観であった。

この大陸にあっては、王朝が衰えるとき、この時代——その後の時代もそうだが——大陸そのものが流民のるつぼになってしまう。

流民のめざすところは、理想でも思想でもなく、食であった。大小の英雄豪傑というのは、流民から推戴《すいたい》された親分を指す。親分――英雄――は流民に食を保障することによって成立し、食を保障できない者は流民に殺されるか、身一つで逃亡せざるをえない。

食は、掠奪《りゃくだつ》によって得る。たとえば百人の流民の頭《かしら》がある村を襲って食糧を食いつくせば、食い尽された村は一村ごと流民と化し、他村を襲わざるをえない。襲い襲われしてゆくうちに流民の人数はふくれあがるが、たかだか百人程度しか食わせられない親分は、四方をさがして千人を食わせる親分を見つけ、そのもとに流民ごとなだれこんでゆく。さらには千人の規模の親分は能力以上にふくれあがった流民をまかないきれない場合、万人の頭のもとに合流する。このため、能力のある英雄のもとには、五万、十万という流民――兵士――がたちまち入りこんでしまい、一個の軍事勢力を形成する。二十万、五十万といったような流民の食を確保しうる者が世間から大英雄としてあつかわれ、ついには流民から王として推戴されたりする。

このため、巨大な流民を吸収しようとする者はいち早く穀倉《こくそう》地帯を抑えるが、陳勝《ちんしょう》の場合、いよいよふくれあがってくる流民を食わせるには、陳の田園だけではまかないきれなくなった。もし、傘下《さんか》にあつまった流民軍を餓えさせたりすれば、かれらは陳勝を打ち殺して他の地方の大流民団の親分のもとに奔《はし》るだけであり、食わせるかどうかということは、陳勝が、あらゆることに優先させねばならない懸念《けねん》であるはずであった。

が、陳勝の頭にはそれだけの逼迫《ひっぱく》感があったかどうか、疑わしい。

かれの幸運は、たまたま穀倉地帯で挙兵したことであった。さらにはわずかに転戦するのみで陳というより豊富な穀倉地帯を得た。

——陳ならば食える。

ということは、たれもが知っていた。その情報が四方の流民に飛び、あらそって陳へ移動し、陳勝の傘下に入った。陳勝の徳望によるものではなく、食ということについての陳地方の魅力がかれらを吸引させたといっていい。が、膨脹《ぼうちょう》しすぎた流民団のために、陳勝はさらにあらたな穀倉地帯をもとめるべきであった。そのことを怠け、みずからを高くして王を称してしまったことは、范増《はんぞう》の観点を措《お》いても、問題があったといっていい。

もっとも、陳勝は、食をさがすためにまったく怠けていたわけでもなかった。

「穀物の倉《くら》という倉をおさえよ」

と、その幕下《ばっか》の諸将を派遣し、それらの倉を守る秦軍と戦わせてはいた。ただ、みずから兵をひきいて戦わなかった。

この大陸には、この時代――これ以前もこれ以後もそうだが――国家が管理している穀物倉というものがあった。それらは、水運の便のいい都市に設置されている。倉といっても、地上の建物ではなかった。大地を広く深く穿《うが》って穴をつくり、穴の内壁に防湿その他の工夫をこらしてここへ穀物をほうりこむ。その規模は、一つの穴だけでも何万人が何カ月も食えるほど大きいものであった。それらの穀物は租税としてとりたてたものであるだけに、むろん私有のものでなく、国家のものであった。たとえば、後世、唐《とう》の時代、首都長安《ちょうあん》付近（関中）が不作のために穀物が乏しくなれば、皇帝が百官をひきい、長安を留守にしてその穀物倉まで移動してそこで数カ月も食うのである。宮廷の人口だけでも数万をかぞえるし、百官は家族をふくめればゆうに五、六万という人数になるであろう。都市そのものが穀物倉にむかって移動するようなものであった。

それらの倉のなかで、陳から遠くもない土地にあるのは、滎陽《けいよう》の穀物倉であろう。滎陽というのは、現在の鄭州《ていしゅう》市の東方にある小さな城市である。ここからはるか西方の首都咸陽にむかって水運の便があり、主として南方からの租税が河川や運河をつたってこの滎陽に集められ、いったん倉にほうりこまれて逐次《ちくじ》、西へ運ばれてゆく。

この榮陽を奪《と》れば、陳勝は傘下の流民の餓えをまぬがれさせることができるはずであった。

「榮陽を奪らねば、どうにもなりませんな」

と、呉広《ごこう》が進言したのは、陳勝軍が、はちきれるほどに流民をかかえすぎたあとで、かれらに急場の餓えを凌《しの》がせるには、やや遅かった。流民たちのあいだにはすでに餓えを訴えて不満の声があがりはじめていたのである。

「では、君が行ってくれるか」

陳勝はもともと態度が傲岸《ごうがん》な男であったが、挙兵のときの仲間である呉広には格別な態度で接していた。ちなみに陳勝が王になったとき、呉広に仮王という称号をあたえた。

呉広は、陳勝とはちがい、挙兵の早々、かつての仲間を大切にするということで評判のいい男であった。しかし、榮陽攻略へ出発するころには、呉広も昔を忘れて驕慢《きようまん》になっている、などという蔭口《かげぐち》が出はじめていた。要するに、

——ろくに食わせることもできぬくせに、仮王などと、おのればかりが大それた位に即《つ》きおって。

と、いわば食についての不満から出た悪声であろう。くりかえしいうが、食が英雄

を成立させた。不幸にも食わせる能力をうしなうとき、英雄もただの人になった。この点、ひとびとは容赦がなかった。かつぎあげた男を地にたたき墜《お》とした。

呉広は、ようやくそのことに気づいた。

大軍をひきいて滎陽を包囲した。

この時期、秦の先帝時代からの丞相《じようしよう》李斯《りし》は、まだ趙高によって殺されるにいたっていない。

李斯の子に、李由《りゆう》という者がいる。李由は滎陽が所在する三川《さんせん》郡（河南省）の長官で、かれは諸方に乱がおこるとともに自分の郡の人民をよく鎮《しず》め、みずから軍隊を指揮し、滎陽に籠《こも》って善戦した。このため軍略の素人《しろうと》の呉広は攻めあぐんでしまった。流民軍は勢いに乗ったときこそ、烈風の日の野火《のび》のように熾《さか》んで、正規軍以上の強さを発揮する。しかし敗勢とまでゆかずとも、戦いに利がなくなりはじめると、たちまちに動揺した。呉広は素人《しろうと》だけに、将軍ならたれでも心得ているこういう場合の統御の手をまったく知らなかった。

これとはべつに、陳勝に命じられて呉広とともに陳を出発した別働の大軍があった。その兵力は呉広軍よりはるかに大きく、数十万であり、陳勝の配下では第一軍ともいうべき部隊だった。その目標は長駆して函谷関を破り、すすんで関中《かんちゆう》に入るにある。

一挙に秦都咸陽をくつがえそうというもので、この大作戦を志向したことによって、陳勝は単なる流賊の親分の域を脱し、秦帝国に対する最初の挑戦者という名誉を、同時代さらには後世において持つことができた。

その総司令官は、周文《しゅうぶん》というもはや老人といっていい年齢の男であった。周文は流民出身ではない。陳勝が流民軍とともに入城した陳の町にもともと住んでいた人物で、陳の父老《ふろう》たちの尊敬をうけていた。

周文は、学問を好み、物事にもあかるかった。若いころは山っ気もあり、みずからの才能を売るべく楚《そ》の春申君《しゅんしんくん》の食客《しょっかく》になったりしたが、なによりもかれの自慢はいまは無い楚の国の名将項燕《こうえん》に仕えて諸方に従軍したという履歴だった。

——項燕将軍のことを聴かせてほしい。

と、町の若い者が来ると、項燕の人柄やその兵の進退の巧妙さを、一晩でも二晩でも倦《う》まずに話した。「わしの一代のしあわせは、なんといっても、この目で項燕将軍を見たことだ」とふたこと目には言い、話の中にいきいきと情景を入れ、ついにはかれ自身が項燕将軍に化《な》ったかのようにして話した。すべてうそではなかった。かつての日、かれは項燕将軍の帷幕《いばく》にあり、項燕には日常接していた。ただし軍人としてではなく「視日《しじつ》」としてだった。視日とは、軍営にあって日や時の吉凶を占う官である。つまりは、占師であった。

陳勝の軍には、秦の降伏兵がいたが、しかし司令官がつとまるような軍事の専門家がいなかった。陳勝はこの周文のうわさをきき、よびつけて、将軍になる自信はあるか、ときいた。

（やって、やれぬことはあるまい）

若いころ、項燕のやり方をまぢかで見てきた、という履歴上の自信と、たとえ占師であっても、項燕に近侍《きんじ》してその息づかいまで知っているのだということが、歳月を経るにつれ、形が変わって軍人であったかのような自負心になっていた。

「やれるでしょう」

と、周文がいったのは、若いころの山っ気が、老いた血の中によみがえったのかもしれない。陳勝はよろこんでこの元視日《もと》に将軍の印綬《いんじゅ》をさずけ、陳勝軍の主力ともいうべき大軍をあずけ、遠く秦の首都をめざして出発させた。

周文は、かれ自身、そう信じていたとおりに、十分に将才はあった。ただ、かれの配下の大小の指揮官が、根を洗えば各地の流民の親分で、かつての項燕の軍隊のようによく訓練された玄人《くろうと》ではなかった。この点、将軍よりもはるかにむずかしい条件でその職をつとめたことになる。

周文は、よくやった。これら玉石のまじりあった雑軍をなんとかまとめ、あるいはおどし、あるいは賺《すか》すなどしてついに函谷関にせまり、さらに秦の守備兵を追って関《かん》の内側に入った。みごとな成功であったといっていい。

しかしそのとき、天地が晦冥《かいめい》したかと思われるほどに関内の風景が一変した。眼前の山も峡《やまかい》もあるいは雲までも黒くなるばかりに秦の大軍がやってきたとき、周文の大軍はいっせいに息をわすれた。同時に士気をうしなった。敵の将は、章邯《しょうかん》である。咸陽《かんよう》から急行軍してきた章邯の軍も、内実、兵卒は刑徒であるという弱味があったが、しかしそのよく統制された軍装と、その美々しさ、または鼓《つづみ》や鉦《かね》の音律の正しさ、あるいは弩《ど》のような強力な飛び道具を多数そろえているという兵器の優越といった多くの利点をもっていた。そのうえ先鋒《せんぽう》は秦の正規軍で編成され、巨大な鉾《ほこ》のようにするどかった。この先鋒によって周文の先鋒は瞬時にして撃ちやぶられた。章邯は緒戦の成果をすかさず拡大し、周文軍を圧倒した。周文の軍は東にむかって敗走し、曹陽《そうよう》（河南省）まで逃げ、そこでかろうじて踏みとどまり、ともかくも二カ月余、防戦した。二カ月余も維持しえたのは、周文の力によるところが大きかったであろう。が、さらに章邯に攻めたてられ、潰乱《かいらん》して澠池《めんち》（河南省）にいたり、ここで一軍が四散し、周文はみずから頸動脈《けいどうみゃく》を切って死んだ。
陳勝《ちんしょう》の軍の最初の敗戦といっていい。

この間、陳勝は陳の城内に急造の宮殿を構え、腰をすえたまま動いていない。流民たちの気持が、陳勝に対して冷たくなりはじめていた。そのうち、滎陽《けいよう》を包囲中の呉広《ごこう》が、その配下の将軍に殺された。理由らしい理由はない。別の方面にいる周文の軍が章邯の秦《しん》軍に圧迫されつづけているため、呉広の滎陽包囲軍は孤軍同然になり、章邯のために背後を衝かれまいかという危惧《きぐ》で、陣中は慢性的な恐慌《きょうこう》がひとびとを支配し、将軍たちは物事に激しやすくなっていた。諸事うまくゆかなくなった理由を、ひとびとは呉広の無能に帰した。どうやら将軍たちが密議して呉広を殺したらしく、それも陳にいる陳勝の内諾を得ているようでもあった。将軍たちは呉広を殺したあと、その首を陳勝のもとに送っており、さらには殺した将軍の代表である田臧《でんぞう》が陳勝によって令尹《れいいん》という亡楚《ぼうそ》の大臣の職名をさずけられているのである。陳勝は、かつての仲間の呉広に倦《あ》き、この時期にはうとましくなってしまっていたのに相違ない。

陳勝の末期、陳の町に、一人の農夫がやってきた。陳勝が作男《さくおとこ》だったころ——といって昔のことではなくほんの去年までのことだが——の相棒で、兄弟のように暮らしていた友人だった。

「渉《シエー》（陳勝の字《あざな》）に会いたいんだよ」

と、かれは宮門の前で、大声で叫んだ。この男にはべつに欲得があるわけではなさそうで、ただ懐《なつか》しさのあまり訪ねてきたことが、態度によくあらわれていた。が、宮門の衛士が中に入れようとせず、しつこく門扉《もんぴ》にすがりつくこの男を、力ずくで追っぱらった。農夫はあきらめず、陳勝が行幸するのを、路傍で毎日待った。やがて陳勝が車騎を従えて外出したとき、農夫は車の前に飛び出し、

「シェー！」

と、なつかしそうに叫んだ。陳勝は一瞬とまどったが、思いなおして、この男を宮殿につれ帰った。男は楚の田舎ことばまるだしで宮殿の美々しさに感嘆し、しきりに、

「夥《か》々《か》、夥々」

と、大声でいった。楚では、中原《ちゅうげん》で多《た》というのを夥《か》という。夥々とは、すばらしい備品や宝物が夥《おびただ》しくある、ということである。男は宮殿をひきあげてから、毎日、町中に自分が陳王と古い友人であるということを触れまわった。疑う人々があると、

「うそなもんか」と、陳勝が作男のころは怠けものであったよ、というたぐいの罪のない話を喋《しゃべ》りちらした。陳勝の吏僚がこれをきき、

「あれでは、王の威厳もなにもあったものではございませぬ」

といったために、陳勝はこの男をとらえ、斬《き》り殺してしまった。

この事件以後、陳勝を輔《たす》けていた古い友人たちが、夢からさめたように輿をうしない、去る者が多かった。

戦野にあっては、章邯にひきいられた秦軍がいよいよ強勢をきわめ、各地で陳勝軍を破り、すすんで黄河のほとりにいたり、滎陽を包囲中の田臧の軍を逆に包囲し、一戦、二戦とかるくゆさぶり、三戦で壺《つぼ》をこなごなにくだくようにこれをやぶった。田臧は逃げるゆとりさえなく、乱軍の中で戦死した。

ついに章邯の秦軍は、陳に迫り、付近の小さな町をつぎつぎに攻めおとした。陳勝は城を走り出た。

陳勝は、ほんの数十日前までは、得意の絶頂にいた。

谷へまっすぐに落ちてゆく衰運のなかで、それでも兵をかきあつめては小さな戦闘をしたが、そのつど敗れた。汝陰《じょいん》（河南省）に転じ、さらに下城父《かじょうほ》（安徽省）の野をさすらっているときは、すでに微弱な小部隊をひきいるにすぎなかった。町々は秦軍の制圧下にあり、どこを襲って食糧を得るというあてもなかった。

「王よ、食べるものはないか」

　と、陳勝の寝室まで兵が押しかけた。

部隊は、餓えた。食を保障する能力をうしなった陳勝には、もはや王である資格はなかった。もっとも、考えようによっては、陳勝は最後に一つだけ皆の食糧のための役に立たぬでもなかった。

(陳勝を殺せば。――)

　と、たれしもが考えた。陳勝の首をとって秦軍に投降すればその食にありつけないことはない。

　陳勝の馭者《ぎょしゃ》に、荘賈《そうか》という屈強の男がいた。かれはあらかじめ仲間としめしあわせ、行軍中、陳勝と二人きりになったとき、暴《にわ》かに身をひるがえして陳勝のふとった腹を刺した。やがて死骸《しがい》の首を掻《か》きとり、一同をあつめた。荘賈は車上にのぼり、陳勝の首をたかくかかげ、大声でかれの悪虐《あくぎゃく》を羅列した。

　荘賈は秦軍に投降する旨《むね》の使いを送り、さらには秦軍の一隊として陳に駐屯《ちゅうとん》する約束を得た。この一団は荘賈によって秦軍の糧食を得ることになった。

　もっとも、事態はさらに変転した。かつて陳勝の腹心だった呂臣《りょしん》が、ほどなく新陽(安徽省)の地で残党を再組織したのである。この一団はみな青い帽子をかぶった。

「蒼頭軍《そうとう》」

といわれた。あらたな楚人の冠《かんむり》というべく、さらにいえばこの一軍はほとんどが楚人であり、楚を復興しようという陳勝軍の本来の志を継ごうというものであった。

「陳勝の仇《あだ》をうつ」

と、まず呼号した。

かれらは疾風《しっぷう》のように陳の町を襲い、荘賈を殺し、秦に対抗した。かといって秦軍がこれに反応したわけではなかった。章邯たちの秦の諸軍はいそがしかった。各地に多発する反乱に応接せざるを得ず、陳の町をかえりみるゆとりは、もはやなくなっていた。

楚人が、すべて荘賈のような男ばかりだったわけではない。陳勝が殺された現場にいたひとびとの多くがその死を憐《あわ》れみ、遺骸をかついで碭《とう》の地に葬《ほうむ》った。

のち、劉邦《りゅうほう》が碭の地を通過したとき、

——かつて陳勝の挙兵によっておれは心を奮《ふる》い、秦を倒そうと思った。もし陳勝がいなければこの劉邦のこんにちもなかったであろう。

と往時を述懐し、王に対する礼をもってその墳墓《ふんぼ》に拝礼し、その墓守としてとくに三十戸を置いた。

ともかくも、陳勝は死に、張楚《ちょうそ》はほろんだ。陳勝が王位にあったのは、わずか六カ月である。

長江《ちょうこう》を渡る

陳勝《ちんしょう》が挙兵したころから、雨が多かった。

反乱は、華北においては緩慢で、旧《もと》の楚《そ》の地においてはげしかった。とくにいまの安徽《あんき》・江蘇《こうそ》両省という揚子江下流の低湿平野で頻発《ひんぱつ》している。

もともとこのあたりでは、雨は、夏季に集中している。洪水は、毎夏、どこかの地方を浸《ひた》した。陳勝も盛夏、洪水にはばまれ、捨鉢になって挙兵したように、他の地方でも、一村の家屋も田畑も沈没し、やむなく村ぐるみが流民になって他村を襲ったりした。旧楚の全土が、人が水とともに溢《あふ》れ出、濁流になってうずまいている。

洪水と反乱とが、多くの地域でかさなっていた。

県城が、県下の洪水のために食糧難におち入り、県城ぐるみ反乱に起《た》ちあがった土地が多かった。東陽県（安徽省）などが、そうである。

「食わせろ」

という要求が、ひとびとの心を一つにした。東陽県の場合も、

「県の穀物倉をひらけ」

と、ひとびとが県庁に押しかけ、県令がこばむと、そのまま暴動になった。城内の少年たちが殺気を帯びて内になだれこみ、あっというまに県令の首を刎《は》ねてしまった。

陳勝の決起以後、各地の暴動が多くこの型をとっている。県令の首を刎ね、倉庫をひらき、租税として首都咸陽《かんよう》に送られるはずの穀物をうばって家々に分配するのである。奪った穀物を食いつくしてしまうと、県城ぐるみ流民軍になって他を襲う。それとも他地方に成立している強大な親分——英雄——の傘下《さんか》に入って食物の分配にあずかるのである。

東陽県の場合、群衆が県令を殺してから、自分たちに指導者がいないことに気づき、みな狼狽《ろうばい》した。

事態は切迫していた。頭目を推戴《すいたい》せねば、せっかく倉庫の扉をひらいて目の前に食物の山を見ても、分配さえできないのである。頭目の機能は、とりあえずは分配にあった。群衆は頭目に強権を持たせ、公平な分配を期待する。公平という感覚は、徳とよばれていた。東陽県で徳のある者といえば、衆目のみるところ、県で文書事務をと

っていた陳嬰《ちんえい》とされていた。陳嬰は、たとえば沛《はい》における蕭何《しょうか》のように地元出身の吏員である。秦《しん》の国是である法家《ほうか》主義を県で代表する者は、当然ながらどの県でも県令であった。県令はこのために憎まれていた。この県令の方針に対して、地元出身の吏員が住民の実情にあわせるべくさまざまに方便を用いて緩和させるのだが、その機能を果たしていたのが、沛における蕭何であり、東陽でいえば陳嬰だったのである。

「陳嬰さんに、王になってもらおう」

と、穀物倉を前にして、たれもが口々に叫んだ。陳嬰はおどろき、町中、知人の家を転々として逃げまわった。擬態ではなかった。陳嬰は小心なほどに謹直《きんちょく》な男で、とてもこの情勢下に、流民の親玉になれるような男ではなく、不適格であることはたれよりもかれ自身が知っていた。やがて横丁の知人の家からひきずり出されるようにして県の庁舎の前に立たされ、頭目の役をひきうけさせられた。陳嬰はやむなく穀物は、分配した。こういうことは在来、仕事として馴《な》れていた。ひとびとの側も、

「陳嬰さんだから不公平はない」

という先入主《せんにゅうしゅ》があるために、怡々《いい》として分配された自分の分量に満足し、その満足感が、いよいよ陳嬰を押し立てる気分となってたかまった。この東陽県の場合、父老《ふろう》にさほどの人物がいなかったために、若者どもがすべてを牛耳《ぎゅうじ》り、かれらの代表が、

「陳嬰さん、ぜひ王になってほしい」

と、口説いた。強要というにちかかった。そのうち県下のすみずみから若者があつまってきて、その勢《せい》は二万にふくれあがり、この大群衆が陳嬰に強要するために、陳嬰のほうがおびえてしまった。

町のなかを逃げまわった。ついに、

「老母に相談したい」

と、それを理由にいったん代表たちをさがらせた。儒教は、まだこの時代、つよい影響力をもつにいたっていないが、孝を倫理の中核におくというのは、この大陸においてはたれをも納得させる倫理的風習であった。

陳嬰が、母親に相談すると、

「王になるなど、決して承知するでないぞ」

と、彼女はいった。王とは体裁がいいが、実質は流民の親分で、傘下の流民をたえず食わせつづけるか、せめてその期待を抱かせつづける機能をもつ存在であり、その機能をうしなえばほろびるか殺されるということを、母親はよく知っていた。

ついでながら、『史記』の作者司馬遷《しばせん》は、どうやら東陽の町までゆき、口碑や伝承を取材してまわった形跡がある。司馬遷は、このときの母親の言葉を、会話体といっていいような文章で採録している。

今、暴《にわか》ニ大名ヲ得ルハ、不祥ナリ。属スル所アルニ如《し》カズ。事成ラバ、猶《なお》侯ニ封《ほう》ゼラルルヲ得ン。事敗ルレバ、以《もっ》テ亡《のが》レ易《やす》シ。

属スル所アルニ如カズ——独立するよりどこかに所属して部将になっているほうが身の安全だよ——というのは、陳嬰のように包容力の小さな男にとっては、利口な方法だったにちがいない。この東陽県における陳嬰の話は、両面の消息を伝えている。ひとつには、県という地域ぐるみの反乱をおこしても、大将になる人物をさがすのがよほど困難であったということであり、いまひとつは、たとえ推戴されても二万という人間を食わせるのはよほどのことだったろうということである。

さまざまな場合がある。

召平《しょうへい》という人物の場合は、やや事情が異なる。

かれは広陵県《こうりょう》（のちの揚《よう》州）の人で、陳勝が秦《しん》に対して反乱をおこすや、自分が住む広陵の町を乗っ取ろうと企てた。野心というには、意図が入りこみすぎている。た

とえ乗っ取りに成功しても、

「自立はしないぞ」

と、あらかじめひとびとにいっていた。いわば、ひとを昂奮《こうふん》させない野心家だった。この広陵をみやげに陳勝の傘下に入るのだ、といっていたが、こういうあたり、陳嬰に似ている。

が、失敗した。

失敗した理由のひとつは、かれが、広陵の町住まいの人間ながら秦の爵位《しゃくい》を持っていたことにもあった。秦は徹底した官僚制度だが、前代の貴族制（封建制）の要素も加味し、爵位の制度があった。この制度をつくったのは秦がまだ一王国にすぎなかった戦国時代のころで、法家の政治家商鞅《しょうおう》の立案による。

爵ハ功ヲ㠯《も》ツテ先後ト為《な》シ、官ハ能ヲ用《も》ツテ次序トナス。（『漢書』）

とのちにいわれたように、功績のある者に大官をあたえればかれらはかならずしも有能でないために弊害をまねく。このため、爵をあたえてその身を重くするのである。最下級の爵は公士で、これはあるいは遥《はる》か後世のイギリスにおける勲爵士《ナイト》にあたるかもしれない。爵は十八級から二十級ぐらいあり、最高は「侯」であった。召平は、侯である。侯といえば諸侯に似て封建のにおいがするが、秦はその名称のみをとり、実質（たとえば食邑《しよくゆう》）はさほどになかったらしい。侯というのは、上に地名がつく。召平は、世襲の東陵侯である。その地名――たとえば東陵――の大名のようにもみえるが、そういう実質はなかった。その点、江戸時代、田舎の神主でも、土佐守《とさのかみ》とか佐渡守《さどのかみ》とかという官名を爵としてもっていた事情と、多少は似通っている。すくなくとも広陵における召平の場合、実質はそのあたりの小地主や自作農とかわらない。

ただ、かれは自分の教養にほこりがあった。

「秦の小役人どもは、おれをないがしろにしおって」

と、つねづねこぼしていた。かれの不満は、秦のために労役や重税で苦しんでいる庶民には通じがたかったが、しかし不満の深さはそれ以上ともいえた。広陵の県令も、かれに行政上の相談などを持ちかけたり、せめて県の庁舎に手厚く招待して雑談でもすればよかったのだが、もともと秦の役人はそういう気風もやりかたももっていなかった。

役人のそのような地下《じげ》との接触のしかたをもふくめて、この大陸では、

「徳」

とよんでいた。徳は、法の敵のようなものであり、秦の役人たる者のとるべき態度ではなかった。

召平が、ときに県庁へ行って、人民たちは難渋している、労役をすこし減らしてはどうか、などといった意見を述べても、県令は相手にしなかった。召平の不満は自分一個の課題から、人民の苦しみを代弁して秦の暴政をいきどおるところまでひろがった。

——秦朝に対し、すでに天の意は離れている。

などと言い、秦など潰《つぶ》れてしまうほうが人民のためだ、とおもうまでになったが、かといってかれが人民を動かすというところまでは至らなかった。召平の教養が、かれと庶民とをへだてていた。かといって高踏的な書斎人かといえばかならずしもそうではなく、たとえばみずから鍬《くわ》をふるって畑を耕したりもしている。変わった男であった。物事の道理をきわめることが好きなだけに、農事にも凝《こ》り、かれが作る蔬菜《そさい》はどの百姓の畑のものよりもすぐれていた。

——召平は農の名人だ。

という評判さえあった。召平自身、

——百姓はばかだから頭をつかわない。

と、つねづね言い、なぜ百姓はおれのところへ物を教わりに来ないのか、といったりした。たしかに召平のつくるものは、瓜《うり》一つでもよく肥《ふと》って、内側から果肉の力がみなぎって皮までが光っていた。

後年の話になるが、漢の世になっても、かれは一介の農夫であることをつづけた。関中《かんちゅう》の長安城外に住み、瓜に凝った。その瓜はみごとなもので、ひとびとが、かれが亡秦の東陵侯であったということから「東陵瓜」とよんで珍重したほどであった。これも後年のことになるが、漢の宰相の蕭何《しょうか》が召平をその茅屋《ぼうおく》に訪ねては、政治むきのことから、一身上の保身のことまで相談したといわれる。

――召平という人は、ゆうに一国の宰相がつとまる。

と蕭何がいったといわれるし、それ以上に、万能の人ということがいえた。しかし実際にはこの乱世の中にあって多数の人間をひきつけるという要素にはまったく欠けていた。

「わしにまかせておけ」

というたぐいの粗雑なほらが、召平には死んでも吹けなかった。

そのくせ、

――わしが広陵の町をすくわねば、どうにもならぬ。

という律義《りちぎ》な使命感のようなものをもっていた。

まことに、この乱世のなかの首領たちにも、さまざまな個性がいりまじっている。

召平は、その一例といっていい。

陳勝が挙兵し、各地で反乱がおこり、広陵も動揺した。召平はすかさず広陵を占拠しようとし、失敗した。

人がかれのもとに集まらなかったのである。県令のほうが勢いを得てかれを捕縛しようとした。ともかくも、のっけからしくじった。

やむなくかれは五十人ほどの手勢をひきいて逃げた。この手勢のおもしろさは美々しく武装していたことであった。かれが財をなげうって軍装をととのえさせたためで、理由は、自分の手勢が流民とまちがえられたくないということもあったし、また他日、陳勝に合流するとき、たとえ小勢とはいえ儀容が堂々としていれば粗略にあつかわれまいという計算もあった。かれは実務にこそうとかったが、そういう機微に通ずるところがあり、そのような面での準備はまことに綿密であった。

かれは陳勝の軍に投ずべく広陵を脱出し、各地を流浪《るろう》したが、流浪はこの教養人にとって荷が重すぎた。流浪することは、同時に掠奪《りゃくだつ》することであらねばならないが、かれはそれを好まなかった。しかし掠奪せねば餓えるし、また逆に他の流賊団から襲撃されて、それと戦わねばならず、陳勝のいる場所へ接近することじたいが、難事業であった。

そのうち、秦の官軍が函谷関《かんこくかん》からあふれ出てきて陳勝の軍をいたるところで撃破したため、召平の小さな隊は、渦に浮く木の葉のように、行くべき方角をうしなった。孤立することは、全員が餓えるということだった。

「呉中（いまの蘇州）で、亡楚の名将項燕《こうえん》の子孫の者が兵を挙げた」

という耳よりな風説をきいたのは、この時期である。さらにくわしく風説をかきあつめると、項燕の子の項梁《こうりょう》という者であり、智謀《ちぼう》の士であるという。

「真実、項燕将軍の子や孫なのか」

と、召平がさらに探らせてみると、どうやら事実らしかった。

「項梁のもとにゆこう」

と、かれは決心した。かれらは、揚子江の北岸にいた。古来、渡ることが容易でないとされたこの長江に、徒党とともに小舟のむれをうかべた。渡れば呉の故地であり、民族までがちがうとされている江南の天地である。

召平のことは、しばらくおく。

さて、項梁のほうである。

かれは群雄たちのなかで、たれよりもたやすくクーデタに成功した。呉中の県令の首をはねて県を制し、さらに郡を制した。郡はいうまでもなく、県をいくつかつらねた広域行政区である。項梁らの場合は、会稽《かいけい》郡であった。郡守を殺し、項梁みずから会稽郡の郡守になった。

これらのことを、あっというまにやってのけた。

――ちかごろは、項梁さまが郡守であるそうな。

と、会稽郡のひとびとは、あとになって知った。一陣の疾風がひとすじに走って行政組織の中心をくだいてしまったのである。

項梁のおもしろさは、独立して王にならず、単に秦の官僚制度上の名称をそのまま踏襲して郡守を称したことにある。

風変わりといってよいが、よく考えてみると、江南の地においては、むしろ秦の機構を使って人民に命令をくだすほうが、民情に適していたのかもしれない。このあたりは、戦国の呉や越《えつ》の故地で、その後に亡楚の版図《はんと》に入っているが、言葉も、楚の言語とすこしちがっている。呉越のひとびとは集団になれば剽悍《ひょうかん》であったが、個々には羊のようにおとなしい。

かれらが上の命令には忠順であるという共通の性格を項梁は知っていたのである。

——こういう場合は、時をおくべきではない。

と、項梁は考えていた。

「車輪のようにまわるべきだ」

と、項梁はいう。副将格であるおいの項羽は、そのために存在した。

「項羽よ、江南をことごとく斬《き》り従えてしまえ」

と、おいに命じた。おいは何頭もの換え馬を乗りかえては乗り潰《つぶ》し、江南全域を駈《か》けまわって鎮撫《ちんぶ》をした。

すでに集まる者は、八千である。かれらの食糧は、稲の国である江南の地がゆったりとまかなってくれるに相違ない。

（あせることはない）

項梁は、おもっていた。揚子江を北へわたれば流民のるつぼで、そういうなかへ斬りこんで行っても、軍糧を求めることが困難であった。それよりもしばらく江南にとどまってこの地を項氏にとっての金城湯池《きんじょうとうち》にし、民を馴致《じゅんち》しておくほうがよい。

項羽にも、

「われわれは、当分、江南に蟠踞《ばんきょ》するのだ」

と、言いきかせていた。勢力をたくわえてうずくまっていれば、江北の沸騰《ふっとう》のなかで消長している諸勢が、項氏の実力をきき伝えてむこうからやってくるにちがいない。まことに項梁はぬけめのない男だった。

会稽の山水を楽しみながら、関心は揚子江以北にあり、多数の探索者を出していた。関心の第一は、陳勝の動向だった。陳勝の勢威が、枯野が燃えさかるように熾《さか》んな時期である。

そのうち、探索者から、陳勝が、亡楚を復興するということで「張楚《ちょうそ》」という国名を号した、という情報を得た。

「張楚」

項梁は、くびをひねった。

「どうも熟しない名前だ。なぜ単に、楚といわないのか」

探索者にきいた。この探索者はもとは江北の湖沼《こしょう》地帯の小作人だった男で、江南にながれてきた男である。小作人としての共感があるのか、陳勝びいきであった。

「にわかに楚と号すれば、楚の名族がいやがることを陳勝どのは知っているのではありますまいか」

と、いった。

「つまりは、遠慮か」

と、項梁は反問した。項梁は、陳勝という人間がどういう性格の、どれほどの器量の男であるかを理解しようとしている。その点、このあたりは重要な機微といっていい。つまりは亡楚の旧貴族に遠慮をする男か。さらにはその遠慮は性格的なものであるのか、それとも計算か。……おまえはどう思うか、と項梁がきくと、探索者はしばらく考えてから、

「計算でございましょう」

と、いった。

(とすれば、陳勝は思ったほどには小人物ではない)

項梁の中の陳勝像が、すこしずつ目や鼻をつけて輪廓《りんかく》ができてゆくようである。探索者は、さらにいった。

「張楚というのは、楚の勢威を張るという意味でございます。張る、という言葉はおぜいで張るということでございますから、陳勝が何もかもを独り占めするという印象が薄うございましょう?」

「いかにも、陳勝一個のかげが薄いことばだ」

「でございますから、亡楚の貴族だった方々も、陳勝に応援しようという気分に当然

なるわけで、そういう大向うを考えての名称であるかと存じます」

やがて、別の探索者がもどってきて、陳勝が、王を称した、という旨《むね》のことを項梁に伝えた。

「早くも、王を称したか」

ほんの数カ月前に挙兵した無名の農民が、もう王になってしまっている。なるほど王と称するに足るほどの広さの地面を陳勝が獲得した以上、王を称してさしつかえのないことではあったが、それにしても手軽すぎるようであった。

「楚王と称したか」

「陳王と称しておりまする」

「ほほう、陳王?」

項梁は、意外な感じがし、

(なんと遠慮ぶかいことだ)

と、おもった。もっとも陳勝の遠慮がわからぬわけでもない。楚が亡《ほろ》んで歳月が老いてしまっているというわけではなく、楚王の末裔《まつえい》はどこかで生きている。それをさしおいて楚王を称すればいかにも偽者《にせもの》くさく、陳勝はさすがにそういういかがわしさを避けたのであろう。

項梁は、本来、流浪の人間だった。女ぎらいではないが、女についての嗜好《しこう》がかたよっていた。妻もなく、従って子もない。いわゆる美人を好まず、小柄でひよわそうな、後家相といったふうの、いかにも不幸が翳《かげ》に出ている女を好んだ。家庭をなさないために、かれの女たちは各地で暮らしていて、かれの来るのを待っている。女がつねに孤閨《こけい》にいて、旅人の彼のやって来るのを待つという、その状態そのものが女にとってたまらなく不幸だが、項梁にとっては愉悦であるらしい。

呉中にも、女がいる。

市中の陋屋《ろうおく》に住んでいるのだが、項梁がこの一郡の支配者になり、もとの郡守の宏《こう》壮《そう》な第館《だいかん》に住むようになってからも、かれは女とおなじ屋根の下で住もうとはせず、自分から出かけてゆく。

奇人といっていい。

(不用心なひとだ)

おいの項羽は、危《あや》ぶんでいる。項梁の身分は、王侯にひとしい。かれを殺してその地位を奪おうという者がいないわけではないのに、もとの流浪の老書生のようにこの男はひとりで町を歩き、ひとりで女の家に入る。

これについて、項羽がたまりかねて言ったことがある。叔父上はなぜ妻を迎えて一家をなそうとなさらないのか、せめて妾《しょう》を室に入れようとされないのか、身が王侯にひとしくなってもなお市中をひとりでお歩きになるなどは威信にかかわる、さらには身の安全からいって卵を岩の上でころがしているようなものだ、といった。

項梁は他のことにかこつけて適当にあしらっていたが、ついに、

「羽《う》よ」

と、いって、手まねきして跪《ひざまず》かせた。項梁は中腰になっておいの耳もとに口をちかづけ、ささやいた。

「おれには、子だねがないのだ」

と言ったとき、この初老の男が、少女のようにはずかしそうな表情になり、すぐさま座にもどってそっぽをむいた。表情が暗くにごっていたのは、自分への嫌悪《けんお》のせいであったかもしれない。

漢民族の社会にとって、この時、子だねが無いというのは、人倫の上で不具にちかったのかもしれない。先祖崇拝こそこの文明の形而上学《けいじじょう》であり、宗教であった。先

祖の祭祀《さいし》を絶やすことが不孝の最大のものとされた。子孫を作れないということは祭祀をする能力がないということであり、項梁は自分のそういう欠陥を感じすぎる男で、そのために家まで成そうとしない。

「いわば、人としてはずれ者だ」

項梁は、目を据えていった。項燕《こうえん》の子として、没落貴族とはいえ、かれは項氏の長者たるべき位置にあるが、しかし子がなせないために自分をひそかに項氏の家系上の外れ者としている。

「が、たとえそれが無くとも」

妻を迎え、家族をつくればよいではないか、と項羽がいうと、「それは、お前のために妻というものを迎えないのだ」と項梁はいった。

項梁によると、自分は天下をとる、もしこの会稽郡の郡守として妻を迎えれば妻は皇后になる、となると妻の一族というものが勢力を占め、結局、自分が後継者だと思っている項羽をないがしろにするか、悪くすれば殺すはめになるだろう、というのである。

「ゆくゆくお前に項氏の祭祀をさせる。わしはお前を太子にするための外れ者でいいと自分で思っている」

この話は、外れ者を自認しつつ皇帝になるというのである。項梁の話はつねに筋道が立ち、規模も大きかったが、しかしその女好みのかたよりに似て、どこかいびつで、どこか寡欲《かよく》で、隠者《いんじゃ》めいていた。隠者めいた男が古来王朝を興《おこ》したことがあったろうか。

(叔父は、本気で皇帝になろうと思っているのだろうか)

項羽のように他人の気持を斟酌《しんしゃく》しない男でも、項梁のこの点については、首をかしげざるをえない。

(変わったおひとだ)

と項羽は思いながら、かといってこの叔父を尊敬する気持には変わりがなかった。

召平《しょうへい》の身の上に、もどる。

揚子江を漕《こ》ぎわたった召平が、まず感じたのは、この水田地帯に流民のいないことであった。

「別天地だ」

と、江南の野を見はるかしながら、配下の者にいった。この土地の静かさは一つは食糧が豊富であるということにもよるが、ひとつには項梁・項羽の鎮撫《ちんぶ》がよく行きとどいているということでもあるだろう。項梁が智謀《ちぼう》の人であることは、召平もきいている。しかし項羽の勇猛無比の武威がなければこうはゆくまいとおもわれた。

(項氏の叔父とおいは、車の両輪であるらしい)

と、おもった。

やがて県中の城壁にちかづいた。江北の県城にくらべると、城壁も粗末で、ぜんたいに鄙《ひな》びていた。城門に、多数の番士がいる。召平は城壁の下に立ち、城門の長《おさ》をよび、私は東陵侯召平である、と名乗り、やがて威儀をあらため、

「謹め。——」

と、いった。

「陳王の勅使として参った」

むろんうそで、召平が考えぬいた智恵であった。

召平がおもうに、いま、一見、中立を保っているかに見える項梁の江南軍を江北のるつぼの中にたたきこまなければ、陳勝が秦軍のためにつぶされてしまう。召平は、すでに秦にそむいた。秦が勝てば殺されるにきまっている。秦を倒すには陳勝をもりたてるよりほかなく、そのためには項梁の江南軍を北上させねばならない。それには項梁に対し、陳王から命令がくだった、とするしかない。

（しかし、陳王という名で、項梁ほどの名族の裔《すえ》がおそれ入るかどうか）

不安があったが、しかし城門を通ったあとの遇され方はすみずみまで鄭重《ていちょう》であった。やがて旧《もと》の秦の郡衙《ぐんが》に案内され、上席に据えられた。いうまでもなく、帯剣のままである。召平が勅使として遇せられているのかはともかく、非常な厚遇をされていることはたしかだった。

堂内は、くらい。

やがて下手《しもて》のほうで観音扉《かんのんとびら》がひらき、陽光が堂内に射《さ》した。その陽光を背にして、一人の男が進み出てきた。剣は帯びていない。

丸腰であるというのは、召平を「勅使」として尊んでいる証拠ではあるまいか。

入ってきた人物を、

（項梁だな）

と、見当をつけた。その人間を量《はか》ろうとして目を据えている。思ったより小柄で、瘦《や》せているので、身が軽そうである。頭が鉢《はち》びらきで、このため冠《かんむり》のつけぐあいが不格好であった。

項梁は、召平の前までくると、両ひざをまげて床《ゆか》につけ、ゆっくりと上体を倒した。拝《はい》の礼であった。

（おお、おれをやはり勅使として遇するのだな）

項梁は、ひたいを床につけたのである。もしつけたままじっと動かずにいれば稽首《けいしゅ》で、勅使に対する礼であった。ところが項梁は、トン、とひたいで床を一つ叩《たた》いて、上体をあげてしまった。これならば頓首《とんしゅ》の礼にすぎない。頓首は貴人同士の相互礼である。つまりは、召平を勅使とは認めず、したがって陳勝を王として認めていないことになる。

「お待ちあれ」

召平は、いくぶん、泡《あわ》を食ったようにしていった。

「項梁どの。拙者は陳王の勅使として参っております」

「東陵侯召平どの」

と、項梁は、聞こえなかったようにして、召平の名をおもおもしくよんだ。東陵侯にお会いできてこれほどうれしいことはございませぬ、といって立ちあがり、さあこちらにわずかばかり田舎の酒と肉とを用意してございますから、どうぞ、と召平の手をとろうとした。召平はますますあわて、

「項梁どの、拙者は勅使でござる。形だけでも謹んでくだされ」

（形だけ……？）

項梁は、考えた。べつに陳勝に抗《あらが》うつもりは毛頭ないが、勅使というだけでもばかばかしい。

ともかくも、ここでは召平が持ちこんだ話だけを聞けばよい。形だけというが、その礼をとれば項梁は陳勝の臣下になる。礼をとる前に、まず話の内容をきいておかねばならない。

「礼をとる前に、その勅命とやらの内容を、お洩《も》らし願えまいか」

項梁は、いった。

「勅命を洩らす？」

召平は、とまどった。そんなばかなことは聞いたことがない。勅命の重みがなくなるではないか。

「召平どの。では、この堂内に仮りに拙者がおらぬとせられよ。貴殿はそこにあって、独りごとを申されよ」

（項梁というのは、策の多いひとだな）

召平は、おもった。策の多いのは読書をしすぎたせいかもしれない。その点は、自分に似ている。

それに、笑顔が、透きとおりすぎている。欲の寡《すくな》いせいかもしれず、このにおいは策士には適《む》いても、あるいは百万の総帥《そうすい》になるにはどうであろう、と思ったりした。

「では、ひとりごとを申します」

召平は言い、視線を梁《はり》のほうにただよわせつつ喋《しゃべ》りはじめた。

「陳王は、楚を興《おこ》そうとしておられる。しかしいまだ楚王ではなく、ことさらに国号を張楚としている。このあたり、微妙といえまいか。張楚とは、楚であるのか、それとも楚の権《かり》の名称であるのか」

（ああ、召平とは理屈の多い男だ）

聴きながら、項梁は召平の重量を軽く見はじめた。こういう場合、ずばりと肝心のことをさきにいうべきなのだが、要するに召平は読書人にすぎないのではないか。しかしなにやら自分に似ているようでもある、と思った。

召平は、つづける。

「張楚は、楚を興す準備の一段階であるゆえ、その官制は秦制によらず、楚制によりたい。かつての楚にあっては、官の最高職である丞相《じようしよう》のことを上柱国《じようちゆうごく》という」

（上柱国。……）

項梁はひさしぶりでその長ったらしい音《おん》をきき、懐《なつか》しさが胸にあふれた。楚は、言語が他国とちがっているのである。

召平はいう。

「何人《なんぴと》に上柱国を命ずべきか。楚は秦と異なり、胤《たね》と家を重んずる。楚の勲爵《くんしゃく》の家々は多く草莽《そうもう》に消え、たまたま世が乱れて項氏が顕《あら》われ出た。項梁たまたま江南に移って、衆のひとしく仰ぐところとなっている。よろしく卿《けい》は楚の上柱国に任じ……」

項梁は、撃たれたように平伏した。

「ただちに兵をひきいて秦を滅すべし」

そこで、箏《こと》の糸が切れたように召平の声がとまり、堂内は静かになった。顔を伏せながら、項梁は鼻の骨にひびくほどに、自分の呼吸が荒くなっていることがわかった。

（なるほど、勅というのは、そういうことだったのか）

かれは身のうちにもぐりこむようにして考え、これは受けるべきだとおもった。江北の戦乱のなかに消長しているのは、すべて流賊である。その流賊の最大の者——陳勝——から楚の官職をもらうというのは妙なものだが、しかし楚の上柱国といえば、いかにも流賊とは思えまい、正統、筋目、もしくは歴《れっき》とした義軍の将、といったにおいを帯びるではないか。任命したのは、王としてはいかがわしい陳勝であるとはいえ、任命されるおれは項氏の嫡系《ちゃっけい》である。陳勝も、おれを上柱国にすることによって、陳王としての権威を増すという利益をうける。ともかくも、楚の上柱国という権威ある旗をかかげて北進すれば、群雄はあらそって傘下《さんか》に入ってくるにちがいない。

「謹んで、おうけつかまつる」

と、項梁は辞儀を正していった。

「むろん、印《いん》も綬《じゅ》も、用意してきております」

召平がとりだそうとしたが、項梁は押しとどめた。これには儀典が必要だった。配下の将領たちはむろんのこと、士卒のはしばしまで呉中城の内外に大参集させ、車騎をつらね、彩雲のように旌旗《せいき》をなびかせ、湧《わ》くように楽を奏して盛大にこれをとりおこなわねばならない。できれば四方に人を派遣して、江南の項梁が楚の上柱国になったことを群雄に報《し》らせねばならない。

「その儀式の日をもって、北進を開始することにします」

と、項梁はいった。

項梁は、項羽を召平にひきあわせるべく、南方の戦線に使いを出した。

毎夜、召平に対する宴会がつづいた。接待員は、ことごとく項梁の配下の将官級の者たちである。

たいていは項梁が呉中の町でひろいあげた者たちだが、召平のみるところ、みごとった。


な人物が多かった。

（やはり、項梁はなみの男ではない）

召平は、おもった。はじめ項梁の読書人くささが召平の気に入らなかったのだが、これだけの将領を泥中《でいちゅう》からひろいあげて作ったというのは、項梁の凄《すご》さといってよかった。


たとえば、鍾離昧《しょうりまい》（鍾離が姓）という者がいる。容貌《ようぼう》は婦人のようながら、目もとに名馬のような悍気《かんき》があり、そのくせ物腰が丁寧で、話題が豊富だった。

「わたくしは、昧と申します」

と、杯《さかずき》を寄せてきたとき、

（妹《まい》？）

と、同音のことばをおもいだすほどにやさしい声だった。

そのくせ、召平は威圧を感じた。両眼が吸いこまれるように大きく、ことばにしずかなリズムがあった。

（この男は、智将であるとともに、三軍を叱咤《しった》する勇将だ）

と、おもった。

きいてみると鍾離昧は呉中の人でなく、伊盧《いろ》の人である。諸方に友を求めて流浪していたらしく、召平が話しているうちに、共通の知人が多いことを知った。みな秦を怨《うら》む六国《りっこく》の遺臣や遺民意識のつよい男ばかりで、鍾離昧がなが年、各地のそのたぐいの者を求めて交際していたということだけでも、かれがどういう男であるかがわかる。要するに、秦に対する復讐《ふくしゅう》の専門家であるらしい。

「韓信《かんしん》」

という名前も出た。鍾離昧の友人だが、召平もかつて会ったことがある。

「けたはずれの男ですよ。あのばかを」

と、鍾離昧は、愛情をこめていった。

「こんどの挙兵をしおによぼうと思って手をつくしているのですが、かんじんのときにどこに行ったかわからない」

といって、笑った。後日のことながら、韓信はほどなくあらわれ、項羽の下について転戦するのだが、項羽に冷遇され、劉邦のもとに奔《はし》ってその部将の一人になる。

接待員のなかに、季布《きふ》という男がいた。

(季布が、項梁のもとでは、人物第一等だな)

この目分量《めぶんりょう》は外れない、と召平はおもった。

季布はみるからに異相である。顔が牛のように大きく、体つきもどこか牛に似ていて、立っていながら、くろぐろと野辺にうずくまっているように見える。鍾離昧のように悍気を顔にあらわしているというようなところはないが、萱《かや》の葉で切り裂いたような切れ長の目が白っぽく、破顔《わら》うと愛嬌《あいきょう》があった。鍾離昧のようには能弁でなく、そのくせ聴き上手で、多弁な召平のことばを、全身で聴くといった風《ふう》がある。

季布は、きっすいの楚人であった。のち、季布の死後まで楚人のあいだで語りつたえられた諺《ことわざ》に「黄金百斤《きん》ヲ得ルハ、季布ノ一諾ヲ得ルニ如《し》カズ」というのがあり、ともかくも季布は然諾《ぜんだく》を重んじた。かれがひとたび承知すれば百斤の黄金を得たよりも貴重だし、たしかだというのである。その精神に、策や計算がさほどになく、それよりも任俠《にんきょう》心のほうが多量で、おそらくこういう男が野戦の将軍になれば、智謀の士も争ってかれの帷幕《いばく》に入りたがるし、士卒も季布のためならわが身を顧みないというふうになるだろうとおもわれた。

(項梁の幕下《ばっか》は多士済々《せいせい》で、とても、北方の陳勝の流民の軍のようではない)

陳勝の王廷やその軍を召平は見たことがない。しかし、項梁のこの陣営は、すでに王国の骨格をなしている。

もっとも将帥《しょうすい》ということになると、項梁よりあるいは陳勝のほうがすぐれているかもしれないと思った。天下を望むというのはばけもののような気宇《きう》と気力と、ふしぎな運が憑《つ》いているという人物にしてはじめて可能で、元来が異常人だと召平はおもっている。酒席で項梁を見ているかぎりにおいては、理解を絶した部分というのは無さそうであった。

(項梁も、むろんただ者ではない。しかしその人物によって押し上げられたのではなく、名流の末であるがために立てられているのだ)

と、おもった。

数日して、呉中城の内外に、軍勢が満ちた。戦場から項羽がもどってきたのである。

その夜、宴会場に、項羽があらわれた。

宴がたけなわのころ、入口に人々がざわめき、やがてそれらを押しわけるようにして巨漢が入ってきた。大きな船が押しこんできたようで、男が入ってくると、まわりのひとびとは、舳《へさき》に群れる無数の波頭《なみがしら》のように小さく感じられた。男は入口のあたりでしきりに冗談を言い、哄笑《こうしょう》をあげた。陳王の勅使である召平が主賓であるというのに、兜《かぶと》こそぬいでいたが、軍装のままであった。やがて男は項梁のそばに近づくと、

——叔父上、ただいまもどりました。

と、うやうやしく一揖《いちゆう》した。

召平は、主賓であるため、項羽があいさつに来るのを待っていればよい。が、項羽がなかなか来ないために、召平自身が近づいた。項梁がおどろき、あわてて項羽を紹介した。項羽は、赤い口をあけた。

「やあ」

一声、そう言っただけである。

召平は、よろけるような衝撃をうけた。召平は名家に育ったが、長じて奇を求め、好んで無頼漢や盗賊などとつきあい、無作法者には馴《な》れてきている。しかしこれほど痛烈な無作法というものに出くわしたのは最初で、とっさに度《ど》をうしなった。が、項羽はそういう召平をすら無視し、肉をつかんでは口に入れ、骨は窓のそとへ投げた。窓のそとに、くぐもるような動物の声がきこえた。

(虎《とら》か。……)

とおもったのは、項羽の印象から連想してしまったのである。

やがて、犬であることがわかった。

「犬を……飼ってござるのか」

召平は、かろうじて言った。

「え？」

項羽は、召平に気づいたように視線をむけた。

「飼っておりますが？」

ごく無邪気な表情ながら、それがどうかしたか、というふうに反問の顔つきになった。召平はあわてて手を振り、いえ、飼っておられればそれでよいのです、といった。

項羽は、無言でうなずいた。問答はそれでおわりである。召平はあとできいたことだが、項羽の犬は匈奴《きょうど》が羊番につかう犬とかで豺《やまいぬ》というにちかく、軍陣で先頭を駈《か》け、人を食い殺したことが何度かあるという。

（この男は、粗暴さを衒《てら》っているのか）

とおもったが、そういうふうでもない。

ただ召平は、項羽の帯剣には、儀礼上の感覚として、やりきれなかった。この時代、礼はのちの儒教時代ほどにやかましくはないが、公式の酒宴の作法というのは相当煩《はん》瑣《さ》なものであった。どういう理由があっても食事の場での帯剣は許されない。

（ひとつ、いやがらせを言ってやろうか）

それには、勇気が要《い》る。項羽そのものが豺《やまいぬ》かもしれないのである。召平は大きく息を吸い、

「羽《う》どの。楚人の礼では、宴席で剣を帯びるのでござるか」

そういうと、項羽は太い頸《くび》をねじって召平の顔をじっと見、やがて質問の意味がわかると、躍りあがって剣を外した。赤面し、ひどく可愛《かわい》い顔になった。まだ二十四歳なのである。

「これは、申しわけござらぬ」

項羽が素直にあやまったとき、召平は、

（さすがに項家の子だ）

と、あざやかな印象をうけた。

そのあと項羽は剣をかたわらの鍾離昧にわたした。わたされて、鍾離昧は不快げな色をうかべた。鍾離昧は、小姓《こしょう》ではない。ほんのこのあいだまでは流浪の庶民であったかもしれないが、いまは、項梁・項羽の下で一軍の将をつとめている。その体面がある。体面のためにときに人を殺し、敵に奔《はし》り、場合によっては自刎《じふん》もするというこの大陸の習慣のなかにあって、項羽は無神経すぎるといえるかもしれない。

一方、項梁は召平のそばに来、

「今後とも、籍《せき》（項羽の名）をお教えください」

と、鄭重《ていちょう》に礼をいった。さすがに貴族の裔《すえ》だけあって、表情まで温雅につくっていた。

「今日、かれが遠くから帰ってきたのを、途中で使いを出し、ともかくもいそぎ駈けつけよ、と言ったために、馬から降りたままの姿でやってきたのです」

と、剣の一件について、項羽のために弁解した。むろん、半ば本当で、半ばうそだった。項梁は、項羽に対し、陳王の勅使がきている、宴席に出よ、とあらかじめ伝えてあったのである。勅使と宴席ということであれば当然装束《しょうぞく》を変えねばならぬという作法ぐらいは項羽は知っている。項梁も項羽の姿をみておどろいたが、しかし項羽の本心はよくわかった。項羽にすれば陳勝など王として認めぬ、それが勅使をよこすとは何事か、ということだったのであろう。

(召平も、なかなかやる)

と、項梁はおもった。項羽が軍装という非礼でもって召平に面当《つらあ》てしたのを、召平は屈せずに帯剣をたしなめた、項羽は召平のそういうあたりが気に入って、気持よく剣を外したのにちがいない。……

が、召平は項羽のべつな面を見た。

(項羽という男は、おのれ一個の力量を恃《たの》みすぎ、配下の諸将をうまく御《ぎょ》そうとはしない男らしい)

そのことは、鍾離眛とのとっさの一件で察した。

宴が果て、召平はあたえられた部屋にもどって、素裸になった。厠《かわや》へは素裸でゆくのが習慣だった。厠の踏み板の上に箱があり、乾した棗《なつめ》の実が盛ってある。召平はその棗をとって鼻の両孔《あな》に詰め、口で息をしつつ、しゃがんだ。目の前が、窓である。無数の星が出ている。

(さて、召平よ)

と、自分に質問した。

(あの項梁や項羽が天下をとると思うか)

この問いで頭の中を掻《か》きまわしてみたが、何一つ答えが出なかった。この乱世にあっては何がおこるかもしれず、人間の予測など不可能で、すべては運命ではあるまいか。

この夜、宴が果てたあと、第館《だいかん》のあるじである項梁は、庶民の衣装に着更《きが》え、星空の下の町へ出た。たれも、この土地の王ともいうべき項梁がこんな夜更《よふ》けにひとり町を歩いているとは思わない。この県城の中にも町の里《り》があって、里ごとに門がある。項梁の女の家は第館が所在する里にあるために、かれは里門にひっかかることなくそこへゆくことができた。ただ、暗い露路へ入らねばならない。人間ひとりがやっと通れる通路は、突きあたったかと思うと、小枝をのばすようにしてつづいている。項梁は手さぐりで古びた板戸をみつけると、指頭でこつこつと叩《たた》いた。

「おれだ」

と、いうと、女は、この時刻でも起きていたのか、すぐ内側で桟《さん》の鳴る音がして、項梁をなかへ入れた。

女には、かすかに匂《にお》いがあった。

梅の青い実を爪《つめ》のさきで削《そ》ぎとったような匂いで、狭い室内にこもっている。項梁は、この匂いがすきだった。幼いころ、母親の肌でなじんだ匂いなのか、それとも母親の死後、育ててくれた乳母のにおいなのか、ともかくも、項梁にとって、わずかに幸福だったと思えるおさないころの記憶と重なっている。

女は、項梁がかつて泰《たい》県を過ぎたとき、まだ少女の身で市《いち》で売られていたのを、項梁に買われた。項梁が呉中に住むと、城外の畑を買い、女にあたえた。畑はもとの持主が小作をしてくれるから、女が自分で鍬《くわ》を持つ必要はない。しかしそれでも、女は草とり程度のことをしているようであった。

女は聡《さと》いというほうではない。無口で、何を考えているのかわからないし、つねに無表情だった。それでも項梁が訪ねてくると、戸をあけた瞬間、小さな歯ならびを見せて笑った。項梁は、その笑顔も好きだった。ただ女の笑いの貯《たくわ》えはそれだけで尽きるのか、あとは小壺《こつぼ》のように無表情になった。項梁は、女のそういう点も、きらいではない。

信じがたいほどのことだが、女は項梁を旅の商人《あきうど》だと思っている。項梁が県令の首を刎《は》ねて呉中県を獲《え》、さらに会稽《かいけい》郡を略取してその郡守になっているなどは、彼女は知りもしないし、知ろうともしないのではないか。

（それでいい）

項梁は、いつもそう思っている。男と女のかかわりというのは、家をなす気持のない項梁にとって、これがいちばん望ましいかたちであるらしい。もともと項梁という男には、つねに旅人のにおいがしていた。

女は旅人として項梁をとらえているし、いつか旅に出、またいつかは還《かえ》ってくる男としてしか、項梁をとらえていない。あるいは項梁という男の本質は、旅人というものではなかったか。

項梁は、女といるとき、他愛《たわい》もない冗談を言って、自分だけが笑った。そのあと、ながい時間をかけて女を愛撫《あいぶ》した。

項梁が、精を泄《もら》す気配をしめしたとき、いつものことながら、女は、

「……待って」

と、呼吸をしずめ、小さな尻《しり》をたかくした。

「よろしゅうございます」

と、息を詰めた。たねを宿そうと努めているようであったが、項梁にはそれがなかった。

そのあと溶けるように眠った。いつもなら、あくる日の夕刻までごろごろしているのだが、この日、夜があける前に起きた。横で眠っている女をもゆりおこし、

「また、旅に出る」

と、いった。

女は、寝覚めのわるいほうだった。床《とこ》の上でぼんやりすわって、項梁をふしぎそうに見ている。

「もう、夕方ですか」

「いや、逆だ。やがて明けがただ」

項梁は、黄金の顆《つぶ》の詰まった小さな革袋を女のひざの上に載せた。ひとには見せるな、と項梁はいった。うわさが立つと賊が女を殺して奪ってしまうおそれがある。項

梁はそのあと、城外の畑を小作してくれている農夫の名を繰りかえし教えた。教えられなくても女はよく知っていた。

「あれは楚の遺臣で、信頼できる男だ。おれがもし三《み》月《つき》経《た》っても帰らなければ、その男を頼れ」

と言い、床の上の巾《きん》をひろって、まげに結びつけた。

「こんどは、どちらへいらっしゃいます」

女がいつになくきいた。

「北だ。長江をわたる」

「まあ、長江を。――」

べつの国へゆくということではないか。

「――いつ」

帰るのか、ときいた。

「天下がしずまれば帰ってくるだろう」

女は、立ちあがって板戸を開けた。項梁はその戸のすきまからすりぬけ、夜明け前の闇《やみ》の中に消えて行った。ついに項梁は、この露路の奥に還《かえ》ることがなかった。

この日の午後、項梁は儀式をおこなった。あらためて勅使召平を庁舎に迎え、庁前の庭に色とりどりの旗《しるしばた》、旂《すずはた》、旃《きぬばた》、旄《けばた》、旌《とりげばた》をたてならべた。さらには数百の士官以上を堵列《とれつ》させ、城内、城外に軍兵をあふれさせつつ、楚の上柱国《じょうちゅうこく》の官を受けた。

やがて儀式がおわると、呉中城の内外の軍兵は、歓呼の声をあげた。

「大楚《タアチユウ》！」

そのあと、士卒が、一団、二団と隊伍《たいご》を組み、鳴物を入れて市中を練りあるいた。かれらは項梁が楚の上柱国になったことを心からめでたいとおもっていた。すでにおのれどもは流賊ではなく、楚の（まだ楚は実在しないとはいえ）官軍であるとも、この日から思うようになった。

勅使をうける儀式がおわると、項梁は犠牲《いけにえ》を軍神にささげて出陣の儀式をおこない、軍を梯団《ていだん》に分け、梯団ごとに逐次《ちくじ》北へ出発させた。前途を、長江がはばんでいる。揚子江という海のような流れを渡ることが、江南軍にとって、このときも、これ以後も、非常な難事とされた。

あらかじめ船団を用意しておかねばならない。

項梁は、こういう点できわめて緻密《ちみつ》な男だった。船の数と収容能力を計算して梯団をつくり、時間の間隔を置いては繰り出したのである。対岸の勢力を味方にひき入れる工作にも、ぬけめがなかった。先鋒《せんぽう》を季布《きふ》と鍾離昧《しょうりまい》がひきい、渡江してそのあたりを鎮撫《ちんぶ》して、後続軍を待った。

みごとなものであった。

やがて項梁と項羽が主力をひきい、大船団を組んで長江をわたったときは、雲がひくく、靉気《あいき》が水面にこめ、前後が渺々《びょうびょう》として南岸も北岸も見えなかった。

(もはや江南の岸は見えぬ。対岸も水のかなたにある)

項梁は、ひとり船の楼上にいて酒をのみながら、おもった。耳もとで帆と旗がはためくのみで、まわりはただ水と靉気のみであった。項梁は、杯をかさねた。楚人は一般に陽気で楽天的だが、なにごとかの関頭《かんとう》に立つとき、情感として悲愴《ひそう》を好む。悲愴と不安がないまざって血が泡立つとき、酒でおさえるしかなかった。項梁は、水を見つめていた。何等かの地物《ちぶつ》か風景がまず見えれば、それをもって前途をうらなうつもりだった。

船団がようやく長江の中心にさしかかったとき、にわかに前方に声がひびき、軽舟が飛ぶように寄ってきた。

(軽舟か)

項梁は、この舟の正体がなにかということで、前途の運を占おうとおもった。舟には伝令と使者らしい人物が乗っていて、やがて項梁の船にのぼってきた。

「東陽の陳嬰《ちんえい》どのからのお使者でございます」

と、伝令がつたえた。

項梁が使者を楼上に案内して、陳嬰の手紙を読んだ。東陽の健児二万とともに合流したい、という。

「陳嬰とは、どういうお方か」

と、項梁は使者にきいた。使者は、陳嬰が東陽県の地役人であったこと、徳望が数十里におよんでいたこと、ひとびとが王に推戴《すいたい》しようとしたが、母がこれを好まなかったために、みずからは単に東陽軍の引率者になり、一軍をあげて項梁に献上しようとしていること、などを語った。

項梁は、ことさらに喜びの色をみせない。

「……母上が」

項梁は、ふしぎなことばをきいたようにおもった。

「それは、至《し》なる孝というべきだ」

「御旗のもとに加わってよろしゅうございますか」

使者は、きいた。

「言うにゃ及ぶ」

項梁はうなずいた。

「厚く遇したい」

とのみ言った。使者の顔に感動とよろこびの色がみなぎった。それ以上に項梁は、わっと叫びたいほどの気持をおさえるのに、したたかに苦労した。幸先《さいさき》よしと言えるのではあるまいか。

楚《そ》の武《ぶ》信《しん》君《くん》の死

長江をわたった項梁《こうりょう》とその軍は、北進した。途中、大小の流民団を吸収しつつふくれあがった。

「項梁どのは、ただのお人ではない」

という評判が、四方にとんでいた。項梁が亡楚の項燕《こうえん》将軍の遺児だということも多少あるが、それよりも人柄に固有の品があって、どこかなぞめかしい。

ただ惜しいことに項梁は雄大な体軀《たいく》をもっていない。この時代、将軍たる者は見るからに軀《く》幹《かん》長大で強悍《きょうかん》であるか、それとも神人《しんじん》かとおもわせるような異相をもっているか、そのどちらかであることが望ましい。一見、老書生としかみえない項梁は、その点では百万人に仰がれる条件を欠いていたが、しかしそのことはほんのわずかな留意で補うことができた。できるだけなまの姿を衆目に曝《さら》さないことであった。

——なんだ、あれが項梁かえ。

と、ひとびとの心にわずかな失望の気でも生じれば、何万という単位のなかでは、張りつめた壮気が萎《な》えてしまう場合がある。

この点、項梁は心得ている。かれの存在は、一軍のなかでそこだけが霧につつまれたようになっている。行軍中は、項梁は、かつて始皇帝《しこうてい》が乗っていた轀輬車《おんりょうしゃ》のようなものに乗っていた。そこでかれは作戦を練り、諸将への命令を出し、食事をし、ときに午睡した。

(おれの体も、なまってきたな)

と、ときにおもわざるを得ない。若いころに剣技で鍛えたはずの体も、ながい流浪の暮らしで鈍《なま》ってしまったし、それに齢《とし》ということもあった。終日、車に揺られていると、腰のあたりが溶けそうになるほど疲れた。疲れは、累積《るいせき》した。疲れると気が滅《め》入《い》ってきて、これほどうまくいっている状況のなかでも、

(もう、どうでもいいではないか)

と、茫漠《ぼうばく》とした退嬰《たいえい》の思いのなかに陥《お》ちこんでしまう。たとえ秦を倒《お》さなくても楚を興《おこ》すだけでいい、それだけでいい、といったような、余人には洩《も》らしがたい思いにとりつかれるのである。

滞陣中は、ときどき蒸発した。自分に言いきかせている理由は、すこし歩かねばかえって疲れる、ということであったが、しかしこれはかれの骨髄《こつずい》に食い入っているような性癖で、ときに独りっきりにならねば気ぐるいするように鬱《うつ》してしまう。日没前後にただの農民の衣服に着かえ、夕闇《ゆうやみ》の中で兵士のむれの中に入ったり、あるいは残光を頼りに山野を足早に歩いていたりすると、鮠《はえ》がもとの流れにもどってひれをいきいきと動かすように、よみがえったような思いがした。

そういう項梁でも、淮水《わいすい》を北へ渉《わた》ったときばかりは、遠い北岸の緑の線をのぞんで渾身《こんしん》に壮気が満ちた。

淮水をわたればすでに、人文の粗放な南方の蛮地《ばんち》ではない。漢民族の文明の中心ともいうべきいわゆる中原《ちゅうげん》にちかい。はるか北方には黄河《こうが》の長大な下流がうるおす平野がある。淮河《わいが》はその南方にあり、黄河・淮河のあいだの平野こそ古来この大陸の民族が耕しぬき、覇《は》を争ってきた文明の大空間といっていい。要するに淮河は、この大陸における南北の分割線をなしているのである。

(江南の長江《ちょうこう》は大きすぎる。真に人間を益する河というのはこの淮河のことだ)

と、項梁はおもっている。黄河は東流する。淮河もまた東流するのである。黄河と淮河のあいだには、もつれた糸のかたまりのように無数の河川が北流し、南流し、それぞれの河畔に無数の都邑《とゆう》が発達した。項梁とその軍は、そのまっただなかに踏み入りつつある。

淮河をわたってほどなく、

「黥布《げいふ》」

という人の名をきいた。黥《げい》とは、入墨《いれずみ》のことである。江南に棲《す》む非漢民族——たとえば越人《えつ》——ならば顔やからだにいれずみを施し、水にもぐって魚介を獲《と》る。しかし漢民族にはそういう蛮風はなく、黥を施した者といえば受刑者しかない。黥布は六《りく》(安徽省《あんき》)の人である。ほんとうの姓は、英《えい》であった。名前の布《ふ》は貨幣の一種だからじつにおぼえやすく、六では名物男であった。

英布は肩が山のように盛りあがって、力が強く、気が荒くて虎《とら》のような野性を持っている。少年のころから尋常に世を渡れるような人間とはとても思われなかった。人相見なども、

——この子は長じていれずみ者になるだろう。

と、予言した。さらに、

——刑罰をうけたあとに、王になる。

とも言いそえた。

布は長じてごろつき仲間をひきいて横行し、ついに秦の役人にとらえられて入墨をされ、他の囚人とともに縄を打たれ、始皇帝の驪山陵《りざんりょう》の土木工事にこきつかわれた。たちまち囚人仲間の親玉になり、やがて「いれずみの布」といえば驪山の飯場で有名だったらしい。

「黥布」

というよびかたは、その土木現場でできた。

陳勝《ちんしょう》が蜂起《ほうき》する前後、黥布は、飯場を逃げた。かれを慕う囚人どもをひきいて各地を転々し、盗賊働きをしていたが、さらに広範囲に流賊をかきあつめようと思い、それには有徳《うとく》の者をかつぎ出すにかぎるとおもった。番陽《はよう》県の県令に呉芮《ごぜい》という人物がいて「番君《はくん》」と尊称されていた。布はこの人物に謁《えつ》し、これをかつぎ、さらに勢力をふくれあがらせているうちに亡楚の遺臣の項梁の名を知った。さらには項梁が江南の健児をひきいて北上し、日に日に勢いを増していることをも知り、使いを出して、自分を売りこませた。

（黥布か）

項梁は、その名前の物凄《ものすご》さから人物を察した。さらには使者からその力量と性行をきいていよいよ期待した。この時代の軍には、先駆《さきが》けして敵の堅陣をぶちやぶる猛獣のような野戦将軍が必要であった。項梁軍の場合、さいわいおいの項羽《こうう》がいる。しかし数方面の作戦をおこなう場合、破砕力は項羽ひとりでは不足で、不足以上に不便であった。項羽の部隊だけが驀進《ばくしん》して他の部隊がとりのこされるために、かえって作戦に支障をきたした。猛将は複数であることがのぞましかった。

やがて黥布がきた。項梁はひとめ見て、

(これは、人間のばけものだ)

と、感じ入ってしまった。

項梁は酒肴《しゅこう》を用意して黥布と一夕《いっせき》をすごした。黥布は無口で、ただひたすらに物を食い、酒を飲み、陪食《ばいしょく》する諸将の談論をむっつりした顔で聴いていた。項梁は、これは馬鹿《ばか》かな、と不安になったが、しかし話のかんどころで、沁《し》みとおるような笑顔をつくった。

(ばかではない)

と、項梁は安心した。人の話のどういう場所にユーモアを感ずるかということで、その人間の格調が察せられる、というのが、項梁の人間観察のやりかたの一つだった。

項梁は、黥布を大いに優遇し、項羽とともに先鋒《せんぽう》大将のひとりに任じた。

項梁《こうりよう》の軍はいよいよふとる一方で、とりあえず根拠地として下邳《かひ》（江蘇省）をえらんだ。

下邳は、泗《し》水《すい》に面している。こんにちなお邳県という名でこの都市はのこっているが、春秋戦国のころにもっとも栄え、邳国の国都として繁栄を誇り、秦になって県城になった町である。

名邑といっていい。この時期、劉邦《りゆうほう》に属してのちその謀臣となるにいたる作戦家の張良《ちようりよう》（字《あざな》は子房）は、この町にゆかりがある。韓《かん》の貴族であった張良はかつて秦の始皇帝を殺そうとし、力士をやとい、百二十斤《きん》の鉄椎《てつつい》をもって始皇帝の車を撃とうと企て、博浪沙《はくろうさ》において襲撃してみたが失敗した。張良は奔《はし》ってかくれ、名を変えてこの下邳に潜居し、町のやくざ者などとつきあっているうちに、隠士黄石《こうせき》老人に会い、兵法の書を授かった。

むろん、項梁はこの時期、張良というおそるべき作戦家の名も存在も知らず、それが劉邦の幕下にいてのちに項羽をくるしめるなどということは、知るよしもない。

項梁が下邳を大本営にしたときに、おどろくべき情報を得た。

「陳勝が大敗し、行方も知れない」

　という。

「陳王の軍を砕いたのは、秦の章邯《しょうかん》将軍でございます」

と、報告者はいったが、項梁には章邯の名などどうでもよかった。陳勝こそは亡楚の代表者になっている。国を「張楚《ちょうそ》」とし、項梁を上柱国（宰相）に任命したということで、項梁にとってはまだ謁していないとはいえ、主君といっていい。もっともその上柱国の任命も浪人者の召平《しょうへい》の詐略《さりゃく》で、当の陳王自身も知らないのだが、項梁にとってはどちらでもよかった。やがては合流しようとおもっていた陳王とその勢力が消滅してしまったということのほうが、事実としてははるかに大きい。

（どうすべきか）

　と、項梁は、かつて県令の殿舎だった建物の奥でひとり考えた。

が、結論を得ない。項梁は智恵《ちえ》ぶかい男ではあった。しかしとっさにかんでもって機敏に結論を出すたちの頭脳ではなく、長い思考の経過を必要とした。ときにひねもす思案している。そういう場合、一見、なまけものとしか見えないような体《てい》をとった。陽が高くなるまで朝寝をしたり、日中も寝台の上に丸太のようにころがって、睾丸《こうがん》を鷲《わし》づかみにしては伸ばしたり、ときにひとりで哄笑《こうしょう》したりした。見様によっては痴愚《ちぐ》とかわらない。

そのうち日が過ぎた。相変わらず陳王の生死がわからない。やがて陳王のかつての配下だった秦嘉《しんか》という男が、景駒《けいく》という人物を立てて楚王にした、という情報が入った。

そのとき、項梁は、

(陳勝は、その連中に殺されたな)

なんとなくおもった。

(陳勝が死んだとすれば、おれが亡楚の代表者か)

項梁は、そう考える。それを世間に公認させるには百戦を経なければならないが、項梁はともかくもそう考える。世間に認めさせる道はひとつしかない。秦の正規軍と決戦してこれを撃破することであった。

——戦って勝つ以外に、志を天下に認めさせる方法はない。

項梁も、そのことはよくわかっている。

しかし眼前の事象にもとらわれざるをえない。

情報によれば「楚王」をかついでいる秦嘉軍は方与《ほうよ》(山東省)やら定陶《ていとう》(山東省・いまの定陶)やらのあたりで流動して土匪《どひ》化し、秦の地方軍と一勝一敗をくりかえしているらしい。このことも項梁にとって重要な眼前の事象であった。

(その秦嘉とやらいうやつを討つか)

項梁は考えた。本来なら秦軍こそ共同の敵で、各地の流民軍はたがいに滅秦の同志として結束すべきであったのだが、項梁には、

——楚王をそうむやみに称されてはこまる。

という痛烈なおもいがあった。景駒なるえたいの知れぬ者を楚王として世間がみとめてしまえば楚の「上柱国」である項梁はその傘下《さんか》に入らざるをえないではないか。

項梁は決心した。黥布《げいふ》に討伐を命じ、命ずるにあたって、

「兵が足るまい」

ときくと、黥布は大丈夫です、といった。かつての陳王の傘下にあった大軍が四散して無数の鼠賊《そぞく》になり、あちこちの農村にもぐりこんでかろうじて食っている。かれらは身を寄せるべき人をさがしています、それらを糾合してゆけばたちまち大軍になるでしょう、と黥布はいう。黥布ならずとも、たれでも考えつく思案であったが、しかし、項梁はこの乱世の道理に気づくことが黥布より遅かった。

(なるほど、そういうものか)

項梁は内心おもい、顔をあげて、「自分もそれを考えていた」と言い、そのあとい

そぎ檄文《げきぶん》を書いた。項梁の思案は、いつも遅い。

――秦嘉は敗残の陳王にそむき、他に奔《はし》って勝手に楚王を立てた。大逆無道というべきである。予は天に代わってこれを誅《ちゅう》する。よろしく義士は予の旗のもとに参集せよ。

というものであった。これを四方に飛ばし、かつ黥布を将とする派遣軍の先頭にかかげてゆけば、かつての陳王傘下の敗残兵はことごとくあつまってくるにちがいない。

檄文における大逆というのは王にそむいた者をいう。陳勝というかつての農民は、王を称してわずか六カ月にすぎなかったが、項梁はこの文章の中で、累代王朝をつづけてきた王であるかのように陳勝を尊び、尊ぶことによって、秦嘉や景駒の徒を謀《む》叛《ほん》人として位置づけした。この論法はむかしからこの大陸においておこなわれてきた檄文のすじだてで、項梁はその型をまねただけであった。

（陳勝は、死んで尊貴になった）

と、項梁はおもった。

まず最初に起《た》ちあがって反秦の反乱を天下に誘発させた功の大きさははかり知れないが、さらには、敗亡してもなおその名前の利用価値がこのようにあるのは、陳勝の力量ではなく、時運であった。死んで項梁がこれをかつぎ、仇《あだ》をうつというのも陳勝の力量以外の時勢の作用であった。

　黥布は、みごとな働きをした。

　かれは各地で陳王の兵を吸引しつつやがてかつて魯《ろ》（山東省）とよばれた地域に乱入して秦嘉を攻め、胡陵《こりょう》（山東省）でこれを殺した。かつその兵の降伏をゆるしてよりいっそうに軍を大きくした。景駒はのちに梁《りょう》の地ににげこんで死んだ。

　黥布は、成功した。

（あのばけものが大勢力を得てはこまる）

　後方にあって項梁はおもい、あわてて下邳《かひ》の地をひきはらい、黥布のあとを追うように、黥布の占領した胡陵の町に本営を移した。わるくいえば項梁は黥布の成功を横どりしてその上に乗っかったようなものだったが、黥布には人のよさがあって、べつになんとも思わなかった。

　それよりも、黥布はこの戦勝の勢いをもって遠く西へゆき、秦の章邯将軍と決戦しましょう、と項梁に提案した。

「あわてることはない」

　項梁はいった。

「秦軍など、いつでも潰《つぶ》せるのだ」

項梁は、なかば本気でいった。項梁の自信は、肥大してきている。いままできわめて偶然ながら秦軍の空虚であった地域ばかりを行軍し、そういう地域でたまたま出遇《であ》った秦の地方軍の小部隊を追い、途中、流民をあわせ、さらには流民軍の一派にすぎない秦嘉・景駒の徒を討ってこれに勝った。そういうかたちでのいわば安易ないくさをつづけてきた。秦の正規軍とは衝突したことがなかったが、しかし、

(秦の章邯になにほどのことができるか)

と、おもうようになった。なるほど陳王の軍は章邯のためにくだかれた。が、それはいくさを知らぬ陳勝だから敗れたわけで、項梁の楚軍はそういう手合とは軍隊としての素質がちがっている、と項梁は考えている。

(おれは、常勝将軍なのだ)

とおもいながら、自信の片面には、穴へ暗く陥ちこんでゆくような不安があった。兵数がほしい、ということである。秦軍の倍はほしい。秦の章邯将軍は、三十万の兵をうごかしている。項梁は、十万でしかない。この十万を六十万ほどにふやすにはどうすればよいか。

(黥布のような徒には、この思案がわからぬ)

と、項梁は考える。項梁が、この大切な時機に、諸事、てきぱきと軍をうごかすことができない、という理由も、項梁にすればここにあった。

兵数をふやすのは、簡単といえば簡単であった。

西進すればいい。西へ西へと手負いの虎でも走るような勢いで驀進すればよいのである。

西方——関中に入る途中の黄河流域——には、秦王朝が全土からかきあつめた穀物倉庫と塩の倉庫が、数珠玉《じゅずだま》のようにならんでいるのである。滎陽《けいよう》の敖倉《ごうそう》、安邑《あんゆう》の根倉《こんそう》、おなじく涇倉《けいそう》。穀物以外では澠池《びんち》の塩倉。さらには洛陽《らくよう》、宣陽《せんよう》、皮氏《ひし》、夏陽《かよう》といった町々には国家管理の鉄が集積されている。

鉄はともかく、その西方の穀物と塩をおさえれば、百万の流民の胃を満たすことができ、その流民の半数が若いとしてこれらに兵器をもたせれば秦軍を容易に撃ちやぶることができる。

ところが、秦はそれを放置しているわけではない。章邯将軍は、その西方の倉庫地帯にあって右の倉庫群をまもるために大軍を擁しているのである。ときに展開し、ときに集結して守備し、ときに遊撃軍をうち出してかれら官軍のいう土匪軍をうちくだいている。陳勝もその倉庫群をつかみとろうとして章邯の大規模な反撃をうけ、こなごなにうちくだかれてしまった。要するにこの倉庫群さえ奪《と》れば天下を得たようなものであった。しかしそのためには章邯の大軍と決戦しなければならず、それには兵数が足りず、項梁の長思案《ながじあん》は、この点でのゆきつもどりつにあったといっていい。

項梁の本営は、依然として東（魯の地域）にある。下邳《かひ》から胡陵に根拠地を移したが、たちまちそのあたりの食糧を食いつくしてしまった。

どの地方が食糧がゆたかかということについても、項梁は多くの探索者を派遣して情報をあつめている。その結果、

——薛《せつ》がいい。

と、かれは判断した。

これにより、薛にむかって大軍が移動しはじめた。この大流民団をひきいて食い歩くということで、段取りをすこしでも誤れば一軍が飢民《きみん》化し、戦わずして項梁はほろびてしまう。移動しながら、項梁はひそかに、

（おれの長思案も、そろそろやめにしたほうがいいかもしれない）

と、おもうようになった。決戦への待ち時間を稼《かせ》ぐのもいいが、長びけば諸方を食いつぶして自滅してしまうのではないか。

この間、項梁の軍は、むろん不戦状態だったわけではなかった。

各方面軍は前線にあって駈けまわっている。たとえば項羽とその軍などは、休む間もないほどであった。

項羽軍は本営からもっとも西方に離れたところにいる。前記官倉群のひとつではないにしても、その次位に位置するほどの大きな穀倉をもつ襄城《じょうじょう》（河南省）という県城を、火の出るような勢いで攻めつづけていた。目的は、露骨に食糧をうばうことしかない。秦軍の一支隊が襄城の城壁をよく守り、容易に陥《お》ちなかった。

ところが項梁が薛への移動中、ついに項羽が襄城を陥とした、というしらせを受けた。

「さすが、わしのおいだ」

項梁は大きく一声をあげて笑ったが、すぐ笑いをおさめ、真顔になった。落城後に項羽がやった秦の降伏兵の始末が、すさまじすぎたのである。何千という降伏兵を縛り、城外に大きな阬《あな》を掘ってことごとく阬《あなうめ》にして殺してしまったという。阬《あな》という名詞がイキウメニスルという動詞に使われるほど、この大量殺人法がやがて項羽によって、二度、三度とおこなわれるのだが、しかしこの方法は項羽の独創ではなかった。

阬がいつごろがはじまりであるのか、よくわからない。上代は殉死者を生きながらに阬にしたということはあったが、刑罰としてこれをやったのは、すくなくとも記録の上では始皇帝が最初であった。儒教の学者四百六十余人を咸陽《かんよう》の郊外につれて行って、阬にした。その地（いまの陝西省《せんせい》臨潼県《りんとう》の西南）は唐のころから阬儒谷《こうじゅこく》とよばれるようになっている。

項羽がやった理由は、始皇帝のように刑罰ではなかった。生かしておけばせっかく襄城において獲《え》た穀物をかれらも食う、というだけが、かれにとっての理由であった。

ただし、項羽は、一個の人間としては陽気であかるい男だった。やがてかれがその食糧を運んで項梁のもとに帰ってきたときも、鞭《むち》を空中に鳴らして、遠い距離をへだてて立っているおじの項梁に対し、自分の戦勝のよろこびをあらわした。項梁は、戦勝軍を城門のそとで出迎えた。部隊の背後に、数里ほども続くかとおもわれるほどに食糧をつんだ荷車の列が遠霞《とおがす》みにつづいていた。項梁はその一事だけで満足せざるをえなかった。

項羽は、戦勝の報告をした。そのあと、

「おじ上、穀《ごく》つぶしどもは、みな阬にしました」

と、こともなげに言ったが、項梁はうなずいただけで、批判をひかえた。うかつに批判をすれば項羽は怒りだすかもしれず、あるいは以後おじのために働かなくなるかもしれず、最悪の場合――考えるだにおそろしいことであったが――脱走して独立軍をつくるかもしれなかった。

項梁は軍をひきい、薛《せつ》へむかっている。

むかうにあたって、諸方の流民軍に檄を飛ばし、

「薛において大会同をしよう」

と、触れておいた。この檄は、大きなききめがあった。陳勝を頂点としてまとまっていた諸方の流民軍は、陳勝が大敗して死んだあと、要《かなめ》をうしなってしまったうえに、ほうぼうで各個に秦軍に破られ、各地で窮しきっていた。そういう時機だっただけに、項梁のさそいにとびつく小首領たちが多かった。実際面においては、小首領たちはその配下の流民を食わせることが不可能になっており、とりあえずは項梁に身を寄せて配下もろとも食を得ようという算段もはたらいていた。

居巣《きょそう》（安徽省）の人、范増《はんぞう》という七十翁《おう》がやってきて項梁に面会したというのは、項梁とその軍が薛にちかづきつつあったころである。范増が、

——三戸ト雖《いえど》モ、秦ヲ亡《ほろ》ボスモノハ、必ズ楚ナラン。

というかつての楚の卜占《ぼくせん》家南公の予言をひき、項梁にすすめて亡楚の王の遺孫をさがしてそれを奉《ほう》じよ、と献策したのは、このときである。王を立てて、項梁がそれを奉ずれば楚の遺民はあらそって貴軍の傘下に入る。陳勝はそれをせず、みずから王になったために人心が離れた、あなたはぜひそうなされよ、と言ったことに、項梁は、魅入《みい》られた者が前へよろけてゆくように従った。入説《にゅうぜい》というのは単に論理だけではないのであろう。

范増という老人は、天下の情勢に通じ、兵理にあかるく、その上、秦軍の現状をよく知り、さらには項梁の軍が流民軍第一等の兵威をもつとはいえ、いくつかの弱点をひきずっていることもよく知っていた。

その上、ことばの一つ一つが光っていた。

こういう男にくどかれたのが項梁の運のわるさといってよく、聴きおわって、

(ああ、もっともなことだ)

と、心からおもってしまった。

(その程度のことで秦軍に倍する兵があつめられるなら、おやすいことだ)

と、おもった。王といってもどうせ飾りもので、実際には自分が人をうごかし、命

じ、すべてを切り盛りするのである。

薛《せつ》という城市《まち》は、古代からある。

周代、国々が都市国家の状態であったころには薛という名称の一国をなしていた。この一事でもその後背地がいかに豊穣《ほうじよう》であったかが想像できる。時代がくだるにつれて豊かさを増した。戦国期は一般に農業生産が大いにあがったころだが、薛のゆたかさも飛躍した。

戦国期には、薛は斉《せい》の版図《はんと》のなかにあった。戦国の末期、斉王が有名な王族孟嘗《もうしよう》君《くん》をこの薛に封《ほう》じた。このことで、

「薛は孟嘗君によっていよいよ知られるようになった」

と、いわれた。

孟嘗君が、四方の賢者や技芸ある者とまじわりをむすび、かれらを薛に招《よ》んで食客《しよつかく》としたことは、この項梁の時代、ほんの最近のことのようにして語りつたえられている。

かつての中国大陸には、ひとびとは氏族のなかでかずのこの無数の卵のようにかたまって暮らしているのみで個人が容易に剝《む》き出されて来ないが、戦国を経て社会が変

化し、個人が個人の技芸や志を持って世間を歩くようになった。孟嘗君は、狗《いぬ》や鶏のなき声ができるという程度の人間まで賓師《ひんし》として居らしめ、かれらに対してへりくだって礼をつくしたが、その人数は――ちょっと信じがたいが――六万人だったといわれる。六万人の無為徒食の徒を相当な礼遇をもって養っておくというのは、薛という城市の後背地がいかに高い農業生産力をもっていたかという傍証のひとつになるかもしれない。

さらにいえば、食客だけで六万人いるということでも、薛の町のにぎわいがどういうものであったか、十分に察することができる。

秦は、薛県を設け、この薛を県城とした。ついでながら、沛《はい》の劉邦《りゅうほう》が亭長《ていちょう》という微官ながらも冠《かんむり》をかぶる身分になったとき、人をこの薛にやって竹の皮を買わせ、それを材料にして独特の冠をつくったということは、すでにふれた。ただし、薛はそういう土地でありながら、町といい、村里といい、人気《じんき》がひどくわるく、がらがわるかったといわれる。孟嘗君は賢者もまねいたが、ただの無頼漢もまねき、また諸国のおたずね者も頼ってくればこれをかくまった。そういう兇悍《きょうかん》の徒が家をなし、子孫をふやしたために町の風儀がわるくなったというのである。

薛の町の運河は水がいつも淀《よど》み、黒い泡《あわ》が湧《わ》くようにうかんでは消えた。

項梁は、この町の活気が好きであった。

この町に入城したとき、かれはさっそく町でもっとも大きな殿舎——県令が住んでいた家屋——に入ろうとしたが、謀臣の范増がとめた。

「やがて、王が来られますから」

と、いう。項梁はやむなく小さな家屋を接収し、ここを自分の指揮所とした。挙兵以来、王侯のようにふるまってきたことを思うと、なにやらなさけない気がせぬでもなかった。


王孫が、いた。

名を、心《しん》という。

最後の楚王である懐《かい》王の孫にあたるが、楚がほろび秦《しん》がおこってからは人に養われて民間を漂泊し、この時期には農家の使用人となって羊を飼うしごとをしていた。

心は、二十代の半ばである。牧野をさまよって、乾燥した羊の糞《ふん》をひろいあつめていたとき、項梁と范増の使いがきて、

「薛《せつ》へゆき、楚の王位についていただきたい」

といったときばかりは、おどろいた。心はこのとき、粗末な労働着を身につけ、ま

わりには羊がむれていた。

かれにはむろん王族のころの記憶などはなかった。人に使われて辛酸を舐《な》めているだけに、ただの坊やではなかった。鼻梁《びりょう》が異様に隆《たか》いほかは、目も口もとも可愛《かわい》い。しかし表情を消してひとの話にじっと聴き入っている顔つきは、どすがきいていた。仔犬《こいぬ》が、しきりに鳴いていた。やがて心のそばにきて、たわむれにくつを嚙《か》んだとき、心はそれを蹴《け》った。

「やってみるか」

と、つぶやいたときはすでにしたたかな思案がおわっていた。

不安はある。利用されたあと、不用になれば殺されるのでないかということであったが、それは自分さえしっかりしていればまぬがれるだろう、とおもった。このあたりは、若かった。

かんじんなことは、項梁の人柄である。

「学問のある人でございます」

使者はいった。項梁どのは野望のうまれつきすくないたちで、決して無道のことをしません、これは項梁に対する定評というべきものでございます、と使者はいうのである。すこし褒《ほ》めすぎでなくもないが、以上の言葉を裏から読めば、むしろ天下を争う人間としての性格の弱点を列挙したというべきものかもしれなかった。

「わかった」

心《しん》は、いった。

「王になってもいいが、条件がある」

王権も王命も絶対のもので、臣下に左右されない、項梁以下はそれを認めるか、といった。使者は、そのことを項梁につたえた。

「当然のことだ」

項梁は、どこか、憮然《ぶぜん》とした気持をおさえつつ、おごそかにうなずいた。

ともかくも項梁は心という羊飼いを王として迎える行列を城外に用意した。

心は、迎えの者にともなわれて薛にむかった。やがて城外で衣服をあらため、車騎を従えて薛の城門にむかってすすんだ。そのときの心の容儀には、もはや羊飼いのおもかげが片鱗《へんりん》もない。このあたり、凡庸な男ではなかった。

かたわらに、心をまもるようにして宋義《そうぎ》という初老の男がついていた。

「宋義」

心は、途中、行列をとめ、宋義をよんだ。宋義は車から降り、王のそばに立った。

「王に見えるか」

宋義は拱手《きょうしゅ》し、涙して心を仰いだ。見えるどころではございませぬ、王そのものでございます。

宋義はこころからそのように言上した。車騎は、ふたたびうごきだした。

じつをいえば、項梁《こうりょう》が檄《げき》を飛ばしたとき、荒くれた流民の首領だけでなく、多くの亡楚の遺臣が、なにか官職でももらえるかとおもい、項梁や范増をたよってやってきた。どの男もいくさの使いものにならず、いわばむだめし食いにすぎなかったが、しかし亡楚の貴族の出である項氏（項梁・項羽など）の装飾にはなった。かれらは遺臣とはいえ、項氏よりも下位だった者たちで、かつての楚の時代のように項氏を尊んで礼をあつくしてくれたのである。

ところが、宋義だけは異なる。

「楚の宋家」

といえば、かつて戦国のころ、ひとびとから謳《うた》うようにいわれた代表的な貴族の家であった。

代々令尹《れいいん》に任ぜられた。令尹とは楚の独特の官名である。同時に最高の上卿《じょうけい》であることをあらわす。この官名ははるかに後世の日本の平安朝における関白太政大臣《かんぱくだじょうだいじん》に相当する。宋義はその家にうまれ、父のあとを襲って令尹を継ごうとしたあたりで楚がほろんだ。この男が、一族をひきつれ、しかも「王」を奉じて薛《せつ》にやってきたのである。このときばかりは、項梁はおどろくよりも、うんざりした。

（そういう男が、まだ生きていたのか）

項氏も楚の貴族であるとはいえ、家格は宋氏にとても及ばないのである。

さらにこまったことに、宋義は物事のできる男で、亡楚の官制に通じているだけでなく、政治もいくさもほどほどには――もしくはそれ以上に――やれそうな男だという印象を項梁自身が受けてしまったことであった。

（こいつはどうも、おれがせっかく張った楚の店をあけわたさなければならぬかもしれぬ）

項梁は欲深でないだけに、ついそう思ったりした。

もっとも宋義は楚がほろんでみずからも窮迫してからは、よほど世馴《よな》れてしまっているらしい。項梁に対し、如才なく、なんといっても楚のいきおいをここまで盛りあげなされたのは項梁どのでござる、手前などは項梁どのの馭者《ぎょしゃ》の助手にでもなり、馬の蠅《はえ》を追う役にでもおつけくだされればありがたいと思わねばなりませぬ、と項梁が恐縮するほどいんぎんに初対面のあいさつをのべた。

以上の宋義のことばのなかで、項梁が気になるのは、

「楚」

ということばをしきりにつかうことである。

――楚の勢いをここまで盛りあげなされたのは、項梁どののお力でござる。

というのは、修辞としてもっともなことですこしもおかしくないのだが、宋義の口から、

「楚《チユウ》」

という音が出る、そのつど楚が項梁の頭上から飛んで、心と宋義だけの上にかがやいているようにも感じられる。論理的にも、「楚」といえば項梁はその一員にすぎなくなる。宋義は当然令尹でありうる、という計算が、宋義に本能のように働いていたにちがいない。

ばかなことになった。

薛の町は、亡楚の貴族だらけになった。

項梁が、大兵をあつめたいばかりに亡楚の遺臣や亡楚を慕う者はあつまれ、とか、わがほうこそ楚の正統である、その証拠にいずれ楚王を奉戴《ほうたい》する、といったような檄を飛ばしすぎた。それこそ項羽《こうう》が襄城《じようじよう》の捕虜に対して言った「穀つぶし」のような旧

貴族どもがぞろぞろと地下から這い出てきて、薛の大路や小路をゆるゆると歩いている。

その連中は何の能もなく、何の役にも立たなかったが、身分意識にだけは感覚が鋭敏で、かつての令尹の宋義の前に出ると、むかしのように膝行《しっこう》してかれの前にすすみ、あつく拝礼した。自然、宋義は、流亡貴族どもの旗頭のようになった。

（おれは、置きざりか）

と、項梁は思わぬでもない。項梁の建てた楚軍はさすがに項梁をもって最高の首領と仰いでいたが、このみやびた穀つぶしどもは、項梁をどことなく次席とみていた。項梁にしてみれば、大いに軍威を張り、ただ軍事力の上だけで、

「楚」

という多分に空中楼閣にすぎない国名を建てているのだが、貴族たちの思考法としては、物事の本質をそういうぐあいには見ないようであった。楚の貴族がいるからこそ流民がそれを尊び、よろこんで馳《は》せ参じ、刀槍《とうそう》を執《と》って死をもかえりみないのだといううふうに考えていた。

（世に貴族ほどいやなものがあろうか）

項梁は、おもった。

項梁の奇妙なところは、貴族の出のくせに、生《お》い立ってほどなく放浪をかさねるうちに貴族意識がすり減ってしまったことである。かれは挙兵のときに多少は自分の家格を利用したが、元来、そういう意識で物事を考えたりはしなかった。むしろ、秦の暴政をののしりながらも、

（秦は野蛮だが、官制はすぐれている）

とおもわざるをえない。秦に貴族はない。

能力のある者を文武の要職につかせ、法によって組織を動かし、人民を拘束している。戦国の末期には各国とも能力主義をとったが、結局は不徹底で、貴族国家群はつぎつぎに秦に攻めつぶされた。項梁は秦以前と秦以後をつぶさに見てきているために、貴族というものはなにかということをよく知っている。さらには秦をほろぼしてのちの新国家は旧楚の体制のまるごとの復活ではなく、少量もしくは多量に秦の法制を取り入れざるをえないだろうとまで考えていた。

能力主義の秦を倒すのに古い貴族の力を利用せざるをえないというのは、項梁も内心、やや滑稽《こっけい》に感じざるをえなかったが、しかし眼前の急務は流民を大量にあつめることであった。さらにはその士気を滅秦の戦士としてふるい立たせるには、范増のいうように楚の亡霊をよみがえらせることであり、楚帝国の成立をめざすほかなかった。

項梁は、将軍たちをひきいて、あたらしい王の心《しん》を薛《せつ》の城門で迎えた。この王を、

「懐《かい》王」

とよぶことは、あらかじめ宋義や范増《はんぞう》と謀《はか》って一致していた。心の祖父である最後の楚王の呼称である。天下へ周知させるのには既成の名のほうが都合がいい。

懐王を、かつての県の庁舎にむかえ、ここを宮殿とした。

この擁立早々に項梁がおどろかざるをえなかったのは、宋義が王のそばに侍立《じりつ》して離れないことだった。

侍立している以上は、宋義はあたかも旧楚の令尹《れいいん》である。ひとびとも令尹として礼遇し、宋義もそのつもりでいるらしい。なによりも、勅旨を伝えるのが宋義の役目であるというには、項梁も閉口した。

たれが決めたものでもない。楚では、古来そうであった。項梁がうかつにも王を迎えてから気づいたことは、貴族というのは王を戴《いただ》いてはじめて貴族であるという平凡な事実であった。

王がくると、厄介《やっかい》なことが多かった。王が、朝《ちょう》に立つ。百官は朝衣朝冠を着して参賀しなければならない。いまは戦時下にあって王も戎装《じゅうそう》しなければならないためかな

らずしも平時のようではないにせよ、ながく野人《やじん》であった項梁の感覚からするとじつに繁文縟礼《はんぶんじょくれい》というほかなく、わが先祖たちはこういうことをやって日をすごしてきたのかと驚くばかりであった。考えてみると、貴族たちが王を奉ずるということは尊厳の演出であり、礼は簡素であってはならない。それらのこまごまとした礼の復活は、かつて式部官をしていた老人が担当した。

（えらいことになった）

と、項梁はおもったが、それ以上に厄介なことがおこった。王は百官をひきいねばならぬということである。百官を大いそぎで作らねばならなかった。

（范増め）

と、このときばかりは、項梁が、ほとんど賓師のようにして敬愛しているこの老人を憎んだ。范増が要らざる智恵《ちえ》を自分に吹き入れたために、あたかもばけもののようなものをひきこんだことになる。

項梁は、放浪のころが懐《なつか》しくなった。すくなくとも王がやってくるまでは、項梁軍の体制は野戦本位でたてられていて、面倒なことはすこしもなかった。

ともかくも、百官を作らねば朝廷の儀式ができない。儀式がなければ朝廷ではない。儀式の基本は、序列である。王の前でならぶのに、尊卑の順がある。

「まあ、いいじゃありませんか」

范増が、項梁をなぐさめた。

「われわれのほうは、陳勝《ちんしょう》が王を称したようなものではないのです。真の王というものは真の官をひきい、真の礼を用いてはじめて成り立ちます」

たれがどういう官につくかは、范増が立案した。范増は、小さなナイフで竹簡《ちくかん》を削っては、墨で書き入れ、項梁に見せた。それによると、宋義《そうぎ》が、令尹《れいいん》なのである。項梁はその竹簡を見て、おどろくよりも、笑ってしまった。

「これは、動かせませぬ。宋義そのものがもともと令尹なのですから」

范増は、星座が人事では動かせないように、こういう性質のものは人が作為しては王の権威がなくなるのだ、といった。いったん王をよんだ以上は、それにともなってこれを認めねばならない。

「……そういうものか」

「そういうものでござる」

しかし権力は持たせぬようにしましょう、と范増は言い添えた。令尹はあくまでも文官の最高官であって、軍隊はひきいない。軍隊と無縁にしておけば力は決して持てない、と范増はいう。

「上柱国《じょうちゅうこく》をたれにするかに、こまっています」

上柱国というのは、いままで項梁が称してきた官名である。しかしあらためてほんらいの王から任命されるとなると宋義よりも下になってしまう。

「おれは、いやだよ」

と、項梁は、范増に対してめずらしく意志をはっきりさせた。

「わかっております」

范増はしずかにいった。上柱国も文官なのである。それにこの上柱国は亡楚における実力登用制の最高官で、出身身分はあまり問われず、ふつう下級貴族の出身者がなる。平民出身の上柱国さえいたことがあるらしい。

「陳嬰《ちんえい》は、平民の出でございます」

「そのとおりだ」

「かれならば上柱国にちょうどよいかと思いますが」

范増がいった。

項梁は、吹きだした。

(なるほど、范増が考えていることはそういうことなのか)

項梁は、しだいに范増のあたまのなかの風景がわかってきた。

東陽県の県吏だった陳嬰は、かつて県の少年たちに押しあげられて一軍の頭目になったものの統御する自信がなく、ともかくも大勢力に寄生しようと思って項梁の軍にいちはやく参加した。陳嬰は東陽県の名吏だったとはいえ世間では無名の男である。戦争には弱い。その程度の陳嬰を上柱国にするという。令尹といい、上柱国といい、名は大層なものだが范増のイメージにあってはその程度に軽いものにすぎないことを知って、項梁は安堵《あんど》し、笑いだしたのである。

ほかに、范増はさまざまの人間をしかるべき官につけた。やがて、この男はどうしますか、と項梁に示した竹簡に、

「劉邦《りゅうほう》」

とあった。沛《はい》のぬし。その郷党から沛公とよばれている人物である。

「劉邦……」

項梁は、おもいだせない。

「お忘れになりましたか」

この男はつい数日前にこの薛《せつ》にやってきて、項梁の軍――楚軍――に参加するから

兵を拝借したい、とせがんできている。

（ああ、あの背の高い男。……）

項梁は、うらやましいような劉邦の美髯《びぜん》と堂々たる体軀《たいく》をおもいうかべた。

ただ、体が長いわりには、上と下とがどこかちぐはぐで、風が吹けば倒れそうな感じでもあった。項梁がきいたところでは、陳勝の決起に刺激されて沛の町を乗っ取り、四方に兵を出しはじめたが、やがて泗水《しすい》郡の守《しゅ》（行政長官）が秦の地方軍を組織して防戦に出、次いで攻勢に出るようになって、しばしば敗れ、ときに勝った。

劉邦がはじめて勝つのは、その故郷の県城である豊《ほう》にこもったときである。これを泗水郡の監《かん》（郡の司法長官）がみずから兵をひきいて囲んだが、かれはよく突出してこれをやぶり、勢いに乗ってつづいて郡の守《しゅ》を追い、これをとらえて殺し、さらに兵に食をあたえるために各地を転々した。とくに亢父《こうほ》や方与《ほうよ》を囲んだが、陥《お》ちず、城外に布陣することが長かった。亢父や方与などの郊外では食もすくなく、人も集まらず、うだつがあがらなかった。そのうち、仲間の雍歯《ようし》という男にあずけておいた豊を、その裏切りによって奪《と》られてしまったのである。雍歯の背後には魏《ぎ》がいる。魏も、戦国期に秦にほろぼされた国の一つであったが、いまは楚と同様、自立して魏を称していた。この魏が、豊の城をまもる雍歯に応援しているために、劉邦はこれをいくら包囲して矢を射こんでもこの故郷の城が抜けなかった。劉邦は、本拠をうしなってしまった。

そのうち劉邦は陣中で風邪をひき、重くなり、沛の町に帰って寝込んだ。劉邦も自分の運のなさにうんざりしたが、それ以上になさけなかったのは、古い仲間の雍歯に豊を奪られたことであった。劉邦は無名のころ、沛の町を遊び場として多くの知人を作ったが、厳密には故郷ではなく、故郷というのはあくまでも沛のとなりの豊である。それを他人にとられ、しかも郷党の子弟がその他人を擁して劉邦に手むかっているなど一派の頭目としてこれほどあわれなことはない。

ここでついでながら雍歯に触れる。沛の人である。その先《さき》は魏に縁があったらしく、魏の将の周市《しゅうし》という者が「劉邦を裏切って魏に味方するなら魏の侯に封じてやる」と申し入れたために簡単に寝返った。雍歯は、もとは劉邦と泥棒仲間で、大小のことによく気がつき、度量も大きく、役に立つ男であったが、かんじんなことにかれは劉邦ががばかに見えて仕様がなかった。ついには自立した。

(豊の人間は許せない。まして雍歯はその肉を啖《くら》ってもあきたらない)

と、劉邦は病床で歯がみする思いでいた。といっても、豊がそれほど大きな城市《まち》だったわけではない。里《り》に毛のはえた程度の田舎町であったが、それでも城壁はある。

泥をわくに入れて天日《てんぴ》で乾かして積みあげた程度のものであり、それへ籠《こも》っている雍歯は魏の後ろ楯《うしろだて》があるとはいえ、実際には手持ちの郷党だけの小人数であった。この時期の劉邦の隊はこの程度の町さえ抜くことができないほどに微弱であった。そういう劉邦とその徒党が、のちに天下を制したというのは、どういうことであろう。すくなくとも沛や豊の町のひとびとにとっては、狐《きつね》につままれたようなものであったにちがいない。

雍歯《ようし》のことである。以下は余談ながら、のちに劉邦はこれほどの雍歯をもゆるしている。だけでなく、これに兵を与え、ふたたび部将として各地に転戦させ、使えるだけ使ったのだが、このことは雍歯がいかにいくさ上手だったかがわかるし、一面、劉邦という男がもつ特有の――奇怪なほどの――寛大さがどういうものであったかについてもよくわかる。劉邦はやがて天下を得る。その直後、諸将の功罪をしらべて賞罰すると触れたために諸将は動揺し、たれもが自分のすねの傷を思った。それをあばかれて罰せられるくらいならいっそ謀叛《むほん》をおこすといきまいた者もいたりしたが、劉邦はこれを鎮《しず》めるため、側近の言葉を容《い》れ、まずかれがもっとも憎んでいてしかもその憎悪《ぞうお》をひとびとも知っているはずの雍歯に目をつけ、これをぬきんでて侯《こう》にし、最初に発表した。一同は、雍歯でさえゆるされて賞をうけるのかと思い、一時にしずまった、といわれている。

劉邦の病いは、癒《い》えた。どうあっても、豊《ほう》を陥とさねばならない。

(豊をおとさねば、故郷の人間どもはおれをばかにして見すてるだろう)

とおもった。すでに見すてられているということを、劉邦という男はおもわない。

ただ、兵力がなかった。このためには、どういう勢力にもすがった。たとえば陳勝の大敗後、その配下の秦嘉《しんか》が勝手に景駒《けいく》という者を立てて楚王にしたときも、そこへ行き、頭をさげて配下になった。兵を借りて豊を攻めるためであった。これはうまくゆかなかった。

この間、劉邦とその小部隊は、影のように流転《るてん》している。秦軍と蕭《しょう》(江蘇《こうそ》省)で戦ってどうにも歯が立たず命からがら逃げたことがあったし、また他の小勢力(魏《ぎ》の旧貴族がひきいる雑軍)と連合して碭《とう》(江蘇省)という町を攻め、めずらしくこれを占領できて雀躍《こおど》りしたこともあった。幸いなことにここにいた敵兵五、六千を味方にすることができ、大いに軍勢をふくれさせて下邑《かゆう》(江蘇省)という町に押しよせ、これをも陥としてたっぷりと食を得た。

兵をも得た。それらをぜんぶあわせ、ふたたび豊にもどり、その城壁をかこんでみたのだが、雍歯がよく人心をつかみ、巧みに防戦してとても抜けない。

このことは、

――あの劉邦のばかが。

という極端に低い評価が、劉邦の故郷の多くのひとびとにあった証拠といえるであろう。劉邦が若いころからほらばかり吹いて父や兄の農作業を手伝わず、そのあたりの縁者から銭をまきあげては沛《はい》の町で酒をのみくらっていた、という面でしか、劉邦は故郷ではとらえられていない。劉邦にくらべれば、豊のうまれではない雍歯のほうが、前歴があいまいなだけに、はるかに頼もしい存在として思われていたのである。

そういう時期に、劉邦は薛《せつ》にやってきた。

劉邦にとってもっともつらい時期であった。項梁に会い、豊を攻める人数を貸してくれとたのんだのである。

頼むということは当然ながら項梁の家来になることであった。項梁は、薛の町で十分に接待して待たせた。むろん、項梁にとって劉邦を配下にすることはその膨脹《ぼうちょう》方針に叶《かな》っていて大いに結構なのだが、ほんのすこしうれしくないことは、劉邦が人数を持ちこんできてくれるのではなく、逆に貸してくれ、とせがむ手合《てあい》であることだった。

もっともいまは貸してもあとで——豊を併呑《へいどん》して——ふえることになるために軍閥膨脹上の帳尻《ちょうじり》は十分適《あ》うのである。しばらく待たせてあるうちに心《しん》がやってきて王位に即《つ》いたりして、忙しさにまぎれてしまっていた。

「劉邦は、大した者でもあるまい」

項梁はいった。横から范増《はんぞう》も、左様ですな、まことに小勢力で、大したことはございません、といったんはうなずいた。

「たしかに勢力は大したことはありませんが、しかし幕僚や隊長級を見ると、いずれも器量はずばぬけたもので、ああいう者どもが心服し、かれらが推戴《すいたい》しているということを考えると、劉邦はそのあたりの流賊の親方とはちがうと言うべきでしょうな」

「ああ、そう思うか」

項梁は、すぐ考えをひるがえし、劉邦の処遇法を思いついた。まだ傘下《さんか》に入ったばかりで武功をたてていないから官位を決めずに置き、そのかわり劉邦を重んずるという意味で、かれの配下としてかれに貸与《たいよ》すべき部隊の長は高位の者にしよう、これで劉邦も無官ながら満足するのではないか、といった。

「たれをつけますか」

「五大夫《たいふ》の爵位《しゃくい》をもつ将を十人つけよう」

五大夫というのは、楚の爵位制度では第九爵にあたる。

後日のことになるが、貸与した兵力は五千人であった。劉邦はよろこんで薛を出、豊にむかった。

問題は、項梁自身であった。

「わしはなにになればよいか」

と范増に諮問《しもん》したことこそ珍妙なものであった。項梁は本来、この一軍の総帥《そうすい》であるのに王を戴《いただ》いたためにあらためて自分の地位を決めざるをえない。范増は、王をよべと提案した男だけに、項梁のこの点を同情しており、一つの腹案をもっていた。官位や爵位の外《そと》に立ってそれ以上の権威を持つ存在にしようということだった。

君《くん》になればどうかという案である。

戦国のころ、斉《せい》に孟嘗君《もうしょうくん》、趙《ちょう》に平原君《へいげんくん》、楚《そ》に春申君《しゅんしんくん》などがいて、公子や王族である場合もあればそうでない場合もあったが、要するに大きな封土をもち、王に対して強い発言権をもち、ときに、王国内に独立の政府をもっているような観さえあった。

項梁は、この案に満足した。名称については自分でえらび、

「武信君《ぶしんくん》」

とした。

ただ、野戦軍を支配している項梁として実務上こまるのは、この薛の町に王がいて朝廷があるということだった。体《てい》よく遠ざけるために、都を盱眙《くい》（安徽省）に置くことにした。

それから数カ月経《た》った。

項梁は一種の慎重家だけに準備に長い時間をかけたが、それだけに十分の支度ができ、やがて一軍、二軍、三軍と薛《せつ》を出発して懸案の西進を開始した。はるか西方に秦の根拠地の咸陽があり、最終の目的はその咸陽をくつがえすことであったが、いったんは北進しなければならない。

北方に、黄河が東流している。

黄河こそ、その上流（潼関《とうかん》からは支流）の秦都咸陽にいたる道であった。さらにいえば、秦都咸陽を養っている食糧の補給路でもある。このため黄河流域の都市はそれぞれが食糧庫のようなものであり、それらを制してはじめて咸陽を衝《つ》くことができる。

項梁は北進し、全軍あげて亢父《こうほ》（山東省・いまの済寧《せいねい》）を攻め、劉邦がかつてあれだけ苦心して攻めて陥ちなかったこの町を簡単におとしてしまった。この攻城隊長のひとりに、劉邦がいた。劉邦は項梁に属してからはじめての戦いだけに、配下の諸将を督励して懸命に戦わせた。協同部隊に、項羽の軍がいた。項羽は劉邦とちがい、つねに陣頭に立ち、みずから矢を射、鉾《ほこ》をふるい、部下をして火を噴くように城壁へ挑ませた。劉邦部隊はそれほど苛烈《かれつ》ではなかったが、諸将がよく各隊を掌握し、じつにみごとに進退した。

（なんと、劉邦の軍のみごとさよ）

項梁も認識をあらため、一作戦ごとに兵力をふやしてやった。劉邦は、多々《たた》ますます弁じた。

（劉邦は、部隊が大きくなればなるほどよくやるかもしれない）

と項梁はおもい、さらに北進して東阿《とうあ》（山東省・いまの東阿）を攻めたとき、これに大兵をあたえ、思いきって項羽とともに左右翼《さゆうよく》を構成させる同格の将とした。項羽と劉邦は併進してついに黄河の支流済水《せいすい》を渉《わた》り、その北岸の東阿をかこみ、これを陥とした。

東阿の城市を占拠すればすでに黄河の下流は抑えたといってよく、さらにいえば秦都咸陽までは遠いとはいえ、それへ至る主要道路に出たといっていい。

（やっと東阿に出たわ）

と思ったとき、項梁は慎重家としての硬質な部分を半ばゆるめた。かれのもちまえののんきさのほうが顔を出し、秦はこの程度のものだというたかをくった気持になった。

かれは、自分の兵威を懐《かい》王に見せたくなった。しかし懐王をよぶわけにゆかないために令尹《れいいん》の宋義を勅使としてよぶことにし、

——河の流れをごらんにならないか。

という急使を出した。

宋義がきた。

(項梁ともあろう者が、増長したか。あぶないいくさをすることよ)

と、宋義はおもった。項梁はすでに軍を真っ二つに割っていた。そのうちの一つを自分が持ち、独立軍とし、済水から南へ離れた定陶《ていとう》を攻めるべく準備していた。他の一つは項羽・劉邦にあたえ、済水沿いの城陽《せいよう》(山東省濮《ぼく》県付近)を攻撃させるべくすでに出発させている。

両面作戦であった。

(兵の要諦《ようたい》は分散を避け、集中を心がけるにある。項梁は多くもない兵力をなぜ二つに分けるのか)

宋義は、項梁の気はたしかかとさえ思った。項梁は宋義を役立たずの貴族くずれとして見くびっている。しかし宋義は軍隊指揮の経験こそないが机上の兵理論にかけてはひけをとらぬ男だった。

項梁はあぶない、と宋義はおもった。なるほど項梁は地を捲《ま》くような勢いで亢父から東阿を陥とし、黄河の支流の線へ出たが、そのあたりでは秦軍はもともと稀薄《きはく》であった。

（秦の章邯をあまく見ると、ひどいめにあうぞ）

宋義は、秦の章邯将軍のいままでの戦いの仕方を見ていて、一つの法則があるということに気づいていた。大兵力を結集させて敵の小を撃つというやり方で、このためには兵力の分散を極力避けていた。章邯は、いまのところ西方にいる。

章邯にすれば、遠い東方の亢父や東阿にまで相当の兵力をさいて散在させると、かれの得意の「結集して強打」という作戦が成立しなくなるために、強いて東方を秦の地方軍にまかせて捨てていたと見ていい。そういう地域で項梁が連戦連勝してしかも秦軍そのものを見くびるというのは、宋義の見るところ、

（項梁は存外、兵に暗いのではないか）

と思えた。

しかも、このたび両面作戦をやるという。各個に撃破されるだけではないか。

「宋義どの」

項梁は、この亡楚の公卿《くげ》の出の男を、済水のほとりまで案内し、あれこれと説明した。

「私はいまから一軍をひきいて遠く定陶を衝き、これをくつがえす。ぜひ従軍されよ」

と、項梁はいった。定陶という地名をきき、宋義はあきれた。項羽・劉邦が攻撃する城陽とは距離がありすぎる。両方面軍はたがいに孤軍であった。

「なぜ定陶をめざされますか」

宋義は、念のためにきいてみた。ところがそれまで多弁に自分の作戦を説明していた項梁が、急に声を小さくし、あの町は私が、といった。むかし住んだことがある、地理や人情にくわしいからね、とのみ言っただけで、他に話を外《そ》らした。

(定陶に女がいるのではないか)

と、宋義は、項梁の説明不足の部分を想像でうずめざるをえなかった。宋義は、項梁が放浪時代、各地に女を住まわせてどの女も項梁を慕っていたといううわさを聞き知っていた。

この宋義の想像は、重要な部分は外《はず》れていない。項梁が定陶に自分の方面軍の作戦を指向したのは、そこが秦の章邯将軍の本拠に、城陽より一層近いからであり、いずれ章邯と決戦する場合、項羽や劉邦に先鋒《せんぽう》をつとめさせるよりも自分が前面に出、手を砕いて戦ってみようと思ったからであった。しかしそれならば必ずしも定陶である必要がない。定陶には、宋義の想像どおり項梁の放浪時代の初期の女がいる。それだけでなく、いま貧窮しているといううわさを会稽《かいけい》にいるころに耳にしたことがあったのである。

項羽・劉邦が、城陽を攻めつぶした。

一方、項梁は東阿から道を南西にとり、行軍と小戦闘をかさねて定陶にいたり、わずか数日の攻城でこれを陥落させた。意外な容易さだった。

宋義はこの陥落の容易さにかえっておそれた。定陶は秦の章邯軍の行動可能の範囲内にある。項梁軍には後援部隊がなく、いわば敵の海のなかでみずから孤軍になっているにひとしい。宋義はそれは項梁の慢心のせいだと思い、それとなく諫《いさ》めてみたが、項梁はきかなかった。

数日後に、宋義の予感が的中した。野のかなたから秦の兵があらわれ、やがて野をおおような大軍になり、定陶を攻囲した。事態は逆転した。秦の攻囲軍は日に日に増強された。秦兵をとらえて調べてみると、章邯将軍の正規軍であることがわかった。

「なんの、章邯ごときが」

項梁は勝ちいくさの気分に憑《の》っているだけに、さほどにはおどろかなかった。ただ後詰《ごづめ》を用意しておかなかったことだけを悔いた。宋義は項梁の後悔を見てとって、

「斉《せい》に使いして援軍を乞《こ》いましょうか」

と、説いた。斉も、自立している。かつての亡斉の王族の田《でん》氏が、陳勝の蜂起《ほうき》とともに亡斉の地でたちあがったのだが、しかし複雑な内部事情があり、項梁の楚軍とときに連繫《れんけい》したこともあったものの、十分な共同戦線が成立していない。が、いまとなっては斉を恃《たの》むしかなく、項梁も消極的ながらこれに賛成した。宋義は内心、舌を出す思いだった。いまさら斉に使いしても、宋義の見るところ往復に多くの日数がかかる。そのうちこの定陶は陥落する。宋義は使いという名目で、それ以前に脱出することができるのである。

余談だが、宋義は定陶城を脱《ぬ》けて斉にむかった。途中、斉からも、定陶の項梁に会うべく使者が近づいていて、双方、途《みち》に出遭った。使者は宋義の旧知で、斉の高陵君《こうりょうくん》顕《けん》という人物であった。

宋義は、この旧友に、

「定陶にゆくなら、道を急がれるな」

と、注意した。多少は状況の説明もし、要するにいそいでゆけば落城にまきこまれて命をうしなうだろう、という意味のことをほのめかした。

項梁は、籠城《ろうじょう》しつづけた。かれの奇妙な癖《へき》は、この場になっても、なおらなかった。むろん毎夜ではないが、夜、微服して町をひとり歩きするのである。おそらく項梁は路上で老人をつかまえては、昔、この一廓《いっかく》にこういう女がいたが憶《おぼ》えているか、憶えているならどこへ行ったか、といったようなことをきいていたのであろう。くわしいことは、項梁がほどなく死者になるためにわからない。

章邯の能力は、将軍として項梁をはるかに越えていた。

かれは定陶攻囲の直接の指揮をとっていた。

かれは、よりぬきの部隊に夜襲の訓練をほどこしていた。ある夜、その部隊を隠密裡《り》に城壁にのぼらせることに成功した。

あとは容易だった。乱戦のうちにその部隊によって城門が内側からひらかれ、門外に待ちかまえた秦の大軍が突入した。このとき項梁は農民の服装をしたまま本営へ帰ろうとしていた。事態に気づいて、いそぎ指揮をとるべく走った。しかし、秦兵の洪水のなかで、いつのまにか押しつぶされるようにして死骸《しがい》になってしまった。一軍の総帥《そうすい》でありながら、たれに討たれたかということさえわからなかった。

項梁の意志とはかかわりのないことだが、項羽と劉邦の側からみればかれはこの両人を前面に押し出すために懸命に生き、あるいは死んだともいえるかもしれない。

一方、項羽と劉邦の軍は城陽を陥落させた。章邯将軍の主力軍が定陶に指向していたために、北方の城陽は一種真空の状態にあり、さらにそれにつらなる濮陽《ぼくよう》の町も雝《よう》丘《きゅう》の町も空っぽ同然で、かれらは勢いに乗じてこれら黄河流域の諸城を攻略し、陥落させた。

宋義《そうぎ》を撃つ

八月、黄河《こうが》流域では野菊が花をつけ、天はあくまでも高くなった。

「黄河」

という河もその流域も、楚人《そじん》たちにはすべてめずらしかった。黄土がつねに乾き、水田がなく、家々は泥をかためた壁をもち、草も木も、楚よりは緑が薄っぽかった。

項梁《こうりよう》が定陶《ていとう》で戦死した段階にあっては、項羽《こうう》も劉邦《りゆうほう》も、項梁の采配《さいはい》でうごく方面軍の将にすぎなかった。

両人はたがいに僚将として連繋《れんけい》しあい、黄河流域に沿い、西にむかって進撃していた。

兵力の点で項羽軍が圧倒的に大きかった。士気においても劉邦軍よりはるかにまさっていたのは、ひとつには兵士に楚人が多かったせいでもあろう。

楚人は北人（狭義の漢民族）にくらべ、体が小さく、平均して腕力も弱かったが、燃えやすいあぶらのように感激性がつよく、さらには隊伍《たいご》を組むとき、気をそろえて進退するという点ですぐれていた。

「大楚《タアチユウ》！」

と、いっせいに唱和する団結力は、黄河流域人からみれば、むしろ気味わるいほどであったにちがいない。

ついでながらこの当時の楚語というのは北方の漢民族の言葉ではなく、タイ語系のことばだったろうという説もある。ともかくも、黄河流域までくると、ことばが通じなかった。

楚人たちは、首領の項羽が、おなじ言語とおなじ文化をもつ楚人であるということで、北方人には理解しがたいほどの親近感をかれに対してもっていたし、そのうえ、項羽が稀代《きたい》の猛将であるという点に、動物的なまでの信頼感を、集団として共有していた。この時代、兵士というのは首領の肉体的武力に信倚《しんい》するところがつよく、さらにいえばもし首領が殺されれば何百万という軍隊でもたちどころに四散する。このこともまた、この大陸において英雄が成立する条件であったろうし、次いで言えば、その英雄たるものはたとえば項羽が一八四センチという軀幹《くかん》をもっていたように、多分に肉体的に超人であることが条件とされた。

むろん、首領というものは、敵を見れば猛然と突進するていの、いわば暴虎《ぼうこ》のような気力をもつほうがよい。この点項羽の勇は人間ばなれしているといってよく、項羽ぎらいの宋義がのちに「猛如虎」と暗に項羽を諷《ふう》したのは適評であったといえる。ただしこの時代、この大陸にあって虎と評せられるのは、不徳と兇悍《きょうかん》という意味が濃厚にこめられていてかならずしも当人にとってよろこばしい評ではなかったが、しかし、そういう種類の男にひきいられる兵士たちにとって、これほど心強いことはなかった。

項羽と劉邦の軍は、同一線上を相前後してすすみ、黄河流域の諸城をつぎつぎに屠《ほふ》って、ついに中原《ちゅうげん》におけるもっとも重要な都邑《とゆう》である陳留《ちんりゅう》(河南省開封《かいほう》付近)を眼前に見るところまできたとき、総司令官の項梁の敗死をきいた。

「あってよいことか。——」

と、項羽は、重い韡子《ブーツ》をはいた右足をあげ、地が割れるほどに踏みおろし、なおもその死を疑い、使者を大喝した。

「定陶では勝っていたはずではないか」

なるほど項梁の主力軍は敵の秦《しん》軍の勢力圏の真《ま》っ只中《ただなか》に入りすぎた観はあったが、

しかし常勝軍が突如大敗し、首領までが敗死するということが、常識として考えられることではない。これに対し、急使は、状況を説明した。そのあと、項梁軍の敗残兵がつぎつぎに項羽軍を慕ってやってきたため、項羽も事実として認めざるをえなかった。項羽は、少年のころから父代わりの保護者であり、師でもあったこの叔父の死がよほど悲しかったらしく、ひと前で吠《ほ》えるように哭《な》いた。かつ哭き、かつ叫んでは、この昂奮《こうふん》のなかで復讐戦《ふくしゅうせん》の発動を呼号したが、しかしまわりの部将たちの顔色は一様に冴《さ》えなかった。かれらは秦軍のおそろしさをあらためて思い知らされ、いままでの勝利はあるいは僥倖《ぎょうこう》だったのではないかと恐怖とともにかえりみた。

劉邦の幕営にも、この悲報が入った。

——どういうわけだろう。

と、かれはつぶやいた。かれにとって項梁は、かれを項羽と同格の将軍として取り立ててくれた恩人ではあったが、むろん身内ではなく、さらには接触の期間がきわめてみじかかったために、悲しみというのはおこらない。背後を思わずふりかえりたくなるような恐怖心はあった。なんといっても味方の主力軍が潰滅《かいめつ》し、前線のかれと項羽が孤立したのである。しかしそういう恐怖はべつとして、というよりもおびえ以上に劉邦には事態がふしぎであった。なぜ常勝の項梁が敗《ま》けたのか。

劉邦という男は、こういう場合、自分の判断を口走らずにひたすらに子供のような表情でふしぎがるところがあった。そういう劉邦のいわば平凡すぎるところが、かえってかれのまわりに、項羽の陣営にはない一種はずみのある雰囲気《ふんいき》をつくりだしていたといえる。幕僚や部将たちは、劉邦の無邪気すぎるほどの平凡さを見て、自分たちが労を吝《おし》むことなく、かつは智恵《ちえ》をふりしぼってでもこの頭目を補助しなければどうにもならないと思うようになっていたし、事実、劉邦陣営はそういう気勢《きお》いこみが充満していた。

といって、劉邦という男は、いわゆるあほうというにあたらない。どういう頭の仕組みになっているのか、つねに本質的なことが理解できた。

むしろ本質的なことと以外はわからないとさえいえた。

このたびの項梁の敗死についても、蕭何《しようか》その他から説明をきき、

「ああ、そうだったのか」

と、心から彼らの説明に感心した。

劉邦が理解した問題の本質とは、要するに何でもない。秦がつよいということである。正確にいえばなお強大であるというだけのことであった。

次いでいえることは、秦の一大野戦軍を指揮している章邯《しょうかん》という男が途方もない名将だということである。

章邯は、限りある野戦軍を必ず分散させることなく、必要なときには大いに結集させ、全力をあげて敵を破る。このため、戦場に疎密《そみつ》ができた。黄河流域の町々については章邯はそれを疎《そ》にして楚軍の蹂躙《じゅうりん》するにまかせ、項梁がいい気になって秦軍の濃密な地域に入り、深入りしたところを、章邯は大鉄槌《だいてっつい》をふりあげ、小石を砕くようにこれをくだいたのである。

「なるほど、おれは黄河の流れに沿って西をめざしてきたが、勝ちすすんでいると思いこんできた。これは章邯が勝たせてくれたのか」

と、劉邦はまずそれに感心し、次いで項梁が章邯の壮大なわなにかかったという解説によって感心してしまう。この感心の仕方に一種の愛嬌《あいきょう》があり、愛嬌がそのままひとびとに徳を感じさせる風《ふう》を帯びていたために、劉邦が進むところ、智者や賢者があらそってかれの幕下《ばっか》に投じてくるという傾向があった。

ただ劉邦軍が、士卒の士気の点において項羽軍に劣っていたのは、まず劉邦そのひとに白熱するような武勇が感じられないというところにあった。さらには、劉邦から軍政面を一任されている蕭何がきわめて厳格で、占領地で掠奪《りゃくだつ》することを禁じていたからでもある。歴世、この大陸にあっては兵士と盗賊の区別がつきがたく、戦って勝てば掠奪し、掠奪を期待することで士気もあがるという習性があったが、蕭何は極端にこれをきらった。

「秦は民に対し、餓虎《がこ》のようなものであった。その秦を倒すのにわれわれが餓虎になっては、何のために起ちあがったのか、意義をうしなう」

と、元来が民政家あがりのこの男はおそろしく真当《まっとう》なことをいっていたが、しかし全軍の兵糧《ひょうろう》調達をうけもつかれとしては、このことが兵站《へいたん》戦略にもなっていた。掠奪をしないとなればどの町も村も劉邦軍に食糧供出の労をとってくれるが、そうでなければ食糧は地下にかくれてしまい、蕭何自身が四苦八苦せざるをえない。むろん、劉邦軍の士卒といえども、掠奪はした。要するに、項羽軍にくらべ程度の差にすぎなかったが、その差が県や郷への宣伝の効果として役立った。一面、士気という点では、この種の軍令はこの大陸の慣習に反するということで兵士の期待をいちじるしく殺《そ》ぐということもあり、かならずしも昂揚に役立つということはなかった。

以上、ごく印象的にいって項羽軍は華やかであり、劉邦軍はどこか地味であったといえる。

項羽は、既定方針どおり陳留城《ちんりゅう》を攻めた。

このことは、いかにもこの男らしかった。項梁が死に、主力軍が潰《つい》えてもなお眼前の陳留城という敵を見ればそれへ挑みかかるというのは、物事の計算を平然と越えることができる神経というべきであった。

劉邦軍もつい項羽軍にひきずられて攻城に参加したが、項・劉いずれを問わず、楚軍全体に秦軍を怖《おそ》れる気配がつよく、部将たちも城壁に近づくことをいやがり、それを強要すると夜陰《やいん》ひそかに陣を払って郷国に帰ってしまう士卒群もあった。ある日、劉邦は前線を視察し、

(これでは、とても勝てない)

とおもった。

場合によっては総崩れになる、ともおもった。挙兵以来、勝つよりも負けることに馴《な》れてきたこの男は、一軍が臆《おく》しているにおいを嗅《か》ぐ点で、項羽よりも鋭敏なかんを持っていた。かれはそのまま幕僚をひきいて項羽の本営にゆき、床《ゆか》へあがると、主人に対するような慇懃《いんぎん》さで拝礼した。劉邦はこのとき四十一歳であった。孫があってもふしぎではない年齢だったが、二十五歳の項羽に対し当初からそういう態度をとりつづけているのは、ひとつには蕭何の入れ智恵による。劉邦の行儀のわるさは相変わら

ずであったが、それを項羽や項一族の前でやると無用の反撥《はんぱつ》を買うということを、蕭何はつねに劉邦に教えていた。

劉邦にとって煩瑣《はんさ》な儀礼上のやりとりがおわったあと、顔をわざと深刻にして提案をした。

「退却しましょう」

とは、いわなかった。項梁《こうりょう》の死は全軍の悲しみである、さらには新都の盱眙《くい》におわす懐《かい》王の宸襟《しんきん》はいかばかりであろう、ここはひとまず兵をひき、新都に帰り、諸将をあつめて善後策を講ずることがむしろ急務ではあるまいか、と説いた。

このころ、項羽の側近に范増《はんぞう》がいる。

この老人はさきに項梁に接触してその軍師になったが、定陶《ていとう》の敗戦のとき農民に身をやつして秦軍の囲みを脱《ぬ》け、途中、数度秦兵に誰何《すいか》された。しかし秦兵たちも、熊《くま》手《で》で掻《か》いたような日焼けじわのあるこの老人をみて、百姓以外の何者ともおもわず、そのつど放した。范増は、方角については神秘的なほどの感覚をもっていた。たとえば若いころからしばしば旅をしたが途《みち》をまちがえるということは一度もなく、このときも、定陶から五日以上の日程を夜間歩き、一度も途をあやまることなくまっすぐに項羽の幕営をさぐりあてた。

以後、当然のようにかたわらに侍《じ》している。帰着するとすぐ項羽に退却を献言した。

――いったんは、屈すべし。いま退却することは、つぎに勝ちを得ることです。

この范増の言葉が下地にあったせいか、項羽は、あっけないほどの素直さで劉邦の提案をうけ容《い》れた。もっともこの場合、かたわらにいた范増のほうが、内心、あきれる思いがした。

(項羽とは、こういう男か)

と、思った。じつのところ范増が退却を説いたときは項羽はかならずしも怡々《いい》とせず、むしろ復讐をとなえ、陳留城など踏みつぶしてしまおう、などとつぶやいたりしたのだが、劉邦の顔をみるといきなりその説に従ったというのは項羽の性格に欠陥があるのか、それとも相手の劉邦の人柄にえたいの知れぬなにごとかがあるのか、あるいは項羽は劉邦に魅《ひ》かれるところがあるのか、いずれにせよ、このことは黒い翳《かげ》りのように、范増の脳裏で消えがたいものになった。

もっとも、范増の底意地のわるい観察などは、項羽には無縁のことだった。

項羽自身、項梁の死をきくと同時に、勝敗どころか戦場そのものを維持することすら不可能になった、と見、ひそかに退却を決意していた。項羽は、范増が見るよりははるかにすぐれた若者であった。かれはいまここで叔父の死をきいてあたふたと退却しては、全軍の士気にかかわるとおもった。さらには死んだ叔父の偉大さが残るのみで、あらたに死者の地位を継承せねばならぬ項羽自身の存在が軽くなってしまう。この配慮は、軍隊維持のために必要だった。ひとつ間違えば、項梁の敗死をきいて全軍が風にさらされた灰のように散ってしまうかもしれないのである。

項羽が范増に対し即答を避けたのはそのような理由もある。さらには項羽は顔にこそ出していないが、范増に対する多少の不満も、右の理由の中にまじっていた。項羽にすれば、この范増という気むずかしい老人は、軍師として叔父のそばにいながら、これを定陶で敗死させた。

(なんというやつだ)

と、項羽はひそかな腹立ちを范増にむけた。

そのあと范増は古びた草履《ぞうり》を他の草履にはきかえるように、洒々落々《しゃしゃらくらく》と項羽のもとにやってきて、頼みもせぬのにみずから軍師に任じ、さまざまのことを助言する。

(なんという老人だろう)

とおもいつつも、項羽の胸の肉は厚くできているらしい。かれは、倨傲《きょごう》とも厚顔ともつかぬ范増という私心のない老人の存在に可笑《おか》しみを感じていたし、むろん可笑しみには好意も敬意もまじっていた。このため定陶の一件を荒だてて責める気は毛頭なかったが、かといって叔父を敗死させたことに、わざわざ労を謝するわけにもゆかず、要するにこの時期の項羽は范増に対し、あいさつにこまるといったふうの不透明な気分をもっていた。この項羽の態度の不透明さが、才智だけで物事をみる范増の目からみれば、

(やはり、叔父より数等劣る人物だ)

という感想になっているのであろう。

ともかくも、この場の項羽は、劉邦に感謝した。

項羽はしばしば秦軍に勝ち、そのことによってかれの存在が楚軍の士卒のあいだでかがやかしいものになりつつある。そのかれの口から退却を言いだしがたいという事情があったのに、劉邦からわざわざそれを言いにきてくれた。

(おもしろいおやじさんだ)

と、項羽はおもわざるをえない。かれは劉邦という男がきらいではなく、なにか、自分とはまったくちがう仕組みの男だと思っていた。劉邦はかれとちがい、しばしば秦軍に敗けているが、敗けるということによほど鈍感なのか、いくら敗けても、大き

な片頰に小鳥の糞《ふん》のような白い微笑をたえずくっつけて、顔色の変わることがなかった。ともかくもこの敗け馴れした男が、大きな膝《ひざ》を屈して、このたびは退却したい、といってくれたおかげで、項羽の自負心が傷つかず、さらには楚兵たちの項羽に対する失望を買うことからまぬがれた。

（無能の相棒というものほど大事なものはない）

という、道理の微妙さを項羽が感じたかどうか。爾来《じらい》、友軍である劉邦軍の弱さのおかげで項羽軍の士卒たちはこれを嗤《わら》い、みずからを精強の軍とおもい、ときに崩れそうになっても、一蹶《いっけつ》して敵を破った。さらには、劉邦という、田舎の駐在所の巡査あがりの弱い大将が同僚にいればこそ項羽の武勇がきわだって人々に印象された。劉邦とその軍は、項羽とその軍をひきたて、励まし、強者にするために存在しているようなものであった。

退却のときも、そうであった。

弱い劉邦軍がまず東へ去り、項羽とその軍は困難な殿軍《しんがり》を買って出た。項羽は劉邦を安全な後方に逃がしたあと、敵と戦いつつ徐々にひきさがった。

このおかげで、項羽は退却戦にもつよいという評判が立った。

かれらは、再起の根拠地としての彭城《ほうじょう》（いまの徐州《じょしゅう》）をめざした。

彭城は、春秋戦国のころから栄えた地方都市で、劉邦の故郷とほぼ同一地帯にあり、おなじく泗水《しすい》郡に属し、泗水の低湿な農業地帯のなかにあって、水陸の交通の要衝《ようしょう》をなしている。

ついでながらこの町（徐州）にともなうのちの歴史にふれると、後日、項羽が自立したときにここに都を置くことになる。項羽はこの町から四方に対し、「西楚の覇王《はおう》」と称するにいたるのである。くだって唐代にいたり、はじめて徐州と改称される。のちしばしば名称がかわった。さらにはたびたびこの町をめぐって大戦があったのは、ふしぎなほどであった。そのわけは、四方に道路が出ているために大軍の集散が容易で、会戦という現象が成立しやすく、兵法でいう衢《く》地《ち》をなしていたからであろう。日中戦争のときにも日中両軍の大会戦（一九三八年）がおこなわれ、その後、一九四八年十一月、人民解放軍が、国府軍とここで会戦し、十四個師団を全滅させて、内戦の勝利を確立した。

彭城の地は、項羽・劉邦のころから、そういう運命をもっていたらしい。

「彭城に来られよ」

という使いは、項羽のもとから、盱《く》眙《い》にいる懐《かい》王にまで発せられた。懐王は報に接し、すぐさま彭城にむかった。王が臣下からよばれてかるがるしく動くというのは、故項梁によって擁立されたという弱味から出ているが、その項梁も死んだ。懐王はそろそろ自分がそういう傀儡《かいらい》であることにあきたりなく思うようになっていた。

懐王の心強さは、旧楚の貴族の宋義《そうぎ》が、影が形に寄りそうようにしてついていることであった。

宋義は、すこし前に、野戦のなかにいた。幸い、定陶の敗戦のとき、城外遠く離れた地点を斉《せい》にむかって旅行中だったために敗死をまぬがれ、たまたま出遭った「斉」の項梁への使者高陵君顕《こうりょうくんけん》とともに奔《はし》って戦場を脱し、懐王のもとに逃げもどっていた。

「宋義さんには、おどろきましたな」

という宋義を礼讃《らいさん》することばを、斉の高陵君はしきりに懐王の耳に入れた。

「ただの公卿《くげ》あがりではございませぬ」

と、ほめた。定陶の敗戦を予測したのはかれが戦略家である証拠だという。

（戦略家か）

懐王は、自分の股肱《てあし》になる人間を欲していたが、かれの側近を見まわしても戦争がわかる人物がいなかった。宋義がそうだという。由来、かの者は楚の令尹《れいいん》の家にうまれて儀典に通じていると思ったが、いくさもわかるとなれば、儲《もう》けものといっていい。

（宋義を重用しよう）

と、懐王はおもった。宋義は人心の表裏や世の情勢に通じ、策謀にたけているということは懐王もうすうす気付いていたが、それ以上に将帥《しょうすい》の能力があるとすれば、言うことはない。宋義を新興の楚の中心に据え、項羽や劉邦以下のえたいの知れぬ豪傑どもを統御させれば、自分の王権も傀儡からまぬがれて全《まった》きものになるに相違ない。

（たとえ宋義が悪党であってもよい。宋義の毒をもって項羽という毒を制するのだ）

と、懐王はおもった。

宋義は、すでに五十を過ぎていた。流浪《るろう》のなかで多くの子をなし、また旧族も多い。宋義が羊飼いの心《しん》をかついで楚王にし、たいそう羽振りがいい、といううわさは、諸方の血族につたわり、そういう連中が蠅《はえ》のように宋義にたかってきた。

かれらは宋義にぶらさがることによって飯を食いはじめたが、宋義はそういう連中に寛容であった。成功すれば有縁無縁の者に粟《ぞく》を食わせるというのがこの大陸の慣習である以上、このことは宋義の人格とは善悪なんの関係もない。宋家が旧楚の名門だったために、その種の一族が女子供を入れて二千人を越えた。奴婢《ぬひ》まで入れれば三千人に達するという大層な所帯にふくらんだ。

この点、宋義は、たとえば項羽のもとにいる范増《はんぞう》のように、孤影をつねに清らかにしているひとりきりの男ではなかった。かれは、大族を食わせてゆかねばならなかった。というより、その状態が早く来すぎた。楚が、今後、無数に戦いを経なければならないというのに、宋義は、蟻《あり》のようにあつまってきた連中のために早くも大族を形成してしまい、それを食わせることから、物事を考えざるをえなかった。流浪《るろう》のころの宋義はよく物事が見えた。しかしこの時期あたりから、この男の身動きは、私情で昏《くら》みはじめている。

たとえば、この男が「斉」に深入りしすぎているということも、私情が根にあったからにちがいない。

斉などという国は、楚と同様、公認された国ではない。秦帝国のゆるみに乗じて、かつて秦にほろぼされた戦国封建のころの国々が、呼称として息を吹きかえした。流民のなかからかつての王族であると称する者が、趙《ちょう》や魏《ぎ》、あるいは楚《そ》などと称したりしているなかで、斉も同様の事情にあった。

斉の場合、狄《てき》（山東省）の地にいた田儋《でんたん》という者が、陳勝《ちんしょう》の乱に乗じて挙兵し、狄県の県令を殺して自立し、斉王を私称した。田儋の家は本来、ながく民間にうずもれていたが、かつての亡斉の王家の姓である田氏を称してきたため、「おれが王になってもすこしもおかしくない」と言い、斉の故地になだれこんでここを略定し、一時は大いに強勢を誇った。

秦の将軍章邯《しょうかん》は、一大野戦軍をひきいて西に東に機動し、この種の自立国を攻めつぶしてゆくことに、めざましい働きを示した。かれは魏の地になだれこんで魏王咎《きゅう》という私称王を臨済《りんせい》（河南省）に包囲しているうちに、魏は悲鳴をあげて斉の田儋に救援をもとめた。田儋は大軍をひきいて赴援したが、章邯将軍の巧妙な作戦によって臨済城下で大敗し、戦死した。

田儋の死後、斉の内情は救いようのないほどに混乱した。田姓といっても枝葉が多く、そのなかでも亡斉の王家の血を継ぐ者がにわかに立って王になり、それにつながる連枝の田姓の者を宰相にしたり、将軍にしたりした。これに対し、故田儋とともに前線にあったその弟やいとこ（田横《でんおう》、田栄《でんえい》など）が疎外《そがい》された。かれらはこれを憤《いきどお》り、敗兵をひきいて楚の項梁に頼った。項梁の後ろ楯《うしろだて》を得た故田儋系の田氏が、血統的な筋目である斉王を追い、田儋の子を擁立して斉王とした。追われた旧斉王系の田氏が四方に散ってそれぞれの勢力を頼り、それぞれの思惑で斉を攻撃したり、詐略《さりやく》をほどこしたりして、その内紛は錯綜《さくそう》をかさね、共通の敵である秦帝国などは斉人にとっては意識にものぼらぬほどに紛糾《ふんきゅう》していた。

宋義という男の厄介《やっかい》さは、策謀好きであることであった。

かれの属している楚でさえ秦軍と戦っていてまだ国をなしていないというこの段階にあって、よその軍閥国家である斉の内紛にまで手を出していた。それも、内紛のなかの一派と私《ひそ》かに手を握っているのである。

斉の田氏はすでに触れたように、旧王家の田氏があり、その田氏も派閥化して数系統に支《わか》れており、また故田儋系の田氏も、いくつかの派閥にわかれて、たがいに離合しつづけている。宋義が、定陶の郊外で偶然出あった斉の勢力者高陵君顕というのは、故田儋系の一派閥を代表していた。

定陶の敗戦後、宋義は高陵君を懐王のもとに連れてくる途次、泊まりをかさねているうちに、すっかり昵懇《じっこん》になり、ついには高陵君が、

「宋義どの、私を弟とよんでくだされ」

というまでになった。高陵君にすれば斉は自立しがたいほどに弱い上に、内紛をかさねている。他国の援助がなければ、斉全体どころか、かれの派閥そのものが他派閥に対して自立することすらできない。その点、楚は将もすぐれ、士卒もつよく、いわ

ば軍事的に優越していた。楚の有力者である宋義の心をつかまえておけば、いつなんどきでも救援軍を送ってくれることになる。

この点、斉の使者高陵君が宋義をとりこもうとするのは、彼自身とかれの派閥、ひいては斉国の存亡にかかわるというほどに、期待するところが大きく、いわば命がけだったといっていい。

宋義にも、そのことがよくわかった。

（おれの右の指一本で、斉の運命を左右することができるのだ）

と思うようになった。他国の内紛に深入りして加担する者は結局その内紛の直接の影響をうけて自分をも国をもほろぼすことになるという道理を、宋義はどの程度わかっていたか。

「斉の場合、宰相を誰にするかということだけでもむずかしいのです」

と、高陵君が、道中でいった。諸派閥があるために一派から宰相を出せばかえって内紛の火に油をそそぐようなことになる。いっそ、他国の人がいい。

「どうでありましょう。いっそ閣下の御子息の宋襄君《そうじょうぎみ》を宰相に戴《いただ》くわけにはまいりますまいか」

と、高陵君が思いきったことをもちかけた。高陵君にすれば宋義の息子を斉国の宰相にしておけば、ゆくゆく斉国が危難に見舞われる場合、かならず楚軍がたすけにくる。斉からみれば体《てい》のいい人質のようなものであったが、宋義からみれば斉国をつねに手下としてひきつけておくのにこれほどいいことはない。もしこれが実現すれば、楚にとって宋義は斉の間諜《かんちょう》になったともいえるであろう。

(なるほど、そんないい手があったか)

と、宋義がおもったのは、楚国を思ってのことではなかった。楚国を思ってのことなら、これほど危険なことはない。宋義は自分の一門の利益のために、楚からも食邑《しょくゆう》をもらうことができ、斉からももらうことができる。数千という族員や奴婢を養うのに、斉国に半ば負担させることになり、宋義としてはまことに都合がいい。

「いや、襄は凡庸な男で、とても宰相というような重職に堪えられません」

と、この大陸の流儀で、何度かことわった。事実、宋襄はただのそのあたりの少年にすぎない。が、高陵君にすればあればあるほどよく、ぜひお願いしたい、と乞《こ》いに乞うた。

「さあ。どうだろう」

宋義は小首をひねっているくせに、顔は笑みくずれている。笑うと下唇がゆるんで、宋義らしくない下卑《げび》た感じが、ただよった。宋義は、高陵君にこの件につき、もう一

押し言ってほしいために、小首をかしげつづけているのである。高陵君は察し、さらに、

「襄どのにしてもしお考えがお若ければ、父君である閣下が、楚の地からはるかに後見してくだされればよいのです」

と、まことに売国というほかないことをいってしまった。斉を楚の属国として、たとえば宋義の懐《ふとこ》ろにねじこんでしまったような発言だったが、しかし高陵君としてはその立場上、よほどの思いがあってここまで言葉をひろげてしまったのであろう。この発言は、高陵君が斉を売ったともとれる。でないとも、とれる。

じつをいうと、斉などという国は元来この地上に存在しないのである。あるのは、斉の故地にある内紛中の軍閥というだけのことであり、捨てておいても内紛のために消えるべき存在であった。この場合、大損をするのは宋義のほうであったが、宋義は欲におおわれて気づかなかった。息子を斉の宰相として送れば、そのあと、宋義の言説は楚のために何を論じても、「斉の為《ため》にするものではないか」と疑われ、たれもが本気でその意見に耳を傾けなくなり、ついには楚のなかで没落するのではないか。が、宋義は、この一件を高陵君に約束した。好んで毒を呑《の》んだといわねばならない。

ただ宋義にわずかに同情すべきところがあるとすれば、かれが、楚において安定し

た地位を確立しているとはいえないということであった。そのためには、懐王の信頼もつないでおかねばならないし、同時に自分のために懐王の王権を鞏固《きょうこ》にするという策謀もしなければならない。むろん王権が強くなれば宋義はその袖《そで》にかくれて権力を増大できるわけである。以上、いかにも公卿出身らしい行き方を宋義はとっているが、高陵君も、宋義のこの立場をよくのみこんでいた。さきに高陵君が懐王に対し、しきりに宋義の兵略家としての能力を推輓《すいばん》したのも、以上のような両人の思い入れと、背景があったのである。

宋義は、懐王の供をして楚都の盱眙《くい》から北方の彭城《ほうじょう》までゆくあいだに、十分にこの若い王の信任を得た。

(やはり、旧楚の令尹《れいいん》の家にうまれただけに、他の者と忠誠心において違う。この男の言葉以外、たれの言葉をも信ずべきでない)

とさえ懐王は思うようになった。

とくに斉を隷属《れいぞく》させてその兵力を楚の防衛のためにこきつかうという宋義のひそかな提案には、感じ入ってしまった。

(真の忠君の人とは、宋義のような者をいうのだろう)

と、懐王は思った。懐王が、諸将に対し、王として脆《もろ》い形でしか君臨できないのは直率《ちよくそつ》の軍隊を持っていないからである。

「ゆくゆくは斉軍をひきいられて、陛下の直率の軍隊になさればよろしゅうございましょう」

と宋義がいった一言ほど、懐王の心を打ったことばはない。将来、項羽や劉邦が増長してきた場合、王みずから斉軍をひきいてこれを討つ、というところまで、あるいは宋義は諷《ふう》しているのかもしれないと懐王はひそかにおもった。

前線からひきあげてきた楚軍は、彭城の城外に宿営している。

彭城そのものは懐王のために空《あ》け、劉邦軍などは彭城からもっとも遠い西方の碭《とう》（江蘇《こうそ》省碭山の南）に宿営し、また呂臣《りよしん》という者がひきいている一軍は彭城の東にいたし、最大の軍である項羽軍は彭城の北にたむろしていた。彭城の城頭から郊野をながめると、地に旌旗《せいき》が満ち、そのとりどりの色が、地を織るようにはるかな秋天の下にまでつらなっている。

ときに、九月であった。

項羽以下の諸将が、それぞれ単騎、懐王を南郊に出迎え、彭城の南門にいたるまでのあいだ、王の鹵簿《ろぼ》を前後して警護した。

この大陸にあっては、後世、儒教が普及する以前から礼楽という文化意識がつよい。とくに王侯に対する礼が厚く、その厚さそのものが、中原《ちゅうげん》の内外に散在する少数民族と異なるところだという気分がある。

が、秦帝国の政治原理は、その点を根底からくつがえした。封建制をうちこわしたこの帝国は、地方々々に封土《ほうど》をもっていた王侯を追い、王に代わるものとして郡に長官としての郡守を置き、侯にかわるものとして県に県令を置いた。かれら地方官は王侯と異なり、中央から任免される存在にすぎない。このため悪徳の地方官が出ればこれを辞令ひとつで罷免《ひめん》してしまうというところに新制度のよさがあったが、しかし一面、新制度になじめない地元の有力者から地方官たちが、かつての王侯とちがい、軽侮されるというところがあった。

彭城の南門から入ってきた懐王の行列は、かつてこの地を治めていた県令のそれとは大ちがいで、鹵簿を構成する車の数もおびただしく、それに奏楽の音が前後した。ときに笛の音が輪のころぶように地を駈《か》け、ときに金属楽器の打ち合う音が、鏘々《しょうしょう》としてひとびとの耳をおどろかした。彭城の市民は、この車駕《しゃが》の列や奏楽の音をきいたとき、

――もとの世が戻ってきた。

とおもった。王侯の世を歓迎するわけではなかったが、かといって秦の世をなつかしむ者はいない。

秦の体制はたしかに理想としてはみごとなものであったが、しかし、この地上に布《し》くには、なお未来に対して千年以上の歴史の成熟が必要であった。それに、士人や庶民が秦の体制の善悪など論ずるゆとりがないくらいにその税が生死にかかわるほどに重く、その労役が多くの人々から生をうばうばかりに苛酷《かこく》であった。ひとびとにすれば、まだしも王侯を重んじていればそれだけで済んだ時代のほうがなつかしい。そういう気分からいえば、懐王のこの大仰《おおぎょう》な車駕は、ひとびとにとって、一種の安堵《あんど》をよぶものであったにちがいない。

(なるほど、王となればえらいものだ)

と、劉邦は、一将軍としてこの列に参加しながら、彭城の市民とおなじ感想をもった。劉邦など、草ぶかい田舎《いなか》にうまれた男にとっては、旧時代でも王の車駕を見たことがなく、秦の時代になって始皇帝の行列を見たことがあるだけで、ともかくもこの古典的壮麗さに耳目をおどろかされた。

一方、おなじく車駕のなかにまじっている項羽の場合は、これにおどろかなかった。

（なんというはめになったのだ）

と、別のことで腹が煮えかえっていた。本来なら叔父の項梁が、いずれは王か皇帝になってこういう鹵簿のあるじになるはずであったが、羊飼いの心《しん》とよばれた男をさがし出してきて楚王に奉じたばかりに王になれず、一将軍として前線で死んでしまった。もし項梁が王など奉じなければ、項梁の死後、この車駕をひいて彭城に入城する者は、項梁の相続者である自分だったにちがいない。

（それにしても、王とは大層なものだ）

と、項羽は、思うには思ったが、劉邦のように無邪気に感心しなかった。この大層さを作りあげた張本人はあの公卿くずれの宋義のやつにちがいないと思った。宋義が、亡楚の儀典にあかるい老人をさがし出してこういう趣向を演出したに相違なく、宋義以外にそういう権限と能力をもつ者はいないはずであった。項羽は腹だたしくおもいながらも、滑稽《こっけい》なことに、つい王の威厳に身がちぢみ、頭《こうべ》が垂れてしまう自分をどうすることもできない。

（王がえらいのではない。王をえらく見せている儀礼に、おれまでがつい身を蹈《かが》めてしまわざるをえないというだけのことだ。宋義が、背後でおれたちを誑《たぶらか》しているにすぎない）

とも、思った。この鹵簿のなかで、平素粗暴で感情的といわれている項羽ひとりが、哲人のように醒《さ》めきった目と心で存在していたというのはふしぎなほどであったが、そのことは、かつて項梁とともにこの乱を主導してきたかれにとっては、経歴上、当然な心懐であったといえるかもしれない。

彭城という町は商業でもっていた。このため大廈《たいか》高楼《こうろう》というものがなく、めぼしい建物といえばかつての県令の屋敷と庁舎があるだけであった。百官が参内《さんだい》して王に拝《はい》謁《えつ》すべき朝堂《ちょうどう》というものがない。

「朝堂がなければ、朝見ができない」

と、宋義は彭城に入ると、ひとりやかましく言い、にわかに仮りの朝堂を建てようとまで言いだした。しかし項羽が怒って、

「よせ」

と、大喝した。項羽の言葉はつねにみじかく、ながながと理由が述べられないためしに誤解をまねきがちだが、この男のいうほうが正しかった。いまは戦時である。古来、親征する王はすべて戎服《じゅうふく》に身をかため、北狄《ほくてき》が住むような幕営に起居し、軍議もその幕営でおこなう。朝臣が朝服を着て朝堂で朝謁を賜《たま》わるなどという時期ではない。宋

義の魂胆は、項羽の目にも見えすいている。宋義はかならずしも繁文縟礼主義《はんぶんじょくれいしゅぎ》の徒ではないはずであるのにことさらにそれをとなえているのは、王の尊厳をできるだけ手厚く装飾することによって流賊あがりの将軍どもを威圧し、ひいては王に侍立する自分の権威を高めたいというものであった。

（おのれの魂胆など、見えすいているわい）

とおもったが、口には出さず、

「いま必要なのは朝見ではなく、軍議だ、すぐさま王の御前で軍議をしよう」

と、項羽はいった。

軍議の会場として県の庁舎が選ばれた。後世のような土間と椅子《いす》といった装置はなく、大きな部屋ながら床《ゆか》が高くあげられ、その床の上に薄べりのようなものが敷かれている。宋義は部屋を真っ二つに仕切り、その一つに懐王をすわらせた。そのそばに、自分だけがすわった。

他の半分の空間に、有力な諸将がぎっしりとすわるのである。席次は、宋義が決めた。

項羽の席は、さすがに最上席に用意されているが、宋義より高くはない。次いで劉邦、さらには呂臣《りょしん》、黥布《げいふ》などといったぐあいに居ならび、范増《はんぞう》も項羽の推輓《すいばん》で一将の処遇をうけ、末席にすわった。

一同、着席した。やがて王と宋義が上《かみ》の間にあらわれたとき、宋義の子分の者が一同の座をまわってはいちいち拝礼の仕方を教え、作法を間違える者に対しては声を荒げて叱《しか》った。みな手足が硬直するような気分になり、叱られた者などは顔を赤くして懼《おそ》れた。意外なことに、諸将のなかで項羽だけが、身動きのすべてが礼にかなってい た。死んだ項梁が、項羽の少年のころからこの種の作法をすべて教えこんでいたためである。劉邦の所作が、もっともよくなかった。元来、礼のきらいなこの男は大きな体をどう屈伸させていいかわからず、そのうちに時間が経《た》った。

会議がはじまると、面倒な作法によって諸将の気分が硬くなり、ゆったりと口をひらいて喋《しゃべ》っている者は宋義だけというぐあいになった。

「項梁将軍の楚軍は、定陶《ていとう》で潰《つい》えた」

と、宋義が一喝するようにまず言ったため、諸将はいよいよ身を小さくした。項羽が、ばかな、と言おうとしたとき、宋義はすかさず、

「すくなくとも章邯《しょうかん》はそうおもっている」

と、いった。宋義の見るところは、正確といっていい。たしかに秦の章邯将軍は、

定陶の戦いの結果、項梁を殺すほどの打撃を楚にあたえた上、項羽、劉邦、呂臣の軍がいっせいに退却したことを見て、楚軍の再起は当分不可能と判断した。この時期、章邯ほど多忙な男はなかった。かれはこの勝利にあぐらをかくゆとりもなく、麾下《きか》の機動軍をひきいて定陶を去った。かれは走るようにして北上した。済水《せいすい》を北へ渉《わた》り、さらに黄河を北にわたって、鉅鹿《きょろく》（河北省邢台《けいたい》の西南）を包囲した。

鉅鹿は、趙《ちょう》にある。

この大乱で、かつての王国である趙も、張耳《ちょうじ》・陳余《ちんよ》などといった戦国生き残りの策謀家が亡趙の王孫をさがしだしてきて趙王とし、独立国家であることを呼号した。が、兵すくなく、当初、信都《しんと》（鉅鹿の付近）に都したが、たちまち秦軍に攻められて都をすて、宰相の張耳が趙王をかついで鉅鹿城に逃げこみ、城門を閉じた。秦の章邯はこの機に趙の息の根を止めるべく三十余万の機動軍をひきいてこれを重厚に包囲し、城内が餓えるのを待った。

趙は、悲鳴をあげつづけた。

張耳たちは四方に救援の使者を走らせた。燕《えん》も自立しており、斉《せい》、さらには楚というふうにそれぞれ使者が駈《か》けこんだ。その使者がきたのは、懐王と宋義が彭城に入城する直前で、宋義が会った。

諸将は、気付かなかった。宋義が、この新情勢についての最初の情報を握ったということは、軍議をかれが主導する上で、大きな力になった。

項羽はそれを知らず、

——楚軍の再建をどうすべきか。

という提案をしようとし、最初に発言した。

が、宋義によってさえぎられた。

「趙の鉅鹿城が秦軍にかこまれている。秦の大将は、章邯である」

といったために、一挙に軍議は宋義が中心になった。

「章邯がいつ鉅鹿へ出てきた」

と、項羽でさえうろたえてしまった。他の諸将も大いにざわめいた。一面、安堵もあった。定陶で項梁軍をつぶした章邯の機動軍が、もし北方の趙の鉅鹿へゆかずにこの彭城を攻めていたならば、この席にいる項羽・劉邦以下の諸将の命など、いまどうなっているのか、知れたものではない。あやうくたすかったという思いと、一方、趙の鉅鹿城が陥《お》ちれば章邯の機動軍はかならずこの彭城に来るという危機感とが、一座の気分をひどく落ちつかぬものにした。

軍議は長びいた。しばしば休憩があった。

諸将は休憩のつど湯を飲んだり、庭に出たりした。庭には木蔭《こかげ》ごとに諸将の幕僚が屯《たむ》ろしており、どの将軍もそういう連中に議事の内容を説明し、どうすればよいか、などと意見を徴したりした。

このため軍議は何度もぶつ切れになった。その間《かん》、懐王の重大発言があった。

「関中《かんちゅう》をくつがえすのが、最終の目的である」

と、懐王のことばは、そういう内容からはじまる。もっともすぎるほどのことであった。

関中という地理上の言葉は、歴史、政治、あるいは文化上の華やぎとともに、この大陸にあっては特別のひびきをもつものであった。日本史でこれに似た地理上の語感といえば、せいぜい戦国時代、京都市街のある山城《やましろ》盆地か、江戸時代、江戸市街をふくむ関東平野といったところであろうが、規模はむろん大きく異なる。

関中のほうが、けた外れに大きい。

関中という地理的呼称の語源は、当然ながら関所の内側、という意味である。その関所の代表的なものは函谷関《かんこくかん》であった。

関中をとりまく関所としては、他の方角に武関《ぶかん》、散関《さんかん》、蕭関《しょうかん》などがあるが、ふつう、関中とは函谷関の内側というふうに解されている。中国大陸の奥座敷といってよく、大陸部から入って函谷関をくぐりぬけて関中に入ると、広大な盆地になっている。関東よりも高所にありながら水利が発達し、渭水《いすい》が黄土層をうるおして、この時代、農業生産高も大きく、函谷関を閉ざして盆地ぐるみ籠城《ろうじょう》してもゆうに大きな人口を養うことができた。かつて、周《しゅう》もこの関中に都を置いた。秦帝国もこの地の咸陽《かんよう》に首都を置き、のち漢《かん》もここに首都をさだめ、後代、唐《とう》の首都長安《ちょうあん》が置かれるにおよんで関中の全盛期をむかえたが、ついでながら唐の長安のころには秦のころとちがい、関中の農業生産高が大いにさがって、むしろ食糧を他から移入せざるをえなくなっていた。

　懐王がいうとおり、秦都咸陽のある関中をくつがえすことこそ、抗秦に起《た》ちあがった反乱軍としては最終の目的であろう。関中さえくつがえせば懐王は秦のあとをうけて帝国を形成し、皇帝たりうるのだが、しかし、ここでかれはふしぎな発言をした。

「諸将は大いに競進して秦と戦え。最初に関中に入った者を関中王とするであろう」

　と、約束した。関中がもつ政治・経済上の価値からみて、その競進の勝利者である「関中王」こそやがてはこの大陸の主人たりうるための最短距離に位置するといえるかもしれない。すくなくともそういう想像が、どの野望家の脳裏にもうかんだ。懐王だけがそれを思わずに右のことをいった。懐王にすれば前面の秦の軍事力があまりにも大きく強く、諸将に死力をつくさせてこの猛炎を掻《か》いくぐらせるには、とほうもない褒賞《ほうしょう》を設定したほうがいいだろうと思ったからであろう。懐王は利口なようで、多分に子供のようなところがあった。

最後の休憩のとき、懐王と宋義はいったん奥にひっこみ、命令案を作った。十分に衆議をつくさせ、諸将がくたびれたあと、衆議とは離れていきなり命令をくだすのである。でなければ、王の権力と尊厳の確立は期しがたい。

命令の主要部分は、楚軍の主力をもって北方の趙の鉅鹿へ進み、各国の援軍と協力しつつ章邯の主力軍を撃つというものであった。章邯の主力軍を鉅鹿の野で撃滅しなければ、逆に楚は章邯にほろぼされるにちがいなく、この意味で鉅鹿の戦いは楚の存亡を決するものになる。

宋義は懐王に対し、みずから上将軍《じょうしょうぐん》になることを希望し、容《い》れられた。宋義は楚軍の主力をにぎることによって、斉《せい》などに対する楚の外交権をもあわせ獲《と》るという計算をした。この小さな計算以外は、宋義の戦略は真当《まっとう》なものといえた。問題は、項羽の処遇であった。かれを次将軍とした。

「しかし、羽《う》（項羽）は、承知するか」

懐王は、不安がった。なんといっても楚軍はもともと項梁のものであり、その相続者の項羽が、他からきた宋義の指揮に甘んずるなどは、考えられない。

「項羽に、魯《ろ》公という称号をあたえましょう」

と、宋義は言い、懐王の不安を消した。いやな男を位打《くらいう》ちにするというのは、貴族の常套《じようとう》手段であった。

宋義の戦略の妥当さは、別働隊を創設したことであった。これは雑然とした小部隊でよく、進路を関中にさだめ、咸陽をくつがえす勢いをもって西へ直進させるのである。北方の鉅鹿にいる章邯は関中の空虚を衝《つ》かれるかと見て狼狽《ろうばい》し、かれの軍の半ばを割いてこの方面に走らせるにちがいなく、これによって主力は手薄になり、鉅鹿の決戦は大いに楚軍に有利になるに相違ない。

この命令が、宋義の口から発せられたとき、項羽は激怒した。

「次将軍というのが、気に入らないのか」

と、懐王があわてて言ったが、項羽は懐王のほうには目もくれず、宋義の目を見すえつづけた。項羽の燃えるような視線が、宋義の顔から頸《くび》すじに移った。宋義の頭は栗《くり》を思わせる。なみよりも小ぶりであったが、そのわりに頸がふとんを巻きつけたように太く、気味わるいほどにやわらかそうであった。宋義はおもわず、頸につるぎの冷たさを感じた。

「御前《ごぜん》である」

宋義は、項羽をたしなめた。

項羽はしばらくだまったが、やがてこぶしをあげ、

「なぜ、わしを関中に進ませぬ」

と、いった。

一座の者たちは、それが項羽の怒りの理由だと知ったとき、意外な思いがした。常識としては鉅鹿へゆく主力軍に属するほうが軍功が大きく、別働軍は好ましくない。関中へ直進するといっても、それは敵の章邯をくらますための呼号であり、内実は囮《おとり》部隊というべきで、その程度の実力と役目しか持っていない。関中へ真っ先に入るという志望を項羽がもっていたとしても、主力軍に属しているほうが、その可能性が大きいのである。項羽にはそこがわからなかった。

懐王は、王の権威にかけて、項羽のこの不服を聴かなかった。さらには項羽には、襄城《じようじよう》で住民までを大虐殺《ぎやくさつ》した前歴があり、この場の諸将は、項羽が別働軍をひきいる場合、それを再演するかもしれぬことを怖《おそ》れた。もう一度あれをやられては、楚軍

が民心をうしない、自滅せざるをえない。諸将おのおの立ちあがって、項羽をなだめた。

宋義は項羽を無視し、さらに勅命を読んだ。劉邦をして別働軍の将たらしめる、というのである。

このとき、劉邦は劉邦で、

(軽く見られたものだ)

と、おもった。他の諸将も、その程度にしか、別働隊の部署についての感想を持たなかった。

ともかくも諸将たちは項羽をなだめ、ついに范増《はんぞう》が項羽のそばに寄って、

「むしろ幸いとすべきです」

と、ささやいたために、項羽もいったんは怒りを鎮《しず》め、服することにした。

楚軍が、彭城《ほうじょう》の地を発したのは、閏《うるう》九月の初旬であった。先鋒《せんぽう》がうごきはじめたときは未明で、数万の炬火《たいまつ》が星の数ときそいあった。

劉邦がひきいる別働軍は彭城の西の碭《とう》を、いわばひっそりと発したために、多くのひとびとはその出陣の景観を見ていない。

と名づけられた宋義・項羽の軍容はこの日、泗水《しすい》平野を染めた朝焼けを圧倒するほどにさかんであった。卿子冠とは楚語である。公達《きんだち》――貴族の子弟――のことをいう。かつて楚の令尹《れいいん》の家にうまれた宋義がこれをひきいるために、懐王がわざわざそのように呼称させた。沿道、密偵によって大いにその名称と軍容が、遠い鉅鹿の敵味方にきこえるように流布された。

この朝、露が繁《しげ》く、車《しゃ》は車輪に露をはねながら轣轆《れきろく》とゆき、従う騎も歩も、みな水をくぐったように濡《ぬ》れた。宋義の車は中軍を進み、そのまわりは旗をひるがえした騎兵でうずめられ、遠くから望めば紅霞《こうか》がたなびくようにおもわれた。

宋義が座乗する車は、水色の帳《とばり》がおろされている。この男は独りを慎《つつし》めないところがあり、帳の中では戎服《じゅうふく》などはぬぎ、冠もつけずに庶人同然のなりでいた。気の毒なほどに多食でもあった。ひざの上に塩づけの肉やほし肉などを置き、時かまわずに食いちらし、口辺に蠅《はえ》が舞っても払おうともしなかった。

「卿子冠さまのお車は、蠅だらけでございます」

と、范増の密偵が、かれにつたえた。

一方、

「卿子《けいし》冠《かん》軍」

範増は最後尾の部隊をひきいている。このたびの卿子冠軍の編成にあたって、将が不足していたために、本来項羽のそばにあって謀臣をつとめるべきこの男が、懐王から乞《こ》われて——というよりも宋義が范増を項羽からきりはなすために——末将として一軍をひきいることになった。

しかし、范増は項羽の謀臣であるしごとをやめたわけではなく、自分の部隊を指揮しつつも、項羽のために策を講ずべく諸方に密偵を放って情報をあつめていた。ついでに味方の諸将のまわりにも密偵を置き、とくに宋義の動静を知ろうとしていた。

「蠅か」

范増はふしぎがった。閏九月といえば沿道の民家では冬支度をはじめるころで、蠅もすくなくなっている。

そのすくない蠅が、宋義の車にむらがっているというのは、尋常なことではない。

「どういうわけだ」

と、密偵にきいたときに、宋義の食い意地のきたなさを知った。

「それが、卿子冠さまの正体というものだ」

と、范増は、歯のない口を大きくあけて笑った。

宋義の本軍が、安陽《あんよう》という町についた。

同名の町は他にもあるが、ここはのちの地名でいえば山東省曹《そう》県に近く、その東にある。彭城を基点とすればその東北、旅程にしてわずか五日ほどしか離れていない。町の規模は小さく、むろん県城ではない。宋義はこの小さな町につくと、その麾下《きか》の大軍を宿営させ、どういうわけか、動かなくなってしまった。

「鉅鹿《きょろく》まではるかに遠い。彭城を去ること数日で軍旅を駐《とど》めてしまったのはどういうわけであるか」

と、後続する項羽が使者を送ってその理由をきいたが、宋義はそのつど寛闊《かんかつ》に笑い、方策はある、しかしわが胸にある、まかされよ、というのみで、きかなかった。十日を経た。

さらに、日がすぎてゆく。

范増は、宋義のまわりの諜者《ちょうじゃ》をふやした。敵に対するよりも味方についての諜報を得なければならぬことをこの謀将は悲しんだ。宋義は商人が自分の貨《か》をたたえるように口をひらけば楚への愛をとなえ、懐王への忠誠を熱情的に語るが、どうやら私心をくらますためのものであるらしい。かれは息子の宋襄《そうじょう》の就職のために斉《せい》へしきりに使者を送っているようであり、斉からも使者がしばしばきている。安陽は斉へは距離的にもっとも近いのである。

(これは大変な食わせ者だ)

　范増は思うようになった。が、項羽に事実をもって告げるわけにゆかない。項羽は関中《かんちゅう》の征覇《せいは》のみを思い、心をいらだたせている。告げれば、宋義に対しなにを仕出かすかわからず、場合によっては楚軍の崩壊につながるかもしれない。

　兵士が、餓えはじめた。

　安陽などといった小さな町では秦の食糧庫もなく、近辺には農村もすくなく、兵士たちはあらゆる村に集《たか》っては食糧をあさった。しかし、やがてそれも尽き、民がまず餓え、兵も食を得ることにくるしみ、そのうえ天が日ごとに寒くなっている。兵たちは、煖《だん》をとることに難渋しはじめた。安陽のあたりは広漠とした低湿地でろくに樹木もなく、兵たちはわずかな木を伐《き》ってはそれを火にした。やがて乏しい木も尽きた。項羽は自軍の士卒を偏愛するところがあり、飢寒にくるしむかれらをみて、宋義への感情が日ごとにそぎ立ってきた。滞陣が、四十六日目になった。項羽はたまりかね、宋義の本営へゆき、扉を蹴《け》るようにしてなかに入り、宋義をその家来たちの前で詰《なじ》った。

「こんな安陽で、冬をすごす気か」

項羽はどなり、

「なぜ、鉅鹿の戦場へゆこうとせぬ」

といったが、宋義は黄色い顔に微笑を大きくひろげて、

「魯公よ」

と、項羽を尊称でよんだ。

「牛の虻《あぶ》をご存じか」

と、いう。貴公は早く鉅鹿へ行って章邯《しょうかん》の大軍を攻めつぶせ、とおおせあるが、しかし章邯は虻である、これを手でもって叩《たた》くだけでは、牛の毛の根に入っているだにいしらみまで退治ることはできない、いま章邯は趙《ちょう》の鉅鹿城を攻めているが、たとえ勝ったところで秦兵は疲れているであろう、われらは秦兵の疲れを待って攻撃すべきで、いまは逸《はや》るべきでない、私は甲冑《かっちゅう》をつけて戦うことにかけては、貴公より劣る、しかしこのように本営のなかではかりごとをめぐらすことにおいては、貴公より上である、といった。

項羽は、理に窮した。それだけに、感情のほうが噴出し、

「兵は餓えている」

と、吠《ほ》えた。にもかかわらず卿子冠《けいしかん》どのは斉からの使者を歓待して日夜酒宴を張っておられる、兵のくるしみをなんとおもっておられるのか、ともいった。

「魯公よ」

宋義は微笑のままいった。

「王から外交をまかされているのは私であって、魯公ではあるまい。斉の使者を接待することは楚国のためである。なるほど兵士の一部は飢寒のために不平を抱いているかもしれない。不平は、楚国への愛情が足りないところからおこる。魯公はよろしく兵をいましめられよ」

と言い、項羽をつき放した。

その翌日、宋義は盛大な行列をつくって、城外へ出てしまった。そのことが、城外の各地で宿営している諸将の耳に入った。

范増がおどろき、

(なにごとがはじまったのか)

と、様子をさぐらせると、息子の宋襄を斉の宰相にするという宋義の交渉が成功したらしく、斉の使者と宋襄を送るために無塩《ぶえん》まで出かけて行ったという。さらにはつぎの諜者がもどってきて、宋義は無塩で盛大な送別の宴を張ったという。

（なんというやつだ）

と范増はおもった。

ときに、長雨がふっている。この日、大雨になった。寒気がはなはだしく、楚軍の士気は沈滞し、この滞陣のまま雨に溶けて土のように崩れてしまいそうであった。范増はついに決意し、項羽のもとにゆき、ありのままを告げた。

「宋義は、私的に斉と外交をしています。滞軍は、そのためです」

項羽は、しばらくぼう然としていた。項羽もまた宋義の口から出るさまざまな忠誠と愛国のことばにまどわされ、宋義への不満を公然とあらわすことをはばかってきたのである。

「すべては、私事か」

項羽は、激情をおさえるために大息を吸い、かつ吐き、吐きながら、宋義は私《し》を徇《いとな》む、ただいとなむ、いままでの宋義の言動はことごとく私であったか、とつぶやいた。かつ項羽は首をあげて、かたわらを見あげた。壁に、帛《きぬ》が貼《は》られている。宋義の本営からきた軍法書であった。さきに項羽が宋義の本営にどなりこんだ翌日に全軍にくばられたことから察して、宋義が項羽を想定して書いたものであることはまちがいない。

猛《たけ》キコト虎《とら》ノ如《ごと》ク、很《もと》ル（ねじける）コト羊ノ如ク、貪《むさぼ》ルコト狼《おおかみ》ノ如ク、彊《つよ》クシテ使フベカラザル者ハ、皆コレヲ斬《き》ラン。

項羽も、これが自分のことをいったものであることは察している。

ここまで諷《ふう》されながらだまってきたというのは、この男の忍耐力からみれば稀有《けう》のことであったが、そのことは、項羽のなかにある宋義の家格への憚《はばか》りと、つねに国士然としてかまえてきた宋義の演技にいかにかれが気を呑《の》まれ、遠慮をしてきたかということのあらわれといえるかもしれない。

宋義は、前夜に安陽に還《かえ》った。

項羽の行動は、短剣のように直截《ちょくせつ》であった。

項羽は宋義が帰陣したということをたしかめた夜、単騎、自陣をとびだした。未明に城門に至り、門番に怒号して開けさせ、町を駈《か》けて宋義の宿舎にいたった。

「急変である、上将軍に謁《えつ》を賜わらねばならぬ」

と言って衛士を押しのけ、寝所に押し入って、帳《とばり》をかなぐりあけた。寝床のなかで宋義の木《き》臼《うす》のような頭が動き、次いで肥《ふと》った上体が持ちあがって、茫然《ぼうぜん》と項羽を見た。

「なんだ、魯公か」

と宋義がいったとき、その頭上に、項羽の重い刀が降り落ちた。臼のような頭が割れ、あたりが赤く染まった。

そのあと、項羽の兵や、范増の兵がかけつけてきて安陽の本軍を鎮静させた。項羽は、全軍の諸将を宋義の宿舎にあつめ、

「宋義は斉に通じて楚を私《わたくし》した。王はそれを知り、密勅をこの羽《う》にくだした。よってこのように誅《ちゅう》した」

と背後の死体をあごでしゃくり、

「異存はあるか」

と、いった。諸将はみな慴《おび》えて拝跪《はいき》し、そのうちのひとりが声をふるわせて、はじめ楚王を立てたのは項将軍の御家でございました。いま謀叛《むほん》があり、かように誅されました。将軍の正しさをたれも疑う者はございませぬ、といった。

「そのとおりだ」

項羽はうなずき、

「むかし江南の呉中で兵を挙げ、長江をわたり、淮水《わいすい》をわたったときは、宋義のようなまやかし者はおらなんだ。みな楚を興《おこ》すべく結集《けつじゅう》した死士ばかりであった」

というと、両眼から噴くように涙をこぼした。

一同、項羽の涙をみて感激し、いっせいに項羽に対して誓うべく右肩をぬぎ、

「大楚《タアチユウ》！」

と、さけんだ。

項羽は時をうつさず騎兵団を斉にむかって走らせた。宋義の息子の宋襄を殺しておかねば、宋襄は斉をうごかして楚を討つかもしれない。宋襄が斉の国境に達したあたりで騎兵団はこれに追いつき、宋襄以下、その一族をみなごろしにした。

さらに一方、項羽は懐王にも使いを出した。報に接し、懐王はのけぞるほどにおどろき、かつ怖《おそ》れた。恐怖のあまり、使者が要請するよりも早く、項羽の名をうやうやしくとなえ、これを上将軍に任ずる旨《むね》、勅した。

項羽は、かれが本来にぎるべき楚の全軍を、ここであらためて掌握した。かれの生涯でただ一度の権力闘争であったといっていい。

掌握するとただちに全軍に進発を命じた。北方の鉅鹿において秦の章邯三十余万の兵と決戦するためであった。項羽の兵は、七万ほどでしかない。

鉅《きょ》鹿《ろく》の戦

すでに冬が来はじめている。

項羽とその軍は、枯木のめだつ黄土の上を、北へ征《い》った。ゆくにつれていよいよ寒く、空はいよいよ碧《あお》くなった。

項羽はこれまで一介の武弁《ぶべん》にすぎなかった。

(この男には、欠陥が多い。しかし掘り出したままの璞《あらたま》のようなよさがあるとすれば、そこだ)

と、謀将の范増《はんぞう》老人などは思っている。范増はさきの編制では一軍の将になったが、項羽が上将軍の宋義を殺してみずから上将軍になり、楚《そ》の野戦軍の総帥《そうすい》になったとき、望んで将を辞め、もとのように項羽の幕舎に入って、その智恵袋《ちえぶくろ》になっていた。

中原《ちゅうげん》は、沸騰《ふっとう》している。

各地にあっては、かつての戦国期の旧王国が、それぞれ旧称をよみがえらせて割拠《かっきょ》しはじめていた。実体は浮浪人のような者どもが、あやしげな血筋の者を立てて王とし、みずからは侯になり、あるいはいったん立てた王を廃して他の者に替え、ときにはみずから王になったりした。

范増は老いてはいたが、行軍中はかならず馬に乗った。ときに、

「馬よ、馬よ」

と、いたわりの声をかけてすすませたりした。そのあたりに范増のやさしさがよくあらわれている。

「ああ、虚《むな》しいものよ」

大声でつぶやくこともあった。なにがむなしいのか、にわかに生《は》えて出た王国のむれがむなしいというのであろうか。

「王よ、王よ」

と、突如、ひとりごとをいうときもある。この場合の王は懐王をさしているのではなく、出来星《できぼし》の王どもを複数でよんでいるのであろう。

「われは汝《なんじ》らを王たらしめるために、馬上で雨に打たれているのではない」

かれは、老荘の徒であったかとおもわれる。

「われは、秦を憎む」

と言ったかとおもうと、

「秦は、作為なり」

ともいったりした。法家帝国というのは人間のはからいでできたものだ、とかれはいう。人間がつくった法の網で、何千万の人間を小鳥のようにからめとっているだけのことだ、とののしるのである。

「これを潰《つぶ》せば、わが事は成る」

つぶしたあとどういう国をつくるかは、この范増のしごとではない、しかしなるべくは漁夫は沼沢《しょうたく》に帰らしむべし、農夫はその田圃《でんぽ》に憩《いこ》わしめ、商人《あきうど》は市《いち》に居《お》らしめよ、役人は刑罰の具を倉におさめて民の守《も》りをせよ、という。

馬上、うたうように『老子』の一節を誦《しょう》することもある。

持《て》ちて《にも》之《これ》を盈《み》たすとも、其《そ》の已《や》めんには如《し》かず。揣《みが》きて之を鋭くすとも、長く保《たも》つ可《べ》からず。金玉《きんぎょく》、堂に満つれば、之を能《よ》く守る莫《な》く、富貴にして驕《おご》れば、自《みずか》ら其の咎《とが》を遺《のこ》す。功遂げて身退《しりぞ》くは、天の道なり。

范増は、倒秦という情熱に身をゆだねつつも、本質としては退隠と無私を理想とする陽性の虚無主義であるにちがいない。

かれは、項羽が宋義のような世間師じみたうごきをしないことに満足していた。項羽は王や宰相になろうとはしない。その身分は、楚の懐王の支配下の一将軍にすぎず、ただひたすらに野戦攻城に明け暮れている。范増はそういう項羽を粗玉《あらたま》（璞）のようだと思い、孫のような年齢のこの男に、可愛《かわい》さまで感じている。

（項羽は、まったくなにも知らない）

ということが、范増のように若いころから天下を周遊し、諸国の政情や動向に情熱的に関心をもってきた男にとっては、ときに噴き出したくなるほどであった。

（無邪気なのか、それとも天性、そういうことに関心をもてないたちなのか）

この大陸は、春秋戦国の動乱をへて、賢者、策士といわれるような情報通や入説家《にゆうぜいか》の才能をふんだんに育ててきた。かつての戦国の野心家たちは実力者を歴訪しては国際関係論を説き、あるいはその情報を仕入れ、ときに他の実力者のもとへ奔《はし》ってそれを売りつけたりした。それが渡世だったというよりも、才能というこのふしぎな人間の課題の中に含めるべきもので、かれらは何よりもそれによって自己を表現することを愉《たの》しみ、ときに利害も身命も捨ててそれに淫《いん》することさえあり、一種の賢者、策士の文化というべきものができあがっている。

范増などは、あるいはその才というものに淫する者の一人といえるかもしれない。

范増の前半生は戦国時代に属し、後半生は亡国の民として秦帝国の治下で逼塞《ひっそく》した。陳勝以後の動乱がおこったのはかれの七十のときで、本来なら故郷の居巣《きょそう》でわずかな田畑を耕して退隠のくらしをつづけているべきところ、項梁のもとに行って策を売り、信頼されてついその参謀になってしまった。范増がもつ才能の疼《うず》きがそれをさせたといえる。

そういう范増からみれば、

（政略ほどおもしろいものはないのに、項羽がそういうことに薄い関心しか示さないのは、この男は、自分のいくさ好きの嗜好《しこう》にひきずられすぎているせいか）

とも思ったりした。

しかし、項羽の粗玉《あらたま》ぶりをおもしろがっているわけにもゆかず、ともかくも、項羽が北方の主舞台に出てゆく以上、戦争の状態を説明するとともに、戦争と不離の要素である政情をも話しておかねばならない。

北上する軍旅のなかで、范増は、かつての項梁が叔父であるとともに項羽の家庭教師を兼ねていたように、そういう立場で、北方の趙《ちょう》についてのいろんなことを話した。

「ここに、張耳《ちょうじ》、陳余《ちんよ》という者がおりましてな」

と、この北上の行軍がはじまるころ、幕舎で、この二人の人物について語った。

「悪党か」

項羽は、人名が出るたびにまず善悪をきくため、范増としては話しにくかった。

張耳、陳余ともに戦国生きのこりの策士である。魏の遺民たちがこの二人を賢者とよんでいるが、ともかくも秦帝国の成立以前から魏の名士であったことはまちがいない。両人に共通しているのはどちらも大梁《たいりょう》の出身で郷里を同じくしていることである。それに、両人とも若いころ金持の娘をもらって運動資金が豊富だったこと、あるいは、かつて秦の始皇帝が魏をほろぼしたとき、この両人の魏人に対する影響力が大きいことを知り、各地にふれを出し、「張耳を捕えた者には千金、陳余を捕えた者は五百金」という懸賞金をかけたことなどであった。そのうえ、二人の間柄はただの友ではなかった。死を共にするという刎頸《ふんけい》の交わりを誓いあった仲で、事実、秦の盛時、変名して逃亡をかさねているときも、つねに離れることなく同一行動をとった。

このたびの動乱によって、両人は勇躍した。さっそく反乱の先唱者であった陳王（陳勝）のもとに駈《か》けつけ、これに属し、出先の将軍の秘書官というささやかな官職を得た。やがて陳王の主力軍が敗れると、両人はすかさず直接上司の将軍をおだてて旧趙の地へ軍をすすめ、将軍を擁して趙王に仕立ててしまった。王をつくりあげることによって、当然ながら両人は栄達した。張耳は右丞相《うじょうしょう》になり、陳余は大将軍になるといったぐあいであった。このあたりの消息は、この二年余のどさくさのなかで簇々《そうそう》とむらがり生えたにわか王国の成立事情の典型のようなものといえる。

そのうち、かれらの擁立した趙王は、秦に内通した一将軍に殺されたため、張耳・陳余の両人は、かつての戦国の趙の王家の血をひくという者をさがし出してこれをかついであらたに趙王とした。

「なんというめまぐるしさだ」

と、項羽は話をききながら、話し手の范増がおびえを感ずるほどに表情をけわしくした。項羽の気質では、この種の話は、ただもつれているというだけで不愉快になってくるのである。

「ややこしい事情というのは、どこかうそやこけおどしがあるのだ」

事柄の実体が堅牢《けんろう》でない証拠だ、というのである。

「が、かならずしもそうではござらぬ」

と、范増はいった。

稀代《きたい》の策士二人が作りものの趙王を奉じているとはいえ、そのもとに結集している趙兵だけは本物でござる、と范増はいった。趙兵の士気は秦を倒して共通の母国である趙を再興するということで燃えており、その戦意たるや、項将軍の楚の兵におとるものではない。

しかしながら、趙という国は、右のような内紛で弱体化している。この機をのがさず、秦の野戦軍の総帥である章邯《しょうかん》将軍が動きはじめた。章邯はすでに楚の項梁の軍を定陶《ていとう》で殲滅《せんめつ》し、項梁を殺している。項梁を攻めつぶした段階での章邯の手ごたえでは、

（楚はここまで粉砕しておけば、再起不能だろう）

ということであった。

この手ごたえを、つぎの方針決定の基礎とした。全力をあげて北上し、弱体化した趙をこなごなにつぶしてしまうことであった。

戦国のころの趙の国都は、邯鄲《かんたん》（河北省南部）である。

この都市の名は、古来、日本人にとって、『邯鄲の夢』という説話の舞台としてなじみがふかい。盧生《ろせい》という書生が、老道士から青磁の枕《まくら》をあたえられ、その枕で一睡した。その夢のなかで盧生は美女をめとり、かつは進士に挙げられ、やがて累進《るいしん》し、

家にあっては五子を得、朝《ちょう》にあっては皇帝の高官になり、ついに孫十余人にかこまれ、齢《とし》八十で歿《ぼっ》した。盧生、大いにあくびして目が覚め、かたわらの鍋《なべ》をのぞくと、老道士が煮ていた粱《おおあわ》がまだ煮えていない。「ソレ、夢寐《むび》ナルカ」と盧生はほんのまどろみのまに人生が過ぎたことにおどろく、という説話である。ただし、この説話の中の年号は唐の開元七年とあり、項羽が北上しているこの年（紀元前二〇七年）よりくだることと約九百年も後代のことである。

右の邯鄲の説話に出てくる事物で、項羽の時代にないものが多い。やきものの青磁は唐代に完成するものであり、項羽の時代にはない。官吏登用試験も隋《ずい》から出発する。隋以後の書生といえば、科挙の受験を準備する者か、落ちた者である。そのように整《せい》頓《とん》された時代から見れば、項羽の時代の書生はまことに多様であった。四方に奔走する策士であったり、野戦将軍の命令書を書く書記であったり、あるいは老范増のように参謀であったりする。

要するに右の説話の人も物もその多くは項羽の時代にはなく、あるものは地と人をたぎらせているなにごとかであった。

いまひとつ項羽の時代にもあったのは、商業都市としての邯鄲の繁栄である。

邯鄲は、はるかに西方の根拠地である関中《かんちゅう》と華北平野をむすぶ交通の要衝《ようしょう》として、古代から都市として存在した。すでに春秋時代、衛《えい》がここに都を置いたし、戦国になってから趙が国都をここにさだめた。戦国時代のある時期からはすでに人口二十万を数えたといわれるから、この当時の世界の都市の水準からいっても大都市といっていい。

張耳・陳余がにわかにつくりあげた趙も、ここを都とした。

秦の将軍章邯の趙への攻撃は、各段階を準備し、確実な方法でおこなわれた。攻撃はまず邯鄲へ指向された。章邯はこの都市に対し、信じがたいほどの力を集中して打撃に次ぐ打撃を加え、ついには都市ぐるみひっくりかえすようなかたちで、潰滅《かいめつ》させた。

この時期、無数に出た反乱側の王や侯、あるいは相《しょう》や将の中で、名将の評判をとった者はまだ出ていない。項羽は叔父の項梁の名声にかくれてまだたれもがその能力を評価できない時期であり、現在、関中にむかって直進している劉邦の配下の諸将も、のちにこそさまざまな形で顕《あら》われ、この大陸の歴史のなかでもっともきらびやかな行動をするが、この時期はまだ大舞台を踏んだことのない田舎役者として存在しているにすぎなかった。

その点、秦の章邯はおそるべき器才を持っていた。のち、反乱軍が歴史の正統の位置を占めるために章邯の存在はほとんど注目されなくなったが、ともかくもかれの機動軍が、反乱の火の海のなかを転々して敵を各個に撃破しつつ、しかも軍隊内部の統制がよく保たれていたというのは、章邯の才能だけでなく、その人格的統御力も相当なものであったと見なければならない。

かれの作戦の特徴は、さかんな機動性の発揮にある。さらには攻撃すべき要所をよく選び、それを決定するとそこへ兵力の大集中を演じてみせる、というところにあった。いまひとつは、工兵的要素を作戦の正面に押し出したところにあったであろう。

かれは、邯鄲について考えた。

(町そのものが敵だ)

と、みた。

そのように考えたのは、単純な根拠ではない。

中小都市ならば、この大反乱時代の諸都市で見られるように、町の者が郡守や県令などを殺して前時代の封建的名称のついた首領を立て、町の郷土主義のもとに結集してその城廓《じょうかく》を秦から防守する。

邯鄲がその過程をとるには商業的な大都市でありすぎた。ふつうの中小都市ならばその付近一帯の郷土主義の象徴となりうるし、その都市を守ることが郷土意識の昂揚《こうよう》になるのだが、邯鄲はかつての趙の国都であったとはいえ、それ以上に中原《ちゆうげん》における重要な流通機能として存在している。趙以外のさまざまな地方から商人や職人がこの流通機構の中に参加し、一種のひらかれた国際性をもっているために、田舎風のごく単純な郷土意識の旗をかかげただけでは、人はおどらず、人心は結集しなかった。

しかしながら、張耳《ちようじ》・陳余《ちんよ》が、えたいの知れぬ若者を趙王として王の鹵簿《ろぼ》を仕立て、軍隊とともにこの町に入り、

——いまより邯鄲は趙の都ぞ。

と宣言し、市中をきびしく統制した。商人たちにとってはうれしくない。戦乱は流通の機能を停止させたり、兵たちに倉庫を襲われたりして、歓迎すべき事態ではなく、まして邯鄲が趙都として宣言されると、秦の攻撃の目標になり、戦禍を蒙《こうむ》ることがはなはだしくなる。

かといって一方、邯鄲に住む趙人意識のつよいひとびとにとっては、この新事態は強い酒を飲んではげしく酩酊《めいてい》するような昂奮がないではない。ところが、張耳にせよ陳余にせよ、趙人ではなかった。

——あれは魏《ぎ》人(大梁は、かつての魏の国都)ではないか。流れ者が、勝手に趙王を

たて、それによって趙をわがものにするというのは、虎狼《ころう》の野望があってのことだろう。

と、城内のたれもがひそかに思っていた。

(邯鄲の人間は、張耳・陳余の軍隊をおそれて面従しているだけのことだ)

と、章邯は見た。

かといって、邯鄲は城市としておそるべき物理的防禦力《ぼうぎょりょく》をもっており、攻めるには至難といっていい城であった。高くぶあつい城壁が都市の内外を幾重にもめぐっており、いかに懦弱《だじゃく》な兵がここに籠城《ろうじょう》しても、大軍を何カ月もふせぎとめることができる。機動力を唯一《ゆいいつ》の稼《かせ》ぎ方としている章邯にとっては、大軍を邯鄲に釘付《くぎづ》けされることは、作戦上の死にひとしい。

次いで、邯鄲については、章邯に気がかりがあった。たとえ張耳・陳余の軍隊をここから追っても、これだけの要塞《ようさい》だけに、たれかがまたここに入りこんできて、この城廓をつかい、城廓によって強大な兵威を示す。

章邯は決心し、いったんは必要以上の大軍を繰り出して邯鄲をかこむかたちをとった。ただし、一方は開けておいた。

この時期、陳余は他にいた。張耳だけが趙王を奉じ、守備隊をにぎって邯鄲城内にいた。

張耳といい、陳余というが、かれらはその前歴である戦国末期の遊説家《ゆうぜいか》の型から多くは出ておらず、戦場の経験に乏しかった。かつて旧趙の地をあらたな版図《はんと》にしたときも、武よりも政略と口舌をもってし、

「戦わずして旧趙の三十余城邑《じょうゆう》を手におさめた」

というのが、かれらの自慢であった。

張耳は、地に満ちた秦の黒い旌旗《せいき》をみて、まず戦うことの無意味を考えた。次いで自らを納得させ、言葉を尽して他にも説き、そのあと、趙王をかつぎ、風をくらって北へ逃げてしまった。

章邯には、そういう結果は計算ずみであった。

「かれらは、北方の鉅鹿《きょろく》へ逃げこむだろう」

と、章邯は予言した。すぐさま三次にわたって軍団を北に発向させた。その北上軍の上将軍は智略《ちりゃく》で知られた王離《おうり》である。次いで勇猛できこえた蘇角《そかく》が中軍をひきい、さらには秦がまだ王国であったころからの生き残りの老将の渉間《しょうかん》が殿軍《しんがり》をひきいた。

章邯はことさらに主力軍を手もとにのこし、城内に駐屯《ちゅうとん》し、邯鄲二十数万の市民を

ことごとく河内《かだい》の地に引っ越しさせた。

――不殺《ころさず》。

という命令を秦兵に徹底させ、市民からその面の不安を取りのぞき、ともかくも二日ほどで都市を空《から》にしてしまい、あとは兵のほか人夫を徴発し、数万の労働力をつかって城壁という城壁をことごとくこわさせた。

邯鄲を消滅させたのである。

まことに章邯のやりかたは徹底していたといっていい。

ついでながら、現在の邯鄲は人口四十万ちかい都市だが、漢になって再建されたときを出発点としている。趙時代の邯鄲は現在の同名の都市の南四キロの地にあって、地名は「趙王城」といわれる。当時の広大な土城がいまなお残っているが、ただし章邯が崩した多くの箇所は、野になっている。

鉅鹿（河北省）という城市は、邯鄲から北東へほぼ百キロほどの地点にあり、華北平野のまっただなかといってよかった。

鉅鹿付近は古来肥沃《ひよく》の地とされた。鉅鹿の町はその農産物の集散地として、あるいは治所として栄えた。秦帝国が成立すると、ここに広域地方区としての「郡」の治所がおかれて、いよいよ付近一帯の重要な都市になった。

大都市といえる。

ここに趙王と張耳が逃げこんでほどなく、章邯の将の王離らが追ってきて包囲した。

張耳は、城門をかたく閉ざした。

「鉅鹿は、兵多く、食豊かで、陥《お》ちるはずがありませぬ」

かれは趙王をなだめる一方、四方へ救援を乞《こ》うべく密使を走らせた。反乱諸勢力に対するこのような工作となると、もと策士の張耳はお手のものであった。

この時期の諸方の反乱勢力について『史記』は簡潔に表現している。

相立チテ侯王ト為《な》リ、合従《がっしょう》シテ西ニ郷《むか》ヒ、名ヅケテ秦《しん》ヲ伐《う》ツト為スモノ、数フルニ勝《た》フベカラザルナリ。

まず侯王が、数えられないほどの多さで乱立しているさまを言い、次いでかれら同士が合従（同盟）していることを指し、さらには、それらがみな口々に「秦ヲ伐ツ」と呼号していることをいう。最後の辞句には、筆者の事態に対する皮肉がこめられているであろう。乱立している侯王たちのなかには、秦勢力の空白地帯において一時の欲望と快をむさぼるために侯王になった者も多く、反乱諸勢力の共通の標榜《ひょうぼう》である「秦ヲ伐ツ」ということはたてまえで、そのじつ私利をむさぼっているともいえる。

合従というのは、この時代、ひとびとにとってなじみふかい熟語として使用されている。戦国時代の後半、辺境の秦のみがひとり強大であった。これに対し、中原《ちゅうげん》の六《りっ》国《こく》（韓《かん》、魏《ぎ》、趙《ちょう》、燕《えん》、楚《そ》、斉《せい》）が攻守同盟を結ぶことをいうのだが、六国の位置は地理的に北から南へ従《たて》（縦）にならんでいる。それを合することを言う。大時代な外交用語であるとはいえ、この時代、多くの諸勢力が、なお流賊の集合である段階を抜け出ていないのに、かつてのこの用語を互いにしきりに使っているのは、秦軍対六国の諸軍閥というかたちが、そのままに現出していることになる。

「合従のよしみによって、諸方の王侯は兵を送ってくるでしょう」

と、張耳は趙王をなだめるのである。

張耳のみるところは、正鵠《せいこく》を射ていた。他の国々さえ勇奮して鉅鹿平野に兵を集めれば、秦とのあいだの最終にして最大の大決戦はここにおいておこなわれるだろうということであった。

「私どもは、強秦をとらえる生《い》き餌《え》になるわけです」

と、張耳はいった。たしかに張耳らの趙は、弱国にすぎない。しかし鉅鹿城に、食い延ばせば数カ月の食糧があるということが強味だった。城門を守ってさえいれば、秦軍に対する囮《おとり》になる。張耳の不安と愉悦《ゆえつ》は、自分たちが企《たくら》まずして秦の大軍をおびきよせる囮になってしまったということであった。秦の章邯は、その大集中の作戦癖から察して、おそらく全軍をこの鉅鹿平野に投入するだろう。秦はその本拠である関中盆地においては、兵力補充の底を払ってしまっており、章邯の大機動軍そのものが、秦の武力のすべてであった。ここで章邯軍をたたきつぶせば、秦都の咸陽《かんよう》に入らずして秦帝国そのものが崩壊するのである。

「われわれは、甘んじて倒秦のための囮になったわけです」

と、張耳は趙王に言いきかせている。

「これによって、鉅鹿の名は、遠く後世にまで語りつたえられるでしょう」

とも言ったが、ただその囮というものは救援軍がきてはじめて成立するもので、来なければただの孤城にすぎない。

張耳の外交能力は高かった。かれは四方に使いを出すにあたって、とくに鉅鹿がもつ作戦上の重大意義を諸勢力に説く用意をさせた。鉅鹿が滅びれば、楚も魏も斉も、累《かさ》ねた卵のように各個に潰《つぶ》されてゆくだけで、各国にとっても亡《ほろ》びをふせぐ戦いといってよく、そのことを諸勢力に説いておどしておくこともむろん忘れなかった。張耳がもつ外交能力は、いそがしく旋回した。

秦の章邯もまた、張耳が見たこの鉅鹿城の作戦意義を、同様に受けとっている。ただ章邯の場合、張耳想定の裏としてこれを解釈していた。鉅鹿を囮とし、この城外に全反乱軍をあつめさせて、一挙に巨岩をもってこれを叩《たた》きつぶすのである。秦の禍根はこの一戦で根絶し、二世皇帝は以後、平和を楽しむことになるにちがいない。

(この鉅鹿の戦いは、秦にとって最終の戦いになるだろう)

とおもった。

鉅鹿城の包囲が完成したころ、章邯はみずから主力軍をひきいて戦線に到着し、鉅鹿の南方の棘原《きよくげん》城(河北省平郷県付近)に本営を置き、前線を督励した。

——気長に。

と、章邯は王離らに言いふくめた。

「鉅鹿を餓えさせる」

秦軍にも、弱点があった。関中からの新兵の補給がすくないということである。章邯は、このため兵の傷《いた》むことをおそれた。

（兵を大切にしなければならない）

かれは王離らに命じて鉅鹿城のまわりに多くの堅牢《けんろう》な付城《つけじろ》を築かせ、夜間はここに籠《こも》らせた。

それ以外に、大工事を開始した。甬道《ようどう》をつくることであった。

甬《よう》とは、十斗枡《じゅっとます》のことである。甬道には枡のように道路の両側にわくがある。章邯は道路の両側に高い築地《ついじ》をながながときずかせ、それによって通過中の兵士を敵の襲撃から守るという工事を命じた。この甬道の発案者は、記録では始皇帝で、かれは関中の重要な道路をこの甬道につくりかえ、皇帝の専用道路とした。理由は皇という、俗眼に映じてはならない朕《きさし》としての尊厳を守るためで、たとえばかれが帝都の咸陽から驪山《りざん》へ行幸するときも、いつ往《い》きいつ還《かえ》ったのか人目にはわからぬようにするための装置だったが、章邯はこれを軍事に応用した。

その情報を范増は行軍中に得た。

（章邯とは、評判以上にすごい男だ）

とおもった。

もっとも章邯がこの途方もない作戦用の土木工事をはじめたのも、史上空前の土木狂ともいうべき始皇帝の影響が、ごく自然に身についてしまっていたせいかと思える。

ともかくもかれはこの大地そのものを城塁化したような甬道によって兵員の輸送の安全を期するとともに、大いに補給の安全をも期した。章邯の作戦的特徴は補給線の確立とその持続的安全という配慮が濃いことで、そのためには、前線の出城《でじろ》にむかって血管のように伸びているこの長大な甬道が大いに役立った。

張耳の飛檄《ひげき》は、さすがに諸方を刺激した。

北方に代《だい》という小さな国がある。代でさえ反応した。代はかつて戦国のころ、趙《ちょう》に隣接していた国で、趙の襄《じょう》王のときに併呑《へいどん》され、ほろんだ。この動乱期に、代も自立した。もっとも自立したのは張耳の策で、かれは息子の張敖《ちょうごう》に軍隊をさずけて代に駐屯させ、地元の意識をあおらせて兵員をつのり、一国の体《てい》をなさしめていた。その代から、張敖が一万余の兵をひきいて鉅鹿にかけつけたときは、消沈していた鉅鹿城内の士気が、熾火《おきび》に息を吹きかけたようによみがえった。張耳はむろんよろこび、

「代のようなちっぽけな国でさえ、鉅鹿の救援にかけつけた」

という檄を書かせ、四方に使者を走らせた。

ただし、鉅鹿城のまわりは秦軍が重厚にとりまいて、代軍は近づくことができず、入城どころか、秦軍の背後をうろつき、ついにその手のとどかない要所に塁をかまえ

て、もぐりこんだ。塁から出れば秦軍に叩かれるために、さざえがふたをしたように、ただ潮《しお》の変わり目を待つというかたちになった。しかし潮が変わるかどうかという保証はなかった。

張耳の外交手腕によって、援軍がぞくぞくとやってきた。北から燕《えん》の軍隊もきたし、斉《せい》の軍隊もきた。ところがいずれも秦軍の重厚な包囲網と、鉅鹿平野そのものを野戦築城化したようなその大がかりな攻囲の仕方におどろき、代のまねをしてあちこちに簡易な城塁をきずいて潮の変わり目を待った。というよりも、かれらの出兵は義理が動機であるがために、できるだけ怪我《けが》を避けようとしていた。さらには鉅鹿の陥落は自明であるとさえし、その場合、どううまく戦線を離脱するかという工夫だけを重ねており、いわば戦争見物のようなかたちで日を重ねた。

「援軍は援軍にあらず、逃げるために鉅鹿へやってきたようなものではないか」

城内で張耳はくやしがった。

かれは外交家であって武人ではない。この悪《あ》しき膠着《こうちゃく》状態を脱するには強烈な武を発揮する以外にないが、どうにもうごけなかった。

——鉅鹿はかならず陥ちる。

ということを、敵の章邯よりも味方の援軍のほうがそう思っていた証拠に、たとえば張耳の親友の陳余の場合がある。

陳余は、鉅鹿城内にいない。

かれは、かつて秦に内通して前《さき》の趙王を弑《しい》した李良《りりよう》という趙の将軍と戦うべく野戦軍を編成し、これを破って李良を奔《はし》らせた。このため、まだ趙軍が邯鄲《かんたん》城にいた段階から張耳とすでに別行動をとっている。趙王と張耳が鉅鹿城に逃げこんだときも、別方面にいた。

鉅鹿城が急を告げているとき、陳余は北方の常山（河北省）という土地で兵に食をあたえ、勢力を養い、ここで数万のあたらしい兵を得た。張耳からの救援の密使は、陳余の常山城へ何度もきた。そのつど、すぐ参る、張耳どのによろしく、といったが、容易に腰をあげなかった。

権力は、ときに人間を魔性に変えてしまう。このときの陳余がそうであった。

（趙王も張耳も、いっそ鉅鹿で死ね。——）

という蠱惑《こわく》的なささやきが、陳余の心をとらえはじめていたかとおもわれる。

鉅鹿の戦場の周辺まで応援にきている代、燕、それに斉といった国々の派遣部隊長も、

——かんじんの趙の野戦軍が来なくて、なぜ自分たちが手を砕いて救援せねばならないのか。

と、不平を鳴らした。

陳余は疑惑のまとになった。しかし催促にたまりかねてようやく動き、わずかに南下した。が、鉅鹿の北方の要害までくると、動かなくなってしまった。

張耳・陳余といえば、かつて趙や魏《ぎ》の土地では、かならず両人の名をならべて言い、すでに伝説化したほどに仲がよかった。秦の盛時、首に懸賞金のかかったかれらが潜行しているときもさまざまな佳話があり、人口に膾炙《かいしゃ》していた。本来なら義兄弟になるところだが、齢《とし》にひらきがあり、張耳が上だった。このため陳余は張耳を父として事《つか》え、張耳は陳余を子以上に愛するという世間の例にすくない義盟を結んでいた。が、いま義父は右丞相《うじょうしょう》になり、義子は大将軍になっている。かれらの志は、半ば得た。しかし、そういう俗世の栄達がかれらの初志であったかどうか。

「秦を倒す」

という、当時やや現実を超えた、その意味では多分に形而上的《けいじじょう》でさえあった目的が、貧時のかれらを昂揚《こうよう》させ、苛烈《かれつ》なほどの友情を成立させてきた熱源であったはずであった。もっとも当時のかれらの表皮を剝《は》いでしまえば要するに栄達から外《はず》れたという不遇感がかれらを志士にしていたのであろう。その不遇感がかれら二人を熱烈な友愛の人にし、あるいは秦を罵《ののし》り、天下の蒼生《そうせい》を憂《うれ》える徒にしてきたといえるかもしれない。その証拠に、いったん趙の重職につくと、皮を脱いだように本来のなまな自分にもどってしまった。その人変わりのしぶりは張耳においてやや薄く、陳余においてははなはだ濃かった。

（おれ自身が、趙王にならなくて、どうなる）

というあらたな執念が、陳余の思考と行動を、奇怪なものにしはじめている。現在の趙王など、両人が路傍で拾ってきた男に王冠を戴《いただ》かせただけで、事が成れば追うか殺すか、どちらかの始末をせねばならない。そのあとの候補者は両人である。張耳は年長でもあり、かねて陳余自身が父事《ふじ》してきている。自然のいきおいとして張耳がなる。権力欲という魔術的な鉗子《かんし》に脳袋《のうたい》をつかまれてしまっている陳余は、考えるといえばそういうことしかなかった。ところが、事態の急変は、陳余にとって最も魅力的な情景を眼前に展開させている。ゆくゆく邪魔ものになる趙王と張耳が一ツ鍋《なべ》にほうりこまれ、秦の将軍章邯が、鉅鹿の郊野を鍋にし、火をもって煮あげているのである。

陳余としては、ひそかに笑って見捨てておけばよかった。

城中は食が竭《つ》き、兵士も市民も立って歩けないほどになっている。このなかにあって張耳の陳余への憤《いきどお》りは、凄惨《せいさん》なほどのものであった。かれは、最後の督促の使者として、自分の親族の張黶《ちょうえん》という者と、陳余の親族の陳沢《ちんたく》をえらび、深夜、城門をわずかにひらいて北へ駈《か》けさせた。かれらは変装して秦軍の重囲を突破し、陳余のもとに至った。

「右丞相（張耳）がおっしゃるのに、刎頸《ふんけい》の交わりとはなにか、ということでございます。互いのために死ぬということではないか、とおおせあり、いままさにわが死は朝夕《ちょうせき》にせまっている、にもかかわらず北郊に軍をとどめて傍観しているというのは信がないのも甚《はなは》だしいではないか、ということでございます」

これに対し、陳余は、いう。秦軍三十余万、そのうち鉅鹿の野には二十余万はいる、と。この強大な敵にむかってわしの兵はわずか二万にすぎぬ、いま行動をおこせば餓えた虎《とら》に肉を与えるようなもので、いたずらに軍を全滅させるだけのことである、それよりも後日、趙王および張耳どの仇《あだ》をかならずわしが討とう、いま死ねばたれが仇を討つ、といってとりあわなかった。

二人の使者は、後日のことなど信という徳義の前には何の意味がありましょう、たとえ全滅しても、張君（張耳）に対する信を立てるべきではありませんか、と、はげしく説いたために、陳余もたまりかね、折衷案《せっちゅう》を出した。

「五千人だけ出そう」

ということであった。

この折衷案は、五千人に悲惨な結果をもたらした。二人の督促使はこれをひきいて入城しようとしたが、途中、秦の大軍に包みこまれ、一人残らず死んでしまった。

そういう状況が、鉅鹿城《きょろく》とその郊外の野で進行し、事態は趙軍の飢餓が深刻化して潰滅《かいめつ》にむかってすすんでいる。

楚軍もまた救援のために発向したということは、すでに触れた。が、上将軍の宋義が途中で軍をとどめ、動かなくなり、次将の項羽が憤慨してこれを斬《き》り、全軍を掌握した、ということも、すでに触れた。

項羽が、単身、宋義の寝所に突進してその首を刎《は》ねたという動機は、項羽そのひとの直情と極端なばかりの好戦癖、あるいは宋義の身勝手な保身外交への人々の憤慨、といった幾つかの因子があったが、諸将や士卒が項羽の非常措置《そち》を受け容《い》れたという事実のほうがむしろ大きい。

楚軍が、四十日以上の大休止のために付近の食糧を食いつくしてしまい、飢寒のため士卒は不平を持ち、軍隊秩序の維持が困難になっていたばかりか、反乱、逃亡という非常事態がおこる寸前になっていた。元来が食をもとめて流浪《るろう》していた流民軍であるために、食を保証するはずの宋義がその絶対の義務を怠ったということは、契約違反というにひとしかった。諸将は部下の不平をなだめるのに難渋していたところへ、項羽がひとり起《た》ち、非常措置をとった。項羽の行動は、区々とした上下秩序を破壊したという点では背徳といえるかもしれないが、そこは乱世であり、流民団に対して食を与えるという将としての最大の義務を基礎とすれば、項羽は宋義に代わってそれを保証したといえる。

項羽が食糧を獲得するめあては、かれがさきに宋義に説いたとされる言辞をみれば、明瞭《めいりよう》である。

士卒、芋菽《うしゆく》（いもやまめ）ヲ食《くら》ヒ、軍ニ見糧《げんりよう》（現在の食糧）無シ。……兵ヲ引《ひ》キテ河（黄河）ヲ渡リ、趙ノ食ニ因《よ》リ……

早く戦場へ行って趙の食糧を食おうではないか、という意味である。措辞《そじ》はあらっぽいが、流民軍の当然の運動律のようなものであった。食の竭《つ》きた土地から食の満ちた土地へ流入してゆく。項羽が奇言を弄《ろう》しているのではなかった。宋義を斬ったあとの項羽は、趙の野にこそ食があるということを全軍にあきらかにした。これによって士気はようやくもどり、ひとびとは足を揚げた。北方の趙の野をめざしてゆくかれらの奮発心は、多くは飢餓から出ていたといっていい。

項羽は、馬上である。

公卿《くげ》身分の上将軍であった宋義は華麗な車を使っていたが、項羽はそういうものを用いなかった。最初の日、出発にあたって、宋義の車に油をかけて焼きすてさせた。油とともに硬い材が燃える煙が、数里行ってふりかえっても、なお背後の空にあがり、雲を茶色くにじませていた。

項羽は、宋義のように、自分の権威をことさらに装飾しようとはしなかった。宋義は、旧楚の最高の貴族の子であったことを視覚的にひとびとに見せるために、軍旅のあいだも華麗な公卿の装束《しょうぞく》を用いたり、車をことさらに華やかにし、そのまわりに扈《こ》従《じゅう》の車を多く列《つら》ねさせたりして、一見、王のような容儀を演出した。

宋義にはかれなりの理屈があり、

——楚人は、こうでなければ心服しない。

と、かねがね側近に洩《も》らしていた。

戦国の楚は漢民族の住む華中や華北とくらべ、貴族崇拝の要素のつよい社会であることはすでにふれた。楚人は貴種に宗教的尊崇の観念を持ち、貴族が巫人《シャーマン》になる場合さえあった。

宋義が、

――楚人はこうでなければ。

と、そういう押し出しで士卒の心をとらえようとしたのは、それなりに楚人の一面の気風を知っていたといえる。

が、項羽はそれを用いなかった。

項羽は、つねにありきたりの騎士のような軍装で馬上にゆられていた。それだけで十分だったのは、ひとつにはかれ自身の肉体の雄偉さが、いかなる車駕《しゃが》や美服を用いるよりも、士卒の心を打ったからである。

項羽の軀幹《くかん》というのは、かつて呉中（蘇州《そしゅう》）にいたころ、馬が立ちあがって歩いているほどに大きく、かつ肥《ふと》ってひとびとに異様の感じをもたせたが、戦闘をかさねるにつれ、大小の筋肉が薄いはがねのように硬くしなやかになり、馬上のわずかな身ごなしにも、金属が鳴るような律動をひとびとに感じさせるようになった。

（ただ惜しむらくは、智《ち》を用いるところがすくない）

と、范増《はんぞう》などは叔父の項梁にくらべてこの若者に不満を持っているが、項羽にいわせれば范増の智などはいたずらに瑣末《さまつ》的で、ときに老成者のひまつぶしのたねにすぎない、と思っている。こんにちの事態にあっては要は勝つか負けるかであり、剣をあげて天地をともに両断するだけの気力が必要なだけである。

——智は大切なものだ。

項羽は、范増をからかうようにいったことがある。

——ただし智というのは事後処理に役立つだけで、勝敗そのものに役立つものではない。

と頭から信じているようであった。

項羽のこの気力に対する信仰は、かれを教えた項梁からひきついだものでないことは、項梁がむしろ智者の煩《わずら》わしさを持っていたことでも察せられる。項羽はどう仕様もなく項羽そのものであった。

項羽の武人としてのすべては天性というほかない。しかもかれのおもしろさは自分の天性に対し、他とくらべてのひるみもうしろめたさも持たず、むしろ楚人一般が鬼神を信ずること甚だしいように、かれ自身、ごく自然に自分の天性の中に鬼神を見ているということであった。見る以上の自然さでそれを信じ、あるいは信じていることすら気づかないほどに項羽が項羽として天地の間に存在しているというぐあいで、范増の人間分類の方法では、こういう人間をどうあつかっていいのか、いっそ人間の範《はん》疇《ちゅう》の外に置くか、ともかくも戸惑ってしまう。

（まあ、小僧なのだ）

范増はそのように自分に言いきかせて、項羽との接点を強《し》いて仮設している。

（わしがたすけてやらねば、どう仕様もあるまい）

北進するにつれて、鉅鹿《きょろく》平野の状況があきらかになってきた。

この野における秦軍は、二十余万である。

それに対し、城外のあちこちに塁を作っている諸国の応援軍は、五千とか一万二千という単位で、城内の兵力とあわせても八万に達しない。

項羽の軍は、七万である。

（とても勝目はない）

と、范増は見、なにか意外な策はないかと行軍中も腐心《ふしん》しつづけてきた。この時代、戦いは敵味方の兵数の差で決する。味方の兵数をふやすことが将帥《しょうすい》の仕事であり、このため、戦いの前に外交上のあらゆる策を弄《ろう》した。范増の思案もそこにあったが、しかし天下に兵という兵が尽きてしまって、策の施しようもない。

もっとも、士卒たちはそういう状況を知らなかった。士卒に対しては、ふつう敵の兵数を過小に教える。さらには軍中、敵味方の強弱を論じてはならないというのは、どの軍においても慣習的な軍法として用いられており、項羽軍にあっても、このことは徹底していた。敵味方の強弱よりも、

——趙《ちよう》の野に早くゆこう。

ということのほうが、楚兵たちの意識に多くを占めていた。趙に食がある。楚兵は元来陽気を好み、物事を深刻に考えることが得意でなかった。かれらは歌を好んだ。行軍中、湧《わ》くように合唱するのは楚人のくせで、北方の軍隊にはあまり見られないところであった。

范増は、章邯《しようかん》が築いた甬道《ようどう》も苦のたねであった。それに関するくわしい情報が入ったとき、范増は項羽の宿舎へゆき、枯枝を折ってその形状を示した。

「章邯軍の強さの多くは、この甬道に負っています」

とまず言い、戦況論を展開しようとしたとき、項羽は話の腰を折った。章邯軍の強さは甬道にある、甬道をこわせばいいではないか、といったのである。

「壊すのだ」

「しかし」

こわせるようなものなら、たれも苦労はしない。鉅鹿城外の諸国の派遣部隊が、すこしでも甬道に近づこうとすると秦軍が襲いかかってくる、と范増がいったが、項羽は枝葉の話はきかず、

「こわす、それだけのことだ」

と、言い、さらに、方法としては、かつ戦いかつこわすのだ、といっただけだった。こわすためには、各軍とも土工部隊をつれてゆく。この作戦で范増がやったことというのは、この土工部隊の手配ぐらいのものであった。

項羽軍が黄河《こうが》のほとりに達したとき、寒気はいよいよつよくなった。河水は痩《や》せ、黄色い河原が、古びた皮のようにひろがっており、いかにも冬の黄河らしい相貌《そうぼう》だった。

(これが、黄河か)

と、項羽は丘の上に馬を立て、黄檗《きはだ》の皮の煎《せん》じ汁《じる》のような水が、痩せながらも一種人格的な威容をもって流れてゆくのを見つづけた。

すでに黄河の線まで先遣されていた黥布《げいふ》の部隊や蒲《ほ》将軍の部隊が、おびただしい数

の舟をあつめ、全軍が一挙に渡河できるように準備をととのえていた。鉅鹿平野の様子はここにいたってくわしくわかった。

「燕《えん》、代《だい》、斉《せい》、いずれの兵もみな殻をとざし息をひそめています。かれらは楚軍がわずか七万でしかないということも知っています。将軍が戦場に着かれても、かれらが力になりますかどうか」

といったのは、蒲将軍である。この人物はかつて項梁が淮水《わいすい》をわたったときに郷党の壮丁をひきいて傘下《さんか》に入った。実直というほかに、さほどの能はない。

項羽はしばらく考えていたが、やがて、

「楚人にとって、楚人のみが力だ。このことを肝《きも》に銘じておけ」

と言い、さらには幕僚をかえりみて、この言葉を、とだけいった。項羽のことばはつねに短い。右の自分のことばを全軍に伝えよ、という意味だった。

項羽軍は、いっせいに渡河した。渡れば、鉅鹿の戦場まで三日の行程である。

項羽はいったん全軍を集結し、楚軍の兵のすくなさをはじめて士卒たちに明かした。

このとき、項羽は河畔の丘上に旌旗《せいき》を林立させ、みずから丘の最高所に立った。

士卒に対し、まずいったことは、

「生きて再びこの黄河を渡ろうと思うな」

ということであった。自分もむろん死を覚悟した。その覚悟をあらわすために、舟という舟をみな沈めさせてしまった。さらに糧食については、鉅鹿城への片道三日分の兵糧《ひょうろう》を各個に持たせただけであった。趙に食をもとめるという兵への約束を反故《ほご》にした。

次いで丘の上の項羽は、みずから炊事用の甑《こしき》を持ちあげ、地に投げてこなごなに砕いた。さらに槌《つち》をふりあげ、釜《かま》をたたき割った。三日後には死者になるというのに、炊事道具は要らないということを衆に知らしめた。

兵たちもあらそって項羽のまねをした。七万人が一ツ行動をとって叩《たた》きこわしているうちに、激しい感情が、嵐が突きぬけてゆくようにひとびとの心に吹きつづけた。楚人は中原《ちゅうげん》の人々とは異なり、感傷性がつよい。これら共通の行動をしているうちに共通のはげしい感傷を生み、集団がひとつ心になってしまった。

このところ、華北の野に晴天がつづいている。

鉅鹿の野は、地平線を見るかぎりにおいてはただ広漠とした黄土の大地だが、こまかく見ると、地が気ままに阜《おか》をつくったり、はげしくくぼんで地隙《ちげき》をつくったりして、変化が多い。

阜という阜に秦軍の塁があった。それらの塁には兵がそれぞれ万単位で屯《たむ》ろし、塁から塁へ甬道《ようどう》が走ってこれを結んでいる。

あたかも郊野ぜんたいが大要塞《ようさい》の体《てい》をなしていた。滑稽《こっけい》なことに、甬という線でむすばれた秦の要塞群のあいだに、燕や代、あるいは斉からきた派遣軍の塁がいりまじって点在した。しかもかれらは戦闘部隊めかしく、それぞれの旌旗をひるがえしていた。

敵味方が同じ鉅鹿の天を戴《いただ》いて雑居している観があったが、そこに戦闘がおこらないのは、萎縮《いしゅく》しきった連合軍に対し、圧倒的な大兵をもつ秦軍が無視しきっているためであったろう。

この郊野に、楚軍の一隊があらわれたのは、かれらが黄河のほとりを発《た》って三日後の朝であった。黥布の先鋒《せんぽう》隊三万である。項羽とその主力軍に先立つこと一時間前で、秦軍や諸地方軍の塁からさかんに朝の炊事の煙があがっているときだった。

黥布は項羽に命ぜられたとおり、塁へは行かず、甬をめざした。項羽が単に勇のみの人間でなかったことは、黥布とその部隊に、甬の攻撃をもっぱらにさせたことである。

章邯が築いた甬には、防衛用の塁が付属している。しかし場所によっては付近に塁がなく、ただ甬のみが死んだ蛇のようにぶざまに横たわっているところもあった。黥布はそういう場所をめざし、主力を殺到させた。兵も土工も、あらゆる道具をふるって、それを破壊した。

数里（一里は約四〇五メートル）にわたって破壊したあと、未破壊の甬にも石や巨木をほうりこんで遮断《しやだん》し、それだけでなく、破壊箇所を守るために楚軍の塁も急造した。秦軍にすればこれによって補給路に打撃をうけただけでなく、捨てておけば楚兵が甬をつたって秦軍の塁を襲うという危険性も生じた。

たちまち異変は秦軍の各塁につたわった。

この方面の秦将は、蘇角《そかく》という鼻の大きな男であった。かれは章邯《しようかん》の幕下《ばつか》でも勇猛で知られた男だが、圧倒的に優勢な状況がつづいているために、やや警備と偵察を怠るところがあった。楚兵が、はるか南のほうで黄河をわたり、北上しつつあるということを知ったのはやっと昨夜のことなのである。

（楚がきても、なにほどのことがあろうか）

と、おもった。蘇角の想像では、楚もまた他の地方勢力の派遣部隊と同様、野ねずみのような穴をつくってそこへもぐりこむつもりに相違なく、様子をしばらく見ているだけでいい、とたかをくくっていた。朝になって、この郊野の一角に出現した楚兵が、到着するやいなや、無謀にも全軍露出したまま、甬道をこわしにかかったことを知り、むしろ楚兵のために心配してやった。

「荆蛮《けいばん》（楚人への蔑称《べっしょう》）というのは、あわれなことに戦《いく》さの理《ことわり》を知らない。全滅するだけのことではないか」

と、つぶやき、現場付近の諸塁に出戦を命じた。このことは、結果としては兵力の逐次《ちくじ》投入になってしまった。

兵力の小出しの投入は、各個に敵に撃破されるだけの結果になる。

このため、破壊工事中の黥布軍の前に最初にあらわれた秦兵は、小部隊にすぎなかった。黥布はいれずみの入ったひたいを盔《かぶと》でおおうと、すぐさま土木道具をすてさせ、秦軍にむかって一直線に突撃させた。秦軍は当初、軍容を張っておどせば楚人が逃げると思っていたのが、おもわぬ攻勢をうけたために数里しりぞいた。小規模な退却とはいえ、定陶《ていとう》で項梁を殺して以来、連戦連勝といっていい秦軍としては、最初の退却といってよかった。

黥布が甬道をこわした箇所を、かりに破壊点と名づけておく。破壊点は、秦軍の領域でももっとも南のはしで、そのあたりに地隙が多く、大軍をもつ側にとっては、行動が不自由で、兵力の展開のきく戦場ではなかった。

ところが、そこが秦の痛点になってしまったのである。細い針で突いたほどの刺激にすぎなかったが、心理的な痛みが、秦の全軍に奔《はし》る結果になった。秦軍としては、この破壊点へ兵力を繰り出さざるをえない。やがて遠方の塁にもつぎつぎに出戦を命じた。かれらは、戦場へは遠近の順によって到着する。その戦場たるや、地隙と地隙のあいだのせまい空間で行動するため、敵に対して一挙に大圧力をかけるというぐあいには行かない。当然、黥布軍にとって、幸いした。黥布軍の正面の敵は、つねに大軍ではなく、小部隊であった。ただ秦軍は兵の疲労を順次癒《いや》させては新手《あらて》を繰り出すのに対し、黥布軍は小さな車輪が気ぜわしく旋回するように動きづめに動かねばならなかった。

敵を撃退すると、その場でたおれて荒い息をする兵がふえてきた。

黥布軍のうごきが疲労のためににぶりはじめたころ、戦場の南端に項羽の主力軍があらわれた。わずか四万にすぎなかったが、このことは秦軍のぜんたいの神経中枢《ちゅうすう》に対し、痛みをはなはだしく感じさせた。この南部戦線の司令官である蘇角はみずから戦場に出るべく馬を駈《か》けさせる一方、他の戦線の司令官である王離《おうり》や渉間《しょうかん》にも急を報じ、応援をもとめた。戦局からいえば、黥布が刺激した小さな痛点が、秦軍全体に対し、そこを主戦場としてえらぶことを強いたのである。

項羽は、黄河の河畔のひくい地形からやってきた。

戦場の南端に達して前方をのぞんだとき、しだいに高くなってゆく地形の中央に黄牛がうずくまったような大きな阜《おか》があるのを見た。冬枯れの草が、牛皮のような色で土をおおっている。臥牛阜《がぎゅうふ》ともいうべきその高地には秦軍の一隊の隊将の本営があるらしく、無数の旗が、北から吹く風の中にひるがえっていた。

項羽は、ゆっくりと戦場を視《み》た。

かれの網膜に、どれだけ稠密《ちゅうみつ》な思考が裏打ちされているのかよくわからないが、視るという動作だけで両軍の戦士たちと自然がつくりあげている勢いの濃淡、高低、あるいは本質がわかるようであった。項羽はこの高地が欲しくなった。

欲するのと行動するのとが一つだった。すぐ砂塵《さじん》をあげて駈けた。かれの軍勢は主将のこの行動におどろき、かれに追いつくためにいっせいに駈けた。やがて海が逆巻くような勢いになり、たちまち臥牛高地へ押しあげ、山上の秦兵を追いちらしてここを占拠した。

その直後に秦将の蘇角が戦場に到着した。すぐさま、

「なぜあのおかを敵に与えたのか」

と、逃げてきた一将を、みずからの手で斬《き》った。この大陸の軍法として、前線指揮官は後方からきびしく監督されており、敗《ま》けるか、失策《しくじ》るかすれば、たちどころに処罰されても、やむをえぬこととされていた。

この段階から、戦いが激しくなった。

秦軍は、地勢として全力展開ができないとはいえ、圧倒的に大軍であるために、大網を打って小魚の群れを捕るようなゆとりがあった。楚兵は一般に背丈がひくく、動きが敏捷《びんしょう》ということもあって、まことに急流に棲《す》む小魚に似ていた。秦兵の戎装《じゅうそう》は黒く、ずっしりと大地一面をおおい、うねるように動いてゆく。その黒い渦《うず》の中を、赤っぽい戎装の楚兵が渦にからめとられるようにして動きつづけた。

阜の上からみればそういうぐあいだったが、楚兵ひとりひとりの顔というのは、脳《のう》袋《たい》に電流でも流しこまれたように、人間の形相《ぎょうそう》であることをうしなっていた。たれもが狂ってしまっており、秦の大軍に接しても、恐怖を感じないらしかった。秦軍は楚人たちをこまぎれに分断して、ひときれずつ大まかに囲み、まわりから矢を射たり、いっせいに鉾《ほこ》を突き出したりして殺してゆく。が、殺すほうの秦兵のほうが次第に楚人の狂気がこわくなってきた。

秦軍は包囲をねらうために、あちこちで無数の渦巻形の運動をくりかえしている。

それにひきかえ、楚兵の行動はみじかい直線運動しかなかった。包囲環《わ》を、錐《きり》で突き破るようにして内側から突破すると、すぐひっかえしてきて、包囲環を外側から破った。この運動を九度くりかえした隊もあった。しかしいずれは疲労と兵力損耗で楚軍が全滅することは確実だった。

信じがたいほどのことであったが、寡少《かしょう》な楚軍が文字どおり死闘している戦いを、諸地方の援軍はただ見物していただけであった。かれらのそれぞれの塁に、喬《たか》い樹《き》から望楼があり、見張りの者が戦況を遠望してはその下にいる将に報じていた。その動作をくりかえしているだけで、どの塁も楚軍に手を貸そうとはせず、息を詰めて時の過ぎるのを待っていた。

これについては、複雑な理由などはない。かれら中原《ちゅうげん》の諸国の兵にとっては荊蛮どもが狂っているとしか思えなかった。敗れることは自明であるのに、無用に兵を出してみなごろしの巻添えを食うなど、多少とも脳に智能《ちのう》が宿っている者なら、するわけがないと思っていた。ひるがえっていえば、項羽とその楚人たちがやったことというのは、それほど度外れたことであった。

項羽は臥牛高地の上に突っ立っている。

この男も、生を忘れてしまっていることは、配下の楚人とかわらない。項羽もまたひとなみな計算ができる。この戦いについては、

（おれが死ぬだけのことだ）

とおもっていた。

いくら項羽でも、ばくちともいえないこの資金《もとで》なしの作戦をやってのけて、勝てるとは思えなかった。

が、このとき、そういう計算とは別の次元で、この男は呼吸していた。ともかくも項羽は、この戦いにあっては自分がやるのでなく、おのれの中から鬼神が爆《はじ》け出て、それが物狂いしつつ秦兵に立ちむかってゆくのだ、と思っていた。その意味では、本来の項羽はすでに死んでおり、鬼神だけが前に出ていた。死を怖《おそ》れる本体が死んでいるために、風が五体を吹きとおってゆくようなすずやかな気持で眼下の戦況を見おろしていた。

やがて、かれはうごいた。

一鞭《いちべん》して馬を怒《いか》らせ、岩石を蹴《け》ころがすように阜《おか》を駈けおりた。これについても、どの程度の計算が働いていたか、よくわからない。

それよりも以前に、予備隊五千を范増にあずけておいた。項羽が将らしいことをやったのは、それだけであった。あとは、ただ駈けた。項羽がこの異常な行動をおこすと、臥牛高地の一斜面を覆《おお》っていた楚軍の本隊が、斜面そのものが山崩れをおこしたようにしてあとを追った。

項羽は、高地から戦場を望んでいたとき、一個の人間を見た。

（あいつを殺す）

と、かれは思っただけである。

その者は大兵《たいひょう》の身を黒い革の戎服《じゅうふく》でつつみ、黄金色《こがね》の盔《かぶと》をいただき、黄金の金具を無数にきらめかせて馬上にあり、多くの旌旗《せいき》にかこまれていた。

蘇角《そかく》である。

項羽は地隙を跳び越え、あるいはその底へ駈け降り、さらには駈けのぼり、むらがる秦兵を叱咤《しった》してしりぞけつつ一直線に駈けた。項羽は、軍装において白を好んだ。白銀の盔、白革の戎装、それに灰色の馬を駈けさせていた。このため秦軍のなかを白光がつらぬいて走るような印象をたれもが持った。

この白く輝く塊が、突如眼前にきたとき、個々の秦兵たちは、敵としての能力をうしなった。まさか敵将とは思えなかった。一瞬ながら催眠状態が襲い、ただすさまじく旋回している迫力に圧《お》され、夢中で避けた。自然に真空のようなものができた。秦兵たちが項羽の疾走のために道を空けたのである。道を空ける秦兵たちは、どの男も表情を虚《うつ》ろにしていた。

蘇角の周囲の者も、それらの秦兵たちと変わらなかった。蘇角が気づいたときは、項羽が眼前にいた。

飛びこんできた項羽の馬が騎乗の蘇角に激突しそうになった。蘇角はおどろき、この異変が何であるかわからぬままにとっさに身をかばい、左ひじをあげた。一閃《いっせん》、項羽の剣が、蘇角の頭上に落ちた。まずその盔《かぶと》を割った。一閃したときは、頭蓋《ずがい》が割れていた。

その背後で、秦軍が崩れた。楚軍が項羽とおなじ勢いで突入してきた。項羽は鉾を執《と》って前後左右の秦兵を斃《たお》すうちに、まわりが急にあかるくなった。秦兵の密度がみるみるまばらになり、総崩れにくずれはじめた。

この時代、主将をうしなうと、全軍が崩壊する。兵にとって主将は単に指揮機能ではなく、その存在が軍そのものであった。その存在が消滅すれば軍の構成も消滅するのである。

臥牛高地から范増はこの崩れをみて、予備隊のすべてを突撃させた。苦戦していた

黥布《げいふ》も勢いをもりかえして反撃に出た。范増は秦軍に対し、

「鉾をすてよ、降《くだ》れ、降れ」

と、わめいてまわった。七十翁《おう》の声とは思えなかった。衆にも唱和させた。この范増の処置は、楚軍をも救った。敵は崩れたとはいえ、大軍であり、後方の王離《おうり》や渉間《しようかん》がやってくればまた勢いを盛りかえすかもしれない。

范増はまことに巧妙だった。秦兵は、救われたように兵器を投げだし、地にすわった。それらを、蒲《ほ》将軍と当陽《とうよう》君が管理し、南方へさがらせた。

楚軍は、ほんの三十分ばかり休息した。そのあいだ、甬道《ようどう》にほうり出されてあった樽《たる》を割って塩漬の肉を食い、水を飲み、疲労を回復した。

やがて秦の王離の軍が戦場に着いたが、蘇角軍が降伏したことをきいて浮足立った。

項羽は、全軍に突撃を命じた。このときも、みずから剣を揚げて先登《せんとう》を疾《はし》った。楚軍にとって項羽は軍そのものであるため、これを死なせるわけにいかなかった。激突し、斬獲《ざんかく》し、さらに乱戦のなかで、鶏でもつかまえるように王離その人を捕えてしまった。

その混乱のなかで秦の渉間の軍が到着したが、味方の惨状を見て戦わずして潰走《かいそう》しはじめた。渉間は叱咤してこれをとめたが、いったん恐慌をおこしてしまった軍隊を

立ち直らせるのは、決潰した河を素手でささえるよりも困難なことであった。渉間は、数騎とともに戦場にとりのこされてしまった。この秦将はまわりの数騎に対して退却を命じ、かたわらの家にとびこみ、火を放って焼け死んだ。ほんの数刻前の秦軍の軍容を思えば、信じがたいほどの事態といっていい。

そのあと、戦場は、膝《ひざ》を折ってすわる降兵で満ちた。

鉅鹿城《きょろくじょう》は、解放された。

趙王《ちょうおう》と張耳《ちょうじ》が城の南門からころがり出るようにして、項羽のもとに至った。

項羽は、南門近くの姿のいい阜《おか》をえらんで、その斜面に布陣した。趙王らはその軍門をくぐり、膝行《しっこう》して項羽の前に出、項羽が楚の将軍にすぎないというのに、その家臣であるかのように身を卑《ひく》くして拝跪《はいき》した。趙王らがどれほどの礼をとっても、とりすぎることはなかった。その背後に、諸地方の各派遣軍の将軍たちが、捕虜のように凋《しお》れて従い、項羽から言葉をかけてもらうことを待った。

この間、項羽は無器用に押しだまっていた。躁《はしゃ》いだほうがいいのか、傲然《ごうぜん》としているほうがふさわしいのか、それとも徳ありげによそおって彼等の手を執り、優しく無事を祝したほうがいいのか、項羽にはよくわからず、ただ片頬をふくらし、たれが見ても不機嫌そうな顔ですわっていた。

(この男は、たった半日の戦いで、天下を九分どおり得た)

と、かたわらに侍《じ》している范増は思った。

(しかし、実際は死の世界からよみがえったばかりで、この男自身、戦勝のよろこびもまだ現実《うつつ》とは思えず、まして天下のことなど、頭に思いえがこうにも、実感が湧《わ》かないのにちがいない)

范増はそう思うと、小石を啣《ふく》んだような顔ですわっている項羽という若者が、可愛《かわい》くおもえてきた。

「将軍」

と、范増は項羽にささやいた。

「この王と称している男も、侯や将を称している男も、すべて鉅鹿の一戦のおかげであなたの配下になったのです」

が、項羽は、表情も動かさなかった。もともと自分の前にばかばかしいほどの卑屈さで拝跪《しょうかん》している連中などに関心はほとんどなく、脳裏を占めているのは、敵の総帥《そうすい》の章邯のことだけであった。

章邯が本営としている棘原《きょくげん》は、鉅鹿から遠くはない。すでに鉅鹿の敗報は伝わったであろう。かれがどのくらいの兵力を保持しているかはわからないが、おそらく策をこらして反撃に出てくるにちがいない。

章邯さえ潰《つぶ》せば、もはやこの地上に秦軍は存在しなくなり、あとは全力をあげて関《かん》中《ちゅう》に攻めこむだけであった。たしかに鉅鹿で勝ち、ここにいるしおたれた連中を救出した、いまはそれだけのことだ、章邯がこの世に存在しているかぎり、この連中からどれほど拝跪されてもなにほどのこともない、と思っていた。

そのあと、楚軍の戦死者の名の報告があった。項羽は、楚人たちの間で知れわたっていることだが、楚人に対する情《じょう》が異様に深かった。ときに声をあげて、

「ああ、その男も死んだか」

と、いったり、名によっては顔色を変えたりした。しかし涙だけは見せなかった。

秦《しん》の章邯《しようかん》将軍

秦軍の総帥《そうすい》の章邯は、士心を得ていた。

「章邯将軍がいるかぎり、かならず勝つ」

という信仰が、その諸将や士卒のあいだにできていた。章邯はとくに演技をしてかれらの心を攬《と》ろうとしたのではなかったが、かれに従っていればかならず勝つということが、ひとびとの心を団結させた。

戦いを経るにつれ、元来、肥《ふと》り気味だった章邯の体つきが、腱《すじ》を捻《よ》りあげた鞭《むち》のようにしなやかになり、かつては丸かった容貌《ようぼう》までが、頬肉がそげおち、あごがとがって、別人のように変わった。かれの容貌は、よく張った前額部が特徴的で、槌《つち》で叩《たた》きこんだ鉄のように固そうだった。この前額部はつねに傾《かし》いでいて、なにかたえず考えこんでおり、すぐれた工人のように無駄口というものをいっさいいたたかなかった。

章邯は、工人肌の男だった。たとえば自分の作品である戦争という勝負事に没頭しているだけで、後方の宮廷に対し、政治感覚を働かせるという配慮をまったくしなかった。

咸陽《かんよう》では、かつて少府として九卿《きゅうけい》の末席にあり、いわば政治そのもののなかにいたはずであるのに、野戦に出るときっすいの職人肌の将軍になってしまったのは、元来そういう気遣いがきらいだったのかもしれない。

咸陽では、異常な政治状態がつづいている。宦官《かんがん》の趙高《ちょうこう》がいっさいの政治を壟断《ろうだん》し、二世皇帝を独占し、このような無法な状態を匡《ただ》そうとした大臣や大夫《たいふ》たちはほとんどしりぞけられるか、殺されるかした。章邯はそういう後方のことを考えまいとしていた。戦いを設計し、いのちを賭《か》けてそれを実行し、勝ち、勝った利を一つずつ積みかさね、反乱軍を丹念につぶしてゆく以外に、秦帝国の安寧《あんねい》はない、というのが章邯の信念であった。

戦いの初期、章邯の連戦連勝は秦都咸陽をよろこばせていたことはたしかだった。

その時期、二世皇帝が戦況に多少の関心をもっていた証拠は、章邯を輔《たす》けよ、といって二人の参謀を送ってきたことでもわかる。が、その後、勝ちいくさがつづくにつ

れ、秦帝国の政府軍である以上当然のことだと思ったのか、関心を示さなくなった。というよりも宦官の趙高が、

「くりかえし申しますように、朕《ちん》の字義は万物の兆《きざし》ということでございます。きざしは俗眼では見えざるものでございますから、上《しよう》におかせられても、竜が淵《ふち》の底に潜《ひそ》みますするように禁中ふかく在《おわ》して、人々に玉体をお見せ遊ばすな」

と言い、やがて戦況も趙高が適当に捏造《ねつぞう》して言上することになった。前線の章邯に、二世皇帝胡亥《こがい》の反応がいっさい伝えられなくなった理由は、そのことによる。

戦いの初期に、二世皇帝が送ってよこした二人の参謀というのは、長史《ちようし》（三公《さんこう》の属官）であった司馬欣《きん》と董翳《とうえい》である。

司馬欣は、咸陽あたりではその職名の長史というのを姓代わりに使われて、

「長史欣」

などとよばれていた。秦の官制では最高の官職を三公といい、次いで九卿という。三公の属官である長史にはふつう実務にたけた有能な人物がえらばれたが、欣はとりわけ目はしが利《き》き、才気があった。ただし属官としての才で、みずから首領になる器量ではない。章邯は、この欣を重宝した。

営中での長史欣のしごとは、主として情報の収集と選択であった。

章邯のいくさのやり方は、大半の精力を情報収集と分析にそそぐというもので、情報というのは敵の後方の政情や敵将の性格、政治的立場といったレベルから、戦場情報まであらゆるものをふくめる。

「長史欣がきてから、わしは決定だけをする。じつにありがたい」

と、章邯はよろこんでいた。

しかし欣の多能さは、章邯の要求することだけにとどまらなくなった。味方である後方の咸陽の宮廷にも諜者《ちようじや》を置き、その情報も大量にあつめはじめたのである。

「要らざることだ」

と、章邯は叱《しか》ったが、欣は、こんにち、将軍にとってはこの方が大切でございましょう、大屋根に登らされたあと梯子《はしご》を外されてはどうにもなりますまい、といった。その懸念《けねん》がないではなかった。

が、章邯にとって後方の情報は悪酒のように有害だった。気持が乱されるだけでなく、ときに戦意までが萎《な》えてしまう。

「私には、聞かせてくれるな」

集めることは君の勝手だが、とそのほうは黙認した。

もっとも、欣はたまりかねることがあった。帷幕《いばく》のなかで章邯と食事を共にしてい

るときなど、

「これを黙っていると、私のはらわたが饐《す》えてしまいそうになります」

と、料理人に聞こえぬよう、小声でつい洩《も》らしてしまうことがある。

馬と鹿《しか》の話であった。

咸陽の宮廷で趙高がやっていることというのは、恐怖人事である。法家《ほうか》主義をもって立国の基礎にしている秦は、官僚の日常行動まで法の細則で縛りあげて、罰則がじつに多い。趙高のように秦法をすべて覚えこんでいる男にとっては、官僚個々の行動をじっと見ているだけで、かれらを法にひっかけて斥《しりぞ》けたり死刑にしたりすることは容易であった。趙高は、大小多くの官吏をこの方法で粛清してきたが、次第にひとびとはこつがわかってきた。要するに、保身の基本は法に触れぬようにするということでなく、趙高に気に入られるということだった。気に入られさえすれば、法に触れようが触れまいが、趙高は決して害を加えない。気に入られていなければ、適用すべき法がなくとも、皇帝の命令だとして殺してしまうのである。

趙高は、このようにして官僚を握りこんでしまい、秦の機構のすべてを自在にすることができた。

（しかし、官僚どもはどの程度、自分に服しているか）

ということが、趙高にとって絶えず不安だった。心服している人間など居るはずがないことを、元来ひがみっぽい去勢者であるかれは、よくわかっていた。誰が宦官を尊敬するであろう。

趙高は人々から心服されることを望むほど人間を愛してもおらず、信じてもいなかった。面従でよかった。徹底して恐怖心をあたえて面従させつづければ心服を得るのとすこしも変わらない。これが、かれの政治哲学であったが、しかしそれを実験してみたくなった。実験しておけば、いざという場合に役立つ。かれの最終のもくろみは宮廷でクーデタをおこし、二世皇帝を外して自分自身が皇帝になるということであった。そのためには官僚を自分の側におさえこんでおかねばならない。

二世皇帝胡亥のある時期から、百官の拝謁《はいえつ》ということはなくなっていた。皇帝のまわりにいるのは女性たちと、人にして人に非《あら》ずといわれた宦官たちだけである。あるとき趙高はこれら宦官と女官を試しておかねばならないと思い、二世皇帝胡亥の前へ鹿を一頭曳《ひ》いて来させた。

「なんだ」

胡亥は、趙高の意図をはかりかねた。

「これは馬でございます」

と、趙高が二世皇帝に言上したときから、かれの実験がはじまった。二世皇帝は苦笑して、趙高、なにを言う、これは鹿ではないか、といったが、左右は沈黙している。なかには「上《しょう》よ」と声をあげて、

「あれが馬であることがおわかりになりませぬか」

と、言い、趙高にむかってそっと微笑を送る者もいた。愚直な何人かは、不審な顔つきで、上のおおせのとおり、たしかに鹿でございます、といった。この者たちは、あとで趙高によって、萱《かや》でも刈りとるように告発され、刑殺された。群臣の趙高に対する恐怖が極度につよくなったのはこのときからである。権力が人々の恐怖を食い物にして成長してゆくとき、生起《おこ》る事がらというのは、みな似たような、いわば信じがたいほどのお伽話《とぎばなし》ふうであることが多い。

長史欣が語りおえたとき、章邯は、

「なにか、説話《はなし》でも聞いているようだ」

小声でいった。おそらくいまのはなしは咸陽でおこっているなまな事実に相違なかろうが、それを信じてしまえば自分がいま戦場でやっていることも情熱も、すべてむなしいものになってしまう。章邯は、自分の片脚を他の片脚ですくいあげてしまいかねないこの種の情報を、自分自身の精神のために怖《おそ》れた。

「欣よ、私には敵についての情報《はなし》のほうがいい」

と、章邯はいった。

「敵とは、章邯さまの敵でござるか」

欣は、秦人らしく韓非子《かんぴし》ふうに、わかりきったことながら論理だけのための設問をした。敵――反乱軍――は、むろん私人章邯の私敵であろうはずがない。

「いや、敵とは秦帝国の敵だ」

「わかりました。しかし秦帝国の敵を、敵として苦闘しておられるのは章邯将軍お一人ではありますまいか。咸陽では、各地の反乱さわぎをなにほどにも思っていますまい」

(自分の私的な運命についてすこしは考えろ)

と、欣はいいたかったのである。

実際、咸陽の宮廷は前線についてはなにも知らなかった。戦場からの報告は趙高ひとりがおさえてにぎりつぶし、二世皇帝には、各地の反乱軍は匪賊《ひぞく》程度のもので官軍によって平定されつつある、というふうに報告しつづけていた。二世皇帝が、もし函《かん》谷関《こくかん》以東の正確な戦況を知ったならば、いかに凡庸な皇帝でも電撃にうたれたように危機感を持ち、たちまち朝《ちょう》に出、百官を招集し、かれらから現況をきき、その日から親政をするであろう。となれば、情報を封じていた趙高の悪謀が白日のもとにさらされ、その日にかれは没落するにちがいない。趙高にすれば、天下はすべて無事でございます、と言いつづけることによって、胡亥を宮廷の奥に朕《きさし》として閉じこめておく必要があった。

従って、二世皇帝胡亥は、章邯《しょうかん》の苦労などなにも知らない。

章邯は、鉅鹿《きょろく》城を包囲していた。

かれが、この大きくもない城を、幾重《いくえ》にも用心ぶかく包囲し、攻城用の土木工事まで併用して、ゆくゆくの勝利への布石を完全なものにしていたとき、飄風《ひょうふう》のように楚軍があらわれ、攻囲軍の前線をずたずたにし、狂ったように戦いつづけてついに前線の将軍の王離《おうり》をとりこにし、蘇角《そかく》を戦死させ、渉間《しょうかん》を敗軍のなかで自殺させるという、後方の本営にいる章邯にとっては信じがたい事態がおこってしまった。

棘原《きょくげん》城外のかれの本営は、丘の上の民家が当てられていた。まわりが天日《てんぴ》で干した煉瓦《れんが》積みの塁でかこまれた大きな農家だった。家族や使用人たちは他に移っているが、五十頭ばかりの豕《ぶた》だけが残されていて、風むきによっては堪えがたい臭いが襲ってきた。それらが、空腹になると、さわがしくないた。章邯は、まわりの兵士たちに、豕に餌《えさ》をやれ、とそのつど命じなければならなかった。

この日の午後は、とくべつ寒かった。太陽はまるなりで出てくれているが、義眼のようで、熱っぽくも何ともなかった。章邯は体を動かさねばとおもい、茶色っぽい塁壁の内側をゆっくりした足どりで、幾まわりも歩いていた。

そのとき、長史欣《きん》がついてきた。欣は、章邯に気づかせるために空咳《からせき》をした。章邯がふりむくと、欣は軽く立礼し、こんどは足音を消して寄ってきた。

「以下申しあげることで、お驚きになってはいけませぬ」

といって、間をおいた。

(また、咸陽《かんよう》のことか)

章邯は、欣という男のそういう部分の有能さにたすけられながらも、有能というものにも節度が必要だと思いはじめていた。

「王離どのは乱軍のなかで敵兵に縄をかけられ、渉間どのは絶望してみずから死に、蘇角どのは突撃してきた敵将のために盔《かぶと》ぐるみ頭を割られて即死いたしましてございます」

「なんの話だ」

章邯は、空から首すじに鉤《かぎ》でもひっかけられたように足もとが浮きはじめた。欣がすすみ出て章邯をささえた。ささえながら、楚軍が、全軍発狂したように襲撃してきたこと、その人数はわが軍のほんの一部程度にすぎなかったが、このために将軍の前線はすべて風に散らされた落葉のように存在しなくなったということなどを要領よく伝えた。

「……楚軍が？」

章邯は頭の中が白っぽくなり、無意味につぶやいた。楚軍が接近していることは欣の情報でくわしく知っていたが、しかしその総帥の宋義《そうぎ》に戦意がないという情報も入っており、たかをくくっていた。

章邯にとって不幸なことながら、楚軍の内部までは知らなかった。内部に変革がおこり、宋義が項羽という者に殺され、以後、総帥《そうすい》の座に項羽がすわっているということまでは知らなかった。

もっとも知ったところで章邯はその楚軍観をあらためなかったであろう。項羽についての章邯や欣の知識は、定陶《ていとう》で章邯が敗死させた項梁の甥《おい》という程度でしかなく、なにほどのこともあるまいという固定観念があったからである。

その先入主《せんにゅうしゅ》は一挙に崩れてしまった。項羽観がくずれるのと自分の主力軍をうしなったという報告とが同時に章邯に殺到したために、章邯の思考力は、停止した。頭の中に霧がただよっているように、何事も考えられない。

やがて、

「兵力がほしい」

とだけ、章邯はいった。鉅鹿の一戦で何千何万という人間が死んだ。章邯の感情のなかへはそれらが数量的消失としてしか入って来ず、配下たちの死に対する悲しみは湧《わ》きあがって来なかった。章邯は冷酷な男ではなかったが、しかし一瞬にして破滅の淵《ふち》ぎわまで追いつめられて、思考力さえうばわれたようなこの段階では、兵力だけが思考の手がかりだった。退却するにせよ、決戦するにせよ、兵力がほしかった。

「敗兵を集めてみる」

それにはすぐさま四方に伝騎を発せねばならない。鉅鹿の戦場から逃げ散って方途もつかずに漂っている兵たちに章邯が健在だということを教え、かれらに士気をとりもどさせ、一手に掌握する。章邯の意志は、むろん楚軍をつぶすにある。それには、章邯さえいれば楚軍がほろび秦がふたたび栄えるという士卒たちの信仰の回復が必要だった。

「そのほうは、なんとか私がやる。欣よ、君はすぐ咸陽へ急行してもらいたい。皇帝に拝謁し、敗北の事実を言上し、兵を送っていただきたい、と申しあげてくれまいか」

章邯は、やっと行動のめどを得たようにきびすを返し、本屋《ほんおく》にむかった。欣の返事をきかなかった。ふりかえって、欣がそこに立ちすくんでいるのを見ると、

「早く」

といって、追い立てるように本営から出した。

使者長史欣は、一隊の軽騎をひきいて咸陽にむかって駈《か》けた。道は、はるかに登りになっている。函谷関をくぐり、ときに崖《がけ》からころがり落ちそうになるような山峡の小径《こみち》を駈けに駈けた。関中盆地は、雲涯のむこうにある。ときに騎馬を用い、ときに舟を利用した。ついに咸陽に入ると、欣は宮門に入るために衣服をあらためなければならなかった。

まず自邸に入ると、妻妾《さいしょう》がおどろき、

「もう、盗人《ぬすびと》たちは片付いたのでございますか」

と、口々にいった。これによって趙高の情報統制は、皇帝を昏《くらま》しているだけでなく、市中にまでおよんでいることがわかった。

「それどころか」

国がほろびるぞ、と欣はわめきあげようとしたが、しかし彼女らに真相を教えればつい喋《しゃべ》るにちがいない、趙高の危害がかならず彼女らにおよぶ。

「いいや、いくさは、もすこしつづく」

とのみ言い、服を着更《きが》えて馬車に乗った。

宮廷の司馬門に達し、衛士にむかって拝謁を申し出たが、かれらは何事かをおそれるようにして取りあわなかった。どの衛士も、欣の顔見知りの者たちだった。

「どうした」

と、欣は叱り、

「前線の章邯将軍からの急使でござるぞ」

といったが、衛士たちは沈黙し、知らぬ顔でいる。趙高の許可のない者を通してはどういう報復をうけるかもしれない。

いったん自宅へ帰り、思案し直した。まず趙高に会って許可を得ねばならない。しかし、趙高に会えるような伝手《つて》を欣は持っていなかった。この点、欣は趙高の全盛期以前の官僚で、政情が変わってしまったいまとなっては、かつてのかれの人間関係は何の役にも立たない。

「たれか、趙高どののお気に入りの人を知らないか」

と、欣は、翌日、伝手さがしをはじめた。が、事態が欣にとって困難になった。鉅鹿の敗報が、この日の午後、うわさとして咸陽の町につたわったのである。市《いち》でも、このはなしで持ちきりになった。欣の家の奴婢《ぬひ》たちがそれを妻妾につたえると、屋敷じゅうのさわぎになった。欣は、なんとか彼女らを言いくるめた。

うわさは、趙高の耳にも入った。

かれはさすがにこの敗報を皇帝につたえないわけにはゆかず、すぐ禁中の奥へゆき、

「章邯をお叱りくださいますように」

と、いった。敗報については、ごく簡単につたえた。帝国崩壊というぐあいに皇帝に認識されてはこまるのである。

趙高は、軍事にくらくはあったが、しかしこの段階ともなれば、章邯の軍隊が敗れた以上、秦もおわりだということはわかっていた。さらにはそれを破るほどに楚軍が強大になっているということは、つぎの帝国が楚人によっておこされるということも見通していた。かれはいまは生き残ることを考えている。ただ生きるだけでなく、つぎの楚帝国の貴族として残りたかった。できればこの咸陽のある関中の大盆地の王になりたい。関中王になるためには大功を樹《た》てねばならない。二世皇帝胡亥を楚のために殺せばよかった。

胡亥をたれよりも容易に殺せる位置に趙高はいる。しかし時機が要る。いつのことになるのかわからないが、楚軍がなだれを打って函谷関の内側に入る日、趙高はただちにクーデタをおこして二世皇帝を殺し、その首を楚の将軍に捧《ささ》げることによって新帝国の地位を得たい。

この関中をめざしつつある楚の別働軍の総帥が劉邦《りゅうほう》という男であることを趙高は知っていた。

（劉邦という男に、密使を出さねば）

あらかじめその取引きをしておかねば、手違いがおこる。後日のことになるが、趙高はその計画どおり、その密使を劉邦のもとに送り、右につき密約を取りつけるのである。

（それまでは、胡亥の首はわしの手飼いにして生かしておく）

と、肚《はら》のなかで思いつつ、現実の胡亥に対しては、いずれ天下は平らかになりましょう、しかし前線の将軍の失敗はすぐさまお叱《しか》りにならねば、かれらの気がゆるみ敗《ま》けを重ねることになりましょう、といった。

「すぐさまか」

と、趙高によって生かされている首が言った。

「譴責《けんせき》のための勅使は、この場からお発《た》たせになるのが秦の法でございます」

二世皇帝はその場で左右の者を見まわし、即座に勅使をきめ、趙高のいうようにその場から出発させた。

趙高はその翌日、前線から章邯の参謀格の長史欣が咸陽に帰っていることを知った。欣は数日前に帰ったという。さらには拝謁《はいえつ》を得るために司馬門の前にしつこく立ったり、しきりに自分に会おうとして人を密訪してまわっているという。

(胡亥に会わせれば、すべてが水の泡《あわ》になる)

趙高は汗が出る思いがした。

一方、欣は伝手をみつける工作をあきらめた。二、三、趙高に阿諛《あゆ》しているといわれる人物を見つけたのだが、かれらでさえ、欣の依頼に尻《しり》ごみし、ことわった。

(それほど、趙高は怖《おそ》れられているのか)

すこしずつ欣の眼に物事が見えてきた。趙高が類のない秦の法律通であったということが、この事態の一要素なのである。秦法は牛の毛のように細則が多く、たとえば官吏が私的に他の官吏を紹介してはいけないといったふうのことまであり、趙高の気分次第では伝手の者に対しそれを適用して処刑しかねない。ついでながら、これら、欣の密訪を受けた連中はすべて趙高に報告しており、このため趙高は欣についてのあらましを知ったのである。

「それよりも、いっそ司馬門に立たれよ」

と、ある者が、言ってくれた。

趙高はいまは、皇帝とその女たちの身辺の世話をする宦官《かんがん》職ではない。すでに堂々たる卿《けい》であった。九卿のうちの郎中令《ろうちゅうれい》の職にあり、この職は宮廷のいっさいを取りしきり、諸門の警備と開閉をつかさどる。司馬門に立って郎中令としての趙高の名を言いつづければなんとかなるのではないか、と教えてくれた。永く属官をつとめてきた欣も、かつての職場ながら、別国にきた観があった。

ともかくも、欣は司馬門で懇願した。こんどは、門内から返事があった。

「車のなかで御沙汰《ごさた》を待たれよ」

という。

「それは、郎中令の趙高どののお言葉であるか」

「左様、郎中令さままでお名前は通してあります。じきじきのお言葉にひとしい」

と衛士の責任者がいうので、欣は待った。

それでも、三日、待った。

そのうち、いつのまにか衛士の責任者が交代し、別人になった。見るからに兇悍《きょうかん》そうな顔つきのその男が、いきなり欣の手をとり、車外にひきずり出し、汝《なんじ》はここでなにをしているか、とどなった。欣がおどろき、事情をいったが、そういう話はきいていない、という。欣は、身を翻《ひるがえ》した。とっさに事態がのみこめたのである。

（趙高が、おれを法にひっかけようとしている）

車に飛び乗るなり、駁者《ぎょしゃ》に、走れ、とどなった。自宅にも帰らず、そのまま咸陽の町を突っ切ると、はるかに函谷関をめざした。章邯の本営まで帰るのである。途中、ふと気づき、道を変えた。これが、命びろいのもとになった。趙高の追手がすぐそのあとを慕ったのだが、かれらは本道をとったために欣をつかまえることができなかった。

鉅鹿の敗戦は章邯にとって致命的だったが、しかし常勝将軍だったというかれのかつての名声が、その傷口を次第に癒《いや》した。章邯の名声をきいて集まる敗兵や流民が多かったのである。

——章邯将軍が健在なかぎり、秦の世はつづく。

という見込みが、かれらにあった。

項羽も、さすがに章邯だけは軽んじなかった。鉅鹿の奇勝のあとも、勝利側の楚軍が損耗、疲労ともに甚《はなは》だしかったために、一歩すすめて章邯と決戦する力などとてもなかった。このことが、章邯軍の回復に利した。

章邯は、いくさをするのに、側近がじれったいと思うほどに手堅かった。

かれは鉅鹿の南西にある棘原《きょくげん》(河北省平郷県付近)の城外から城内に本営をうつし、城をかためて動かなかった。

項羽も、鉅鹿の奇勝後、うごきがにぶくなっている。鉅鹿城を去り、棘原城よりも南方の漳水《しょうすい》の南にまでさがって、そこに布陣した。

項羽軍には、悩みがあった。鉅鹿で捕虜にした十万ばかりの秦兵をどう食わせるかということである。かれらを餓えさせれば暴動をおこすし、かといって武器をあたえて章邯軍と戦わせれば、いつ翻って楚軍に鉾《ほこ》をむけるかわからない。この巨大な捕虜集団を後方に置くのはいい。しかし楚軍は前進して棘原をかこむわけにもいかなかった。後方から捕虜集団が楚軍に襲いかかるという懸念《けねん》が皆無ではない。

「殺せばどうか」

項羽は口にこそ出さなかったが、言いだしそうな顔つきをしばしばした。

項羽の謀将の范増《はんぞう》老人は、会議のたびに、殺すな、ということをくりかえした。章邯軍の兵が投降してくるかもしれないというのに、いま捕虜を殺したりすれば敵は絶望し、かえって士気高くなる。

項羽軍が鈍重になったのは右の事情が主因で、この意味では項羽軍にとっても鉅鹿戦の結果が重荷になったといっていい。

一方においては、前哨《ぜんしよう》戦程度の小戦《こいく》さが、無数にくりかえされた。どんな小さな戦闘でも、項羽は馬を駆って前線へとび出し、陣頭で指揮をとった。項羽の姿をみると、そのつど楚兵は鉅鹿で気ぐるいしたように奮《ふる》うのである。

戦うたびに楚軍が勝った。章邯軍はそのつど棘原城に逃げこまざるをえず、つねに傷は小さかったが、そのぶんだけ章邯の評判がすこしずつ下がり、項羽の名があがった。

しかし両軍とも主力は動かなかった。漳水をはさんで膠着《こうちやく》状態がつづいているといってよく、冬が過ぎ、春がきても、この状態に変化がなかった。中原では、秦帝国に対し民心は離れきっていた。このなかにあって章邯軍が孤立を深めつつもなお反乱軍と互角の状態を保っているというのは、一種の偉観といってよかった。

これらの情勢とはべつに、関中にむかって、楚軍の別働隊である劉邦軍がすこしずつ前進している。このことが、項羽をいらだたせつづけていた。楚の懐《かい》王は最初に関中に入った者を王とする、と約束しているだけに、項羽が章邯にひっかかって華北の野で釘付《くぎづ》けされていることは、項羽の野心に即していえば、不利であった。

あるいは無駄、もしくは滑稽《こっけい》としか言いようがなかった。項羽が「章邯」という名で象徴される秦帝国のすべての兵力を漳水の北岸に膠《にかわ》づけしているおかげで、劉邦は楽に泳いでいる。かれの軍というのは少数の雑軍でしかない。それが秦の残存勢力のなかを、悠々と函谷関にむかって行軍しえているのである。項羽が、あぶら汗を流して劉邦を関中王にしようとしているようなものであった。

「そんなばかなことが、あっていいのか」

と、項羽の本営にやってきて頭ごなしにいったのは、趙《ちょう》の上将《じょう》軍の陳余《ちんよ》であった。鉅鹿の一戦以来、諸勢力の指揮官はみな項羽の前に出ると仰ぎ見ることすらできないほどに慴伏《しょうふく》してしまっていたが、この陳余というあばた面《づら》の四十男だけは、ことさら親しみを見せるつもりか項羽に対して友達言葉をつかったり、ときに先輩面をして、へたな冗談を言いつつ、忠告したりした。

項羽は、この男がやりきれなかった。范増も、

——陳余のようなやつは、どこにでもいるものでございます。ああいう男に甘いお顔を見せ給《たも》うな。

といった。

項羽は鉅鹿戦以前の項羽ではなく、この大陸の全反乱軍の総首領のような位置についている。かつての項羽のように感情を露《あらわ》にすれば、陳余のような男はたちまちに去って裏面でどういう画策をするかわからない。

陳余は、古くからの反秦運動の志士であった。すでにのべたように、かつての盟友の張耳《ちょうじ》とともに諸国に流浪し、首に懸賞金がついていたこともある。しかしたがいに義盟をむすんだ張耳が趙王を奉じて鉅鹿城でながく籠城《ろうじょう》したとき、遠く城外で大軍を擁しつつ、これを救おうとせず、項羽の楚軍が鉅鹿攻囲中の章邯軍を撃破してから、べつに右のことを愧《は》じもせず、水に帰った魚のようにしきりに術策を考えては項羽が主宰する会議に持ちこんでくる。

以前に項羽と面識があるわけではなかった。しかし百年の知己のように親しげに口をきくのは陳余一流の遊泳術のひとつで、他の諸勢力に対するちょっとした政治であったのであろう。

「あいつは、鉅鹿戦ではすこしも戦わなかった」

というのが、項羽が陳余をきらうほとんど唯一《ゆいいつ》の理由であった。項羽は人が勇敢であることを好みすぎている。そのことをつねに人間の価値基準の第一に置いているために、陳余のいうことがつねに腹立たしかった。

「羽《う》さんよ」

陳余はいった。

「あんた、章邯と戦ってばかりいなさる。涯《はて》もないことだ」

などと、このときも言った。

戦いはね、政治のためにあるんですよ、と陳余がいう。章邯とあなたの戦いには何の政治的な理由も無くなってしまっているじゃありませんか、章邯も戦いすぎる、ばかです、と陳余がいった。

(なにが、ばかか)

項羽は、陳余などに章邯を批評されたくはなかった。しかし、感情をおさえ、范増をかえりみ、

「陳将軍と話せ」

と、押しつけ、奥へ入った。根が聡明《そうめい》な項羽は、陳余が、章邯に対する投降工作をしようとして許可を得にきていることはわかっていたし、その必要も感じていた。が、項羽の気持でいえば章邯ほどの好敵手をそういう外交の釣《つ》り鉤《ばり》で釣ろうというはなしに、首を突っこみたくはなかった。

「章邯に使いを出そう」

その手紙は自分が書こう、と陳余は范増にいった。陳余は、むろん私にだって章邯将軍の秦への忠誠心のあつさはわかる、ともいった。

「しかし忠誠心をうけ容《い》れる母体のほうが腐りきってしまっては、どうにもなりませんよ。章邯はそろそろ自分の立場がわかりはじめているはずだ」

陳余はむろん咸陽における秦の帝室の内情に通じているわけではなかったが、秦以前の六国《りっこく》時代から治乱興亡を見すぎるほど見てきたこの策士は、雲烟《うんえん》はるかな西方の咸陽の空気が、なんとなくわかるのである。

「余さん、あなたは章邯への手紙というが、かつてかれと親交があったのかね」

范増が皮肉をこめていうと、陳余は、たがいに顔を知らない、とかぶりをふり、「しかし」と右手の指を一本立て、さらに左手の指をも一本立てた。この種のジェスチュアは、戦国以来、縦横家や合従家《がっしょうか》とよばれる連中が、その雄弁の援用として用いてきたものである。一本の指は章邯、他の一本の指はこの陳余、というつもりらしく、范増が見ていると、単なる指が変に実在感をもっていいわくを帯びてくる。

「章邯と干戈《かんか》をまじえること、じつに久しい。もはや親友以上の仲といえるのではないか」

と、陳余はいった。

章邯《しょうかん》は、棘原城《きょくげん》にいる。

城壁にたてられた秦《しん》の旌旗《せいき》はつねに整然と林立し、城内では軍規はみだれず、士気はおとろえず、食糧も、章邯のゆきとどいた手くばりで欠乏することがない。

城外の警戒線も厳重で、かれらは敵の諜者《ちょうじゃ》の侵入をふせぐとともに、田畑を守っていた。

ある日、その警戒線の哨兵が、陳余の軍使をからめとった。章邯がその者に会い、手紙を得た。

名文であった。

まず、秦の歴世の名将の運命から説く。

今は昔のことながら、秦の白起《はくき》将軍（〜紀元前二五七年）を想起されよ、と陳余はいう。白起の軍功はめざましく、南方では鄢《えん》や郢《えい》を平定し、北方では馬服君《ばふくくん》の大軍をやぶってことごとく阬《あなうめ》にし、攻城略地の功はあげて数うべからざるほどであった。ところが王（秦の昭王）によって白起はその年、爵《しゃく》をうばわれ、咸陽から追われ、自殺を命じられた。

また近くは秦の蒙恬《もうてん》将軍（〜紀元前二一〇年）を想起されよ、と陳余はいう。蒙恬は始皇帝の命をうけて斉《せい》を攻め、大功あり、次いで三十万の兵をひきいて匈奴《きょうど》をオルドスに討ち、長城を補修して国境を鎮《しず》めた。でありながら、始皇帝の死とともに宦官《かんがん》の趙高《ちょうこう》の詐略《さりやく》にかかり、自殺させられた。

なぜ秦においてはそうなのか、と陳余はいう。功績がありすぎると、それに酬《むく》いようにも土地がないために、法にかこつけ、誅殺《ちゅうさつ》することによって問題を片付けてしまうのだ、それが、秦の伝統的なやり方なのだ、あなたは秦人だからよくご存じだろう、という。

さらに陳余は、秦将の運命を歴史的に説いて現在におよぶ。いま人心は秦を離れ、反旗をひるがえす諸将は日に日にふえている。しかしあなたの軍隊は逆に損耗するのみで日に日に減っている。これは、天が秦を亡《ほろ》ぼそうとしていることの一つの証拠である。

「じつをいうと、私どもは、秦の宮廷に巣くっている宦官の趙高の行状を知っている」

と、陳余はいう。むろん詳しく知るはずがない。しかし陳余という練達の策士がかんをもってあてずっぽうに書いたことが、ぶきみなほど事実に似ていた。趙高が咸陽の宮中・府中を牛耳《ぎゅうじ》ってしまっている以上、章邯が誠忠であればあるほど趙高に憎まれ、軍功をたてればたてるほど趙高にとっての邪魔者になり、結局は皇帝の命令であなたは腰斬《ようざん》の刑を受ける、あなたの家族は、かつての白起や蒙恬の家族と同様、みなごろしにされるだろう、と陳余はいう。

（そのとおりだ）

と、章邯はおもった。陳余のいうところは予言や観測ではなく、すでに咸陽からさしてくる潮は章邯の足の裏までひたしはじめているのである。

いまだけでなく在来の秦の政治もすさまじかった。功臣が、簡単に罪人にされた。章邯はもともと生命についての恐怖感の薄い男で、命ぐらいは欲しければ呉《く》れてやると思っていたが、しかしかつての秦の大臣や将軍がそうであったように、うその罪状をいい白状させられ、罪として殺されるのはどうにもいやだった。

陳余は、つづける。

「章邯将軍よ、いまこそ諸侯と従《しょう》を為《な》し（連合し）軍の方角を転じて咸陽を攻めるべきです。諸侯とともに秦の地を分割して南面し、ゆくゆく孤《こ》（王の一人称）を称する身分になられるのがよいか、それとも罪人として腰斬されるのがよいか」

この陳余のいうところは、参謀の長史欣《ちょうしきん》が、咸陽から逃げかえったときにいった言葉と似ていた。欣は章邯の前で激情を発し、

「将軍よ、あなたは、功を樹《た》つるも誅せられ、功を樹てざるも誅せられます」

と、泣くようにいったことを、章邯はむろんおぼえている。章邯はもはや自分の眼前の運命を、自分の影を見るような明瞭《めいりよう》さで見ることができた。それでも章邯という男は、自分一個のために自分の運命を恣《ほしいまま》にえらぶという行為に馴《な》れておらず、この期《ご》になっても体が動かなかった。

「迷われるべきでない」

陳余の書簡を読んだ欣は、士卒のために迷うことなく項羽の陣営へゆき、その軍の一翼をうけもつべきです、といった。

「欣よ、いまの貴下のことば、いままで思ってもみなかった。士卒のため、ということか」

章邯は、おどろいてその言葉を復唱した。この男が、あらたな行動へ飛躍したいともだえているときに、まわりの景色が変わったかと思えるほどに魅力的なことばだった。

欣がいう士卒とは、主として項羽軍にとらえられている者のことをいう。章邯さえ項羽の一将になれば、かれらはもとどおり章邯を首領にいただくことができるのである。

この時代、かつての白起にせよ、蒙恬にせよ、名将といわれる者で、士卒のあいだで人気のない者はなかった。将自身が慈悲深い性格だったり、またそのように粧《よそお》って人気をとろうとする者もいたが、章邯はそういう気《け》がなく、むしろ士卒の側において一方的に人気があるという型の男だった。このため、士卒がたえず数量化されてかれの頭で計算されているだけで、その一人々々の生死に恤《あわれ》みをもつということはなかった。章邯が函谷関《かんこくかん》を出て以来、かれの作戦で死んだ者はすでに数万にのぼると思われるが、そのことの憂《うれ》いがかれの心を重くしていたということはないといっていい。といって薄情者ということではなく、感情の量が、ややすくないということであるらしかった。

かれが士卒のためという理由を動機に奔敵《ほんてき》することに決心したのは、かれのべつな性格によるといえる。自我の量がすくなく生まれついたこの男は、なにか崇高なもののために働くということなら昂揚《こうよう》しつつその気持を持続することができた。秦帝国のためということを棄《す》てた以上、あらためて士卒を見直し、かれらのために自分一個が犠牲になるということなら、陳余や欣のすすめるあらたな生き方も、意味があるではないか。

「わかった。欣よ」

と、章邯がいった。

「よく決心なさいました。あとのことは私がすべてやりましょう」

と、すぐれた属官である欣が、いかにも属官らしいこの仕事を買って出た。かれもまた、どこか章邯に似ていた。欣一個で寝返るなどということはできなかったが、上司の章邯がその大方針に決した以上、その実現のために、うまれついての裏切り者のようにいきいきと動きはじめた。

ただし、章邯の投降は、すぐには成立しなかった。

何度か使者が楚軍に接触したのだが、項羽自身、何を考えていたか、会った形跡がない。

それどころか、項羽は新作戦を両度にわたっておこし、三戸《さんと》（河南省）で秦軍をやぶり、ついで汙水《うすい》のほとりでもこれを大いにやぶった。わずかに想像できることは、項羽は、章邯に書簡を出した陳余が功をたてる結果にならぬよう配慮したのかもしれない。項羽はその後も陳余に意地悪をし、かれが頭角を出そうとするのをしきりにおさえたことでもそれは察せられる。

七月、暑さが極まるころ、項羽はついに章邯の投降を受諾した。受降したことについての項羽の配下への理由は、

「わが楚軍においても、食糧が乏しくなっている。これ以上の戦いは当を得たものではない」

ということであった。陳余の文功については、ひとことも言及しなかった。ただし、食糧の窮迫はこの時期、冷厳な事実であった。項羽軍はこのあたり一帯の食糧をほぼ食いつくしてしまったのである。

会見の場所は、

「殷墟《いんきょ》(河南省)」

ということに、項羽は指定した。

章邯の側からいえば、棘原城を出て南へくだり、三戸という漳水《しょうすい》の渡し場をへてさらに南下すれば殷墟にいたる。

殷墟とは、古代の殷王朝の遺跡という意味である。殷墟という考古学的遺跡そのものを指す地名が、すでにこの秦《しん》帝国の時代から存在していたことが分かるのは、『史記』の記載のおかげといっていい。

殷王朝時代というのは、紀元前一六〇〇年から一〇二八年の間とされるが、元来は中国史上の神話時代のようにあつかわれ、実在感が薄かった。

殷王朝が実際に存在したということが確かめられる端緒になったのは、一八九九年（明治三十二年）、劉鶚《りゅうがく》という学者が、北京《ペキン》の薬屋で、「竜骨」と薬屋がよんでいる動物のふるい骨を買い、かれがそこにえたいの知れぬ文字が刻まれているのに驚いた瞬間からであるといっていい。これを古い文字の研究家である羅振玉《らしんぎょく》らが読んでみると、『史記』に記載されている殷王朝の王の名が出てきたために、それまで知られていなかった殷代の文字であることが推定された。この研究が、いわゆる甲骨《こうこつ》文字の研究として日本の貝塚茂樹《かいづかしげき》博士らにうけ継がれてゆくのだが、ともかくも薬屋で「発見」されたときに、薬屋の証言で殷墟付近から出土するということがわかり、やがて学者たちの手で多量に発掘されるようになった。

殷墟そのものが考古学的に発掘されるのは、一九二八年、北伐に成功して北京に入城した国民政府軍によってである。近代中国における革命の成功期に古代をたしかめる考古学的発掘がおこなわれるというのは、別の課題として興趣がある。国民政府は一九三七年の日中戦争の勃発《ぼっぱつ》まで十五回にわたって発掘調査をおこない、のち国民政府が大陸での革命戦にやぶれてからは、それらの出土品を台湾《たいわん》に移した。

その後、中華人民共和国が、革命成功の翌年（一九五〇年）大々的に殷墟の発掘を再興し、青銅器その他の重大な発掘成功をつぎつぎに発表している。殷という遠い時代にすでに驚歎《きょうたん》すべき文明が存在したということは、中国人の民族的自信の回復にあるいは微妙な効用をはたしているといえるかもしれない。

殷墟には宮殿、住宅などの遺跡も多いが、墳墓も多い。新中国になって発掘された王室の王墓には、多くの殉葬者が骨になって横たわっていた。玉の装身具をつけて生きながらに阬《あなうめ》された侍臣の骨もあれば、装身具などいっさい着けずに、頭部を切り離された人骨が、一つの墓に、束ねるようにして排列されているのも発見された。どの大墓においても、それが見られた。三百体、五百体、ときに一千体というふうに発掘された。これら殉葬者の骨がなにをあらわすのか、十分にわかっていない。

この状態からみて殷とそれにつづく周を奴隷《どれい》制時代であるとしたのは郭沫若《かくまつじゃく》であったが、この解釈困難な大量殉葬が、奴隷主の死に、死後までつきあわされる奴隷たちであるとすれば、奴隷という財産をなぜこのように浪費したのかという疑問が湧《わ》く。殷の当時、大陸の人口はすくなく、王国の軍隊でも兵員は数千人にすぎなかったろうということを考えると、殉葬のためにそれほどの奴隷を殺せば「奴隷制」経済が成立しなくなるのではないかと思われたりする。

あるいは異民族の戦時捕虜であったろうかとも考えられる。殷代のこの大陸は、多種類の民族が雑居し、ときに抗争していた。戦時捕虜に対しては、技術のある者はこれを奴隷にするとしても、そうでない者は食糧の分配能力から考えて、王の墓に阬してしまうほうが経済的であるかもしれなかった。

殷の時代、権力者の大墓は、必要があれば入口を開く仕掛けになっていたらしい。既存の墓においても、御供物《おくもつ》をそなえるようにつぎつぎに殉葬者を阬しては、地下をにぎやかにしてゆくというかたちがとられた。いずれにしても、殷の墓のように人間が大量に阬されているというのは、地球上の他の古代世界には例を見ない。

項羽の時代の殷墟《いんきょ》は、近在のひとびとの伝承でもってここに殷の古都があったとされているだけで、この当時、それ以上のことはなにも知られていない。

この黄土層地帯の景観の骨格は、西方の高地がしだいに低くなりながら起伏をくりかえし、多くの丘陵と谷間をつくっていることであった。殷墟のすぐ北方に、項羽らもやがて渉《わた》らねばならない洹水《かんすい》がながれている。洹水はときに氾濫《はんらん》するが、しかし殷墟の中心部をなす――殷の宮殿のあった――小屯《シャオトン》の岡だけはそれにおかされることがない。項羽の時代から二千百余年後、発掘によりこの岡が殷の宮殿のあとであることがわかったが、項羽がこの岡をのぼったときは、夏草の茂りだけがめだったにすぎない。

ともかくも項羽は、この岡の上を会見場所とした。

章邯《しょうかん》は、降将としてこの岡の道を、汗ばみながら登った。従えているのは、欣《きん》のほかに、董翳《とうえい》だけである。

「あの樹《き》は、楡《にれ》ではないか」

と、章邯は岡の上を指さした。緑青《ろくしょう》を溶かして刷《は》いたような色で、林が岡の上を淡くふちどっている。欣は見あげてみたが、楡かどうかはわからない。

(この将軍は、感情がどこにくっついているのか)

欣は、ふりかえった章邯ののんきそうな顔を見てふしぎにおもった。楡であれ、何であれ、その岡の上の林の中でおこなわれるのは、降伏と受降の儀式なのである。欣は、章邯が、あるいは足も揚げられないほどに悲しむのかと思ったが、陽気とはいえないにせよ、荷を売り終えた行商人のようにゆるんだ顔をしていた。

もっとも章邯の側でいえば、理由がある。かつて趙高《ちょうこう》の詐略によって自殺させられた蒙恬《もうてん》将軍が、オルドスの疎草《そそう》地帯の匈奴《きょうど》を北方のゴビへ押しやり、かれらがふたたび来襲しないように、オルドスの地に楡の木を植え、長大な樹林の帯をつくったという故事があり、章邯は岡を登りながらそのことを思いだし、そうたずねたにすぎない。

が、この場になって、ごく日常的な顔で樹木の種類に関心をもつなどというのは、章邯の血の薄さと無縁ではないかもしれない。

岡の中腹で、章邯は欣と董翳を待たせた。

あとは、ひとりで登った。小径《こみち》の両側には、楚兵が堵列《とれつ》している。楚兵のなかには憎しみを露《あらわ》にしている者もあれば、

(これが籌算神《ちゅうさん》のごとしといわれた章邯将軍か)

と、あこがれるような目で見る者もいた。

項羽は、林の中に皮の敷物をしいて章邯を待っていた。

章邯が剣を脱しようとすると、項羽は大声をあげてそのままになされよ、と言い、かれにも項羽とおなじ敷物をあたえた。降将のあつかいでないばかりか、項羽が、まだ少年のにおいのこる唇をひらいて、私はあなたを尊敬している、とその戦いぶりをたたえたとき、章邯は別人のようになった。

章邯の心をにわかな悲しみが襲い、しばらく少女のように泣いた。秦の帝室で、たれが項羽のような言葉をかけてくれたであろうか。

「私は、秦のために戦えば戦うほど、宮廷での罪が重くなった。宦官の趙高をご存じ

であろうか」

と、項羽に訴えた。章邯はおよそひとに自分の窮状を愁訴《しゅうそ》するような男ではなかったのに、はじめて見えた敵将の前で取りみだしてしまったのは、降将としての異常な感情のたかぶりもあったであろうが、ひとつには項羽の人柄に、章邯をそうさせてしまう何かがあったのにちがいない。

さらに項羽がいかに章邯を重んじたかについては、自分の配下にはしなかったことでもわかる。

雍《よう》王という呼称の王にした。

項羽は、形式上は楚の懐《かい》王の家来の上《じょう》将軍にすぎず、他人を勝手に自分より上位の「王」にする権能などなかったが、実際にはかれは楚王の上位にあるにひとしい。楚王に対しては事後承諾をもとめればよかった。

雍王である章邯は、項羽の本営にとどめた。旧秦軍二十余万に対する指揮は、あらたに楚の上将軍に任命した欣にとらせた。

項羽は、章邯軍という拘束から脱した。

あとは全力をあげて西進するばかりであった。函谷関をやぶり、関中に突入し、秦の帝都咸陽をくつがえさねばならない。

黄河のほとりに出た。

この華北・華中の文明をつくった大河は、この大陸に大きく几《き》の字をえがいて流れている。非漢民族地帯であるオルドスの漠野から流れてきたこの水は、南流して関中盆地の入口である潼関《とうかん》にいたり、ほぼ直角に東へ折れて流れ、中原の野をうるおしつづけているのである。

項羽軍は、黄河の流れに沿って西進した。流域の食糧貯蔵の官倉をことごとくおさえて食糧を得つつ進み、洛陽《らくよう》をへて新安《しんあん》（河南省新安）にいたった。

（なんと、ゆたかなものだ）

と、項羽は、自分の故郷の水っぽくて黒い土の色とはまったくちがった黄土地帯の田畑を見つつ、この大地に豊穣《ほうじょう》を感じた。漢民族の文明は黄土地帯において盛衰をくりかえしてきただけに、楚人である項羽は、土の黄色っぽさをみるとどことなくこれこそ文明の地帯だとおもってしまう。

黄土は、北方の半乾燥アジアのちりが風に運ばれて堆積《たいせき》したもので、粒子はこまかく、掌《てのひら》にすくえば軽くてさらさらしており、層は深さ平均二、三〇メートルもあるときに七〇メートルにも達する。

黄土は植物の成長に必要な鉱物質を多量にふくんでいるのと水保《みずも》ちがいいために農業にもっともよく適して、この大陸に巨大な農業文明をそだてたが、一面、水蝕《すいしょく》されやすい。水蝕されると、ほぼ垂直の谷壁をつくって陥没し、平地に巨大な穴（あるいは谷）をつくってしまう。

新安には、水蝕によってできた黄土谷が多い。ときに転落すれば命をおとすほどに深い谷があった。

項羽軍がこの地帯にたどりつくまでに、かつてないほどに軍紀がみだれた。兵士のあいだでの喧嘩《けんか》、刃傷《にんじょう》、乱暴沙汰《ざた》が無数におこり、軍隊秩序を維持できないほどの隊もあった。

項羽軍の楚兵たちは、もと流民である。かつて秦の労役に徴用されなかった者はほとんどないといっていい。労役中、秦兵が監督したが、その暴慢ぶりは度外れたもので、楚人を奴隷のようにあつかい、ささいな落度でも死ぬほどに棍棒《こんぼう》でなぐりつけた。その恨みが、楚兵のあいだで充満しており、立場が逆転したいま、以前にひどいめに遭わされたのとおなじやりかたで新附《しんぷ》の秦兵に復讐《ふくしゅう》しはじめたのである。

楚兵は、秦兵を奴隷あつかいした。秦兵の休息中を楚兵が襲ったり、わずかでも反抗の色をみせたりすると、よってたかって折檻《せっかん》し、ときに死に至らせたりした。このため逆に秦兵のあいだで、憎悪《ぞうお》と狐疑《こぎ》がうまれ、やがてそれが高まり、反乱への願望が、小単位ごとにささやかれるようになった。

「われわれは、どうなるか」

という狐疑が、秦兵を動揺させつづけている。かれらは楚軍とともに、その郷国である秦（関中）に攻め入るのだが、この点についても気がむかなかった。といって秦の兵には秦帝国への忠誠心などはさほどにはない。むしろ楚人の関中入りがおそらく成功すまいという見方のほうが強く、楚人が関中の秦軍に敗れた場合、かれら楚人はふたたびこの帰順秦兵を捕虜として中原へつれ去り、関中にいる帰順秦兵の家族は、秦帝国の手で殺されるにちがいないと猜疑《さいぎ》していた。

「いっそ、反乱をおこすか」

というのが、この種のささやきの果てに繰りかえされる言葉だった。なにしろ帰順秦兵は二十余万というぼう大な人数で、反乱は見込みのないことではない。しかし秦兵は素手であった。関中に入れば兵器をわたすということだったが、いまは丸腰である。その上、反乱をおこすための指導者がいなかった。

まずいことがおこった。ある夜、秦兵の宿営地を巡回していた楚人の将校がこの種のささやきを聴いた、というのである。この聴き込みは、項羽にまで上申された。

範増《はんぞう》が、おどろいてしまった。

秦兵というのは、歴史的にも非秦人にとって強兵という印象がつよく、捕虜になっても、恐怖を感じざるをえない。その上、二十余万という人数はいかに丸腰でも看視側の楚軍よりも多く、捕虜として連れ歩くには荷が重すぎた。

項羽が、決心した。

「章邯、長史欣《ちょうしきん》、それに董翳《とうえい》、この三人だけは大切にしたい」

「欣と翳それに章邯は、秦兵に接触させるな」

と、命じ、範増にいっさいを話した。

範増は、黥布《げいふ》を本営によび、密議した。

以上の事態は、この大軍が新安に到着する直前までのことである。

新安での秦軍二十余万の宿割りは、黥布の配下の将校がきめた。城外で、しかも地隙《ちげき》の多い地域が、野営地として指定された。垂直断崖《だんがい》でかこまれた四角い黄土谷が無数にあり、地の底をのぞかせていた。

深夜、黥布軍が秘密の運動をした。かれらは足音をしのばせて、黄土谷のない平原にあらわれ、捕虜たちの宿営地の三方をかこみ、一方だけあけたのである。

次いで、一時に喚声をあげ、包囲をちぢめた。この深夜の敵襲で、二十余万の秦兵たちがパニックにおち入った。かれらは一方にむかって駈《か》け出し、たがいに踏み重なりつつ逃げ、やがて闇《やみ》の中の断崖のむこうの空《くう》を踏み、そこからは人雪崩《なだれ》をつくって谷の底に流れ落ちた。最初に底へ落ちた者は骨を砕かれて即死したが、つぎの段階はすでに落ちた者の上に落ち、つづいて落下してくる人間によって体をくだかれた。ついには無数の人体によってまず窒息し、その密度が高くなるにつれて人の体が押しつぶされて板のようになった。たちまち二十余万人という人間が、地上から消えた。

大虐殺《ジェノサイド》は、世界史にいくつか例がある。

一つの人種が、他の人種もしくは民族に対して抹殺《まっさつ》的な計画的集団虐殺《ぎゃくさつ》をやることだが、同人種内部で、それも二十余万人という規模でおこなわれたのは、世界史的にも類がなさそうである。

さらには、項羽がやったような右の技術も例がない。ふつう大虐殺は兵器を用いるが、殺戮《さつりく》側にとってはとほうもない労働になってしまう。項羽がやったように、被殺者側に恐慌《パニック》をおこさせ、かれら自身の意志と足で走らせて死者を製造するという狡猾《こうかつ》な方法は、世界史上、この事件以外に例がない。

翌朝、項羽軍は総力をあげて土工になった。すきやくわを持って断崖のふちに立ち、数日かかって二十余万の秦兵の死骸《しがい》に土をかぶせ、史上最大の阬《あなうめ》を完成した。

范増は、軍師としてこの挙を制止すべきであったろう。なぜなら、項羽はその人柄のおもしろさのわりには、この新安事件以後、ひとびとの心をひきつけ常に大兵力を維持するということでの、吸引力において欠けはじめるのである。そういうことからみると、范増には項羽の人気を維持したり、創作する感覚に欠けているようであった。なぜなら、范増はみずからすすんでこの虐殺の構想を練った形跡がある。

一方、士卒のために、といって降伏した章邯は、右の事件の翌朝、自分の士卒がすべて土の中に入ってしまったことを知った。

それでも、章邯は生きた。

以後、この事件の衝撃のせいか、往年の気魄《きはく》がなくなり、体ばかりが肥《ふと》って、顔も水死人のようにまるく膨《ふく》れた。欣や董翳もまた自殺などはしていない。項羽のもとで長らえ、栄爵《えいしゃく》をうけつづけた。ただその力量にふさわしい活動をしていないことをみると、二十余万の死が、かれらの心をよほど萎縮《いしゅく》させていたのかもしれない。

のち、劉邦《りゅうほう》の配下の韓信《かんしん》が、劉邦の前で項羽論をのべたとき、秦の降兵二十余万を阬にした、という項羽の暴挙がいかに天下の心をうしなったかを説き、次いで章邯と欣と翳の三人だけが死からのがれたということに言及し、

「秦（関中）の父兄はこの三人を怨《うら》み、その怨みは骨髄に徹しています」

と、いった。

秦が亡《ほろ》んでのちも、関中は通称、地域呼称として秦とよばれた。関中には秦兵二十余万人の父兄が充満していた。かれらは項羽と章邯それに欣と翳を憎むこと甚《はなは》だしく、そのぶんだけ項羽の対抗者である劉邦の人気を大きくしている、と韓信は説くのである。

「沛《はい》公（劉邦）は、なんとご運のよいことか」

と、韓信はいった。

章邯は、のち韓信に殺される。生前、しばしば、

「わしほど秦に忠誠心のつよかった男があったか」

と、ひとびとに激しく語った。章邯の前半生はまさにそのとおりであった。しかし後半生は、ひとびとに、忠誠心というのはいったい何であるのかということを考えこませる素材そのものになった。


（中巻につづく）

「司馬遼太郎記念館」への招待

司馬遼太郎記念館は自宅と隣接地に建てられた安藤忠雄氏設計の建物で構成されている。広さは、約2300平方メートル。2001年11月に開館した。

数々の作品が生まれた自宅の書斎、四季の変化を見せる雑木林風の自宅の庭、高さ11メートル、地下1階から地上2階までの三層吹き抜けの壁面に、資料本や自著本など2万余冊が収納されている大書架、……などから一人の作家の精神を感じ取っていただく構成になっている。展示中心の見る記念館というより、感じる記念館ということを意図した。この空間で、わずかでもいい、ゆとりの時間をもっていただき、来館者ご自身が思い思いにしばし考える時間をもっていただきたい、という願いを込めている。　（館長　上村洋行）

利用案内

所 在 地　大阪府東大阪市下小阪3丁目11番18号　〒577-0803
T E L　06-6726-3860 , 06-6726-3859（友の会）
H P　http://www.shibazaidan.or.jp
開館時間　10:00～17:00（入館受付は16:30まで）
休 館 日　毎週月曜日（祝日・振替休日の場合は翌日が休館）
特別資料整理期間（9/1～10）、年末・年始（12/28～1/4）
※その他臨時に休館することがあります。

入館料

	一　般	団　体
大人	500円	400円
高・中学生	300円	240円
小学生	200円	160円

※団体は20名以上
※障害者手帳を持参の方は無料

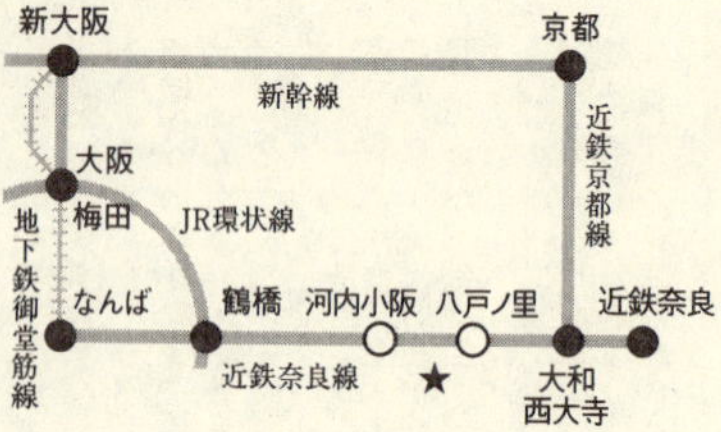

アクセス　近鉄奈良線「河内小阪駅」下車、徒歩12分。「八戸ノ里駅」下車、徒歩8分。
Ⓟ5台　大型バスは近くに無料一時駐車場あり。但し事前にご連絡ください。

記念館友の会　ご案内

友の会は司馬作品を愛し、記念館を支えてくださる会員の皆さんとのコミュニケーションの場です。会員になると、会誌「遼」（年4回発行）をお届けします。また、講演会、交流会、ツアーなど、館の行事に会員価格で参加できるなどの特典があります。

年会費　一般会員3000円　サポート会員1万円　企業サポート会員5万円
お申し込み、お問い合わせは友の会事務局まで
TEL 06-6726-3859　FAX 06-6726-3856

司馬遼太郎著

花神（上・中・下）

周防の村医から一転して官軍総司令官となり、維新の渦中で非業の死をとげた、日本近代兵制の創始者大村益次郎の波瀾の生涯を描く。

司馬遼太郎著

城塞（上・中・下）

秀頼、淀殿を挑発して開戦を迫る家康。大坂冬ノ陣、夏ノ陣を最後に陥落してゆく巨城の運命に託して豊臣家滅亡の人間悲劇を描く。

司馬遼太郎著

覇王の家（上・下）

徳川三百年の礎を、隷属忍従と徹底した模倣のうちに築きあげていった徳川家康。俗説の裏に隠された〝タヌキおやじ〟の実像を探る。

司馬遼太郎著

峠（上・中・下）

幕末の激動期に、封建制の崩壊を見通しながら、武士道に生きるため、越後長岡藩をひきいて官軍と戦った河井継之助の壮烈な生涯。

司馬遼太郎著

胡蝶の夢（一〜四）

巨大な組織・江戸幕府が崩壊してゆく――この激動期に、時代が求める〝蘭学〟という鋭いメスで身分社会を切り裂いていった男たち。

司馬遼太郎著

人斬り以蔵

幕末の混乱の中で、劣等感から命ぜられるままに人を斬る男の激情と苦悩を描く表題作ほか変革期に生きた人間像に焦点をあてた7編。

司馬遼太郎著

果心居士の幻術

戦国時代の武将たちに利用され、やがて殺されていった忍者たちを描く表題作など、歴史に埋もれた興味深い人物や事件を発掘する。

司馬遼太郎著

馬上少年過ぐ

戦国の争乱期に遅れた伊達政宗の生涯を描く表題作。坂本竜馬ひきいる海援隊員の、英国水兵殺害に材をとる「慶応長崎事件」など7編。

司馬遼太郎著

歴史と視点

歴史小説に新時代を画した司馬文学の発想の源泉と積年のテーマ、〝権力とは〟〝日本人とは〟に迫る、独自な発想と自在な思索の軌跡。

司馬遼太郎著

アメリカ素描

初めてこの地を旅した著者が、「文明」と「文化」を見分ける独自の透徹した視点から、人類史上稀有な人工国家の全体像に肉迫する。

司馬遼太郎著

草原の記

一人のモンゴル女性がたどった苛烈な体験をとおし、20世紀の激動と、その中で変わらぬ営みを続ける遊牧の民の歴史を語り尽くす。

司馬遼太郎著

司馬遼太郎が考えたこと 1

―エッセイ 1953.10～1961.10―

40年以上の創作活動のかたわら書き残したエッセイの集大成シリーズ。第1巻は新聞記者時代から直木賞受賞前後までの89篇を収録。

司馬遼太郎著

司馬遼太郎が考えたこと　2

―エッセイ 1961.10～1964.10―

新聞社を辞め職業作家として独立、『竜馬がゆく』『燃えよ剣』『国盗り物語』など、旺盛な創作活動を開始した時期の119篇を収録。

司馬遼太郎著

司馬遼太郎が考えたこと　3

―エッセイ 1964.10～1968.8―

「昭和元禄」の繁栄のなか、『国盗り物語』『関ケ原』などの大作を次々に完成。作家として評価を固めた時期の129篇を収録。

司馬遼太郎著

司馬遼太郎が考えたこと　4

―エッセイ 1968.9～1970.2―

学園紛争で世情騒然とする中、『坂の上の雲』の連載を続けながら、ゆるぎのない歴史観をもとに綴ったエッセイ65篇を収録。

司馬遼太郎著

司馬遼太郎が考えたこと　5

―エッセイ 1970.2～1972.4―

大阪万国博覧会が開催され、日本が平和と繁栄を謳歌する時代に入ったころ。三島割腹事件について論じたエッセイなど65篇を収録。

司馬遼太郎著

司馬遼太郎が考えたこと　6

―エッセイ 1972.4～1973.2―

田中角栄内閣が成立、国中が列島改造ブームに沸く中、『坂の上の雲』を完結して「国民作家」と呼ばれ始めた頃のエッセイ39篇を収録。

司馬遼太郎著

司馬遼太郎が考えたこと　7

―エッセイ 1973.2～1974.9―

「石油ショック」のころ。『空海の風景』の連載を開始、ベトナム、モンゴルなど活発に海外を旅行した当時のエッセイ58篇を収録。

新潮文庫最新刊

宮部みゆき著
ソロモンの偽証
―第Ⅲ部 法廷―
（上・下）
いま、真犯人が告げられる――。現代ミステリーの最高峰、堂々完結。藤野涼子の20年後を描く書き下ろし中編「負の方程式」収録。

池波正太郎ほか著
縄田一男編
まんぷく長屋
―食欲文学傑作選―
鰻、羊羹、そして親友……!? 命に代えても食べたい、極上の美味とは。池波正太郎、筒井康隆、山田風太郎らの傑作七編を精選。

池内紀
川本三郎編
松田哲夫
日本文学100年の名作
第3巻
1934－1943 三月の第四日曜
新潮文庫100年記念、全10巻の中短編アンソロジー。戦前戦中に発表された、萩原朔太郎、岡本かの子、中島敦らの名編13作を収録。

石原千秋監修
新潮文庫編集部編
新潮ことばの扉
教科書で出会った名詩一〇〇
ページという扉を開くと美しい言の葉があふれだす。各世代が愛した名詩を精選し、一冊に集めた新潮文庫百年記念アンソロジー。

沢木耕太郎著
246
もしかしたら、『深夜特急』はかなりいい本になるかもしれない……。あの名作を完成させた一九八六年の日々を綴った日記エッセイ。

阿川佐和子著
魔女のスープ
―残るは食欲―
あらゆる残り物を煮込んで出来た、世にも怪しい液体――アガワ流「魔女のスープ」。愛を忘れて食に走る、人気作家のおいしい日常。

項《こう》羽《う》と劉《りゅう》邦《ほう》(上)

新潮文庫　し-9-31

昭和五十九年九月二十五日　発行
平成十七年六月二十五日　七十一刷改版
平成二十六年十一月二十日　九十一刷

著者　司《し》馬《ば》遼《りょう》太《た》郎《ろう》

発行者　佐藤隆信

発行所　株式会社 新潮社

郵便番号　一六二―八七一一
東京都新宿区矢来町七一
電話 編集部(〇三)三二六六―五四四〇
読者係(〇三)三二六六―五一一一
http://www.shinchosha.co.jp

価格はカバーに表示してあります。

乱丁・落丁本は、ご面倒ですが小社読者係宛ご送付ください。送料小社負担にてお取替えいたします。

印刷・大日本印刷株式会社　製本・憲専堂製本株式会社

ISBN978-4-10-115231-8　C0193